小さな会社の

給与計算と社会保険の事務がわかる本

'24～'25 年版

成美堂出版

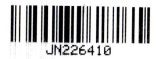

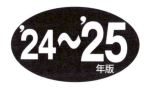

はじめに

こんな方たちに役立つ

この本は、次のような方たちを対象に、私たち筆者の実務経験をもとに、書き下ろしています。

- 経理に配属の決まった新入社員の方
- 突然の人事異動で、給与・社会保険事務の担当となり、どうしてよいかわからない方
- 会社を設立して、従業員を雇うことになった社長さん
- 税理士事務所に就職して、顧問先の給与計算を任された新入社員の方
- 社会保険労務士試験合格を目指し、実務的なことも知識として習得したいと考えている方

基本をおさえる

給与計算事務、社会保険事務が「まったくはじめて」という人に求められるのは、業務の正確性です。このハードルをクリアするには、まず基本的な知識の習得が必要です。

だからといって、法律の条文をながめていても、眠くなってしまうだけでしょう。

この本では、基本的な知識を習得することにポイントを置いて、図解や用語解説を交え、わかりやすく解説しています。

理論はアタマで覚え、実務はカラダで覚えるものです。この本を片手に給与計算・社会保険事務の実務に体当たりしてください。

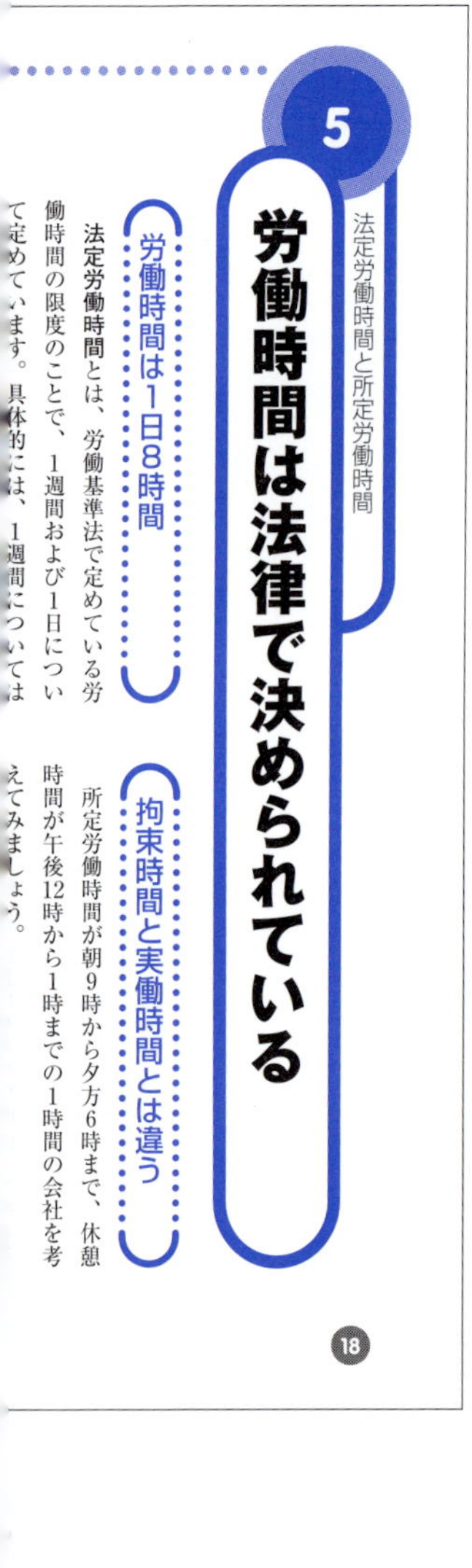
5

法定労働時間と所定労働時間

労働時間は法律で決められている

労働時間は1日8時間

法定労働時間とは、労働基準法で定めている労働時間の限度のことで、1週間および1日について定めています。具体的には、1週間については

拘束時間と実働時間とは違う

所定労働時間が朝9時から夕方6時まで、休憩時間が午後12時から1時までの1時間の会社を考えてみましょう。

18

本書の特徴

●原則を解説

複数ある例外を解説すると原則的な考え方がわからなくなってしまいます。この本では、原則の解説に多くの紙面を割いています。

●わかりやすい表現

理解のしやすさを優先し、法律用語をラフに使っています。聞き慣れた言葉で記載しているので、抵抗なく頭に入ってくるはずです。

●仕事をフォローするさくいん

一方で仕事に専門用語はつきもの。わからない言葉に出合ったら、さくいんを引いて確認してみましょう。先輩たちの会話にも自然に入っていけるはずです。

●具体例で理解を助ける

説明だけではわかりにくいケースも、具体例を見ればかんたんに理解できます。実務に役立つケースを数多く紹介しています。

●**書式の記載例を豊富に掲載**
どう書いたらいいのかわからない届出書式も、記載例を参考にすればかんたんです。

●**チェックリストでミスを防ぐ**
巻末のチェックリストをコピーして使ってください。チェックをしていくだけでミスがなくなるはずです。

本書の使い方

●**はじめから読む**
給与・社会保険事務の全体をつかみたい人におすすめします。いつもデスクのそばに置いて使いこなして！

●**疑問がわいたら読む**
直面している問題にわかりやすく答えます。目次やさくいんを大いに活用してください。

監修者　池本 修

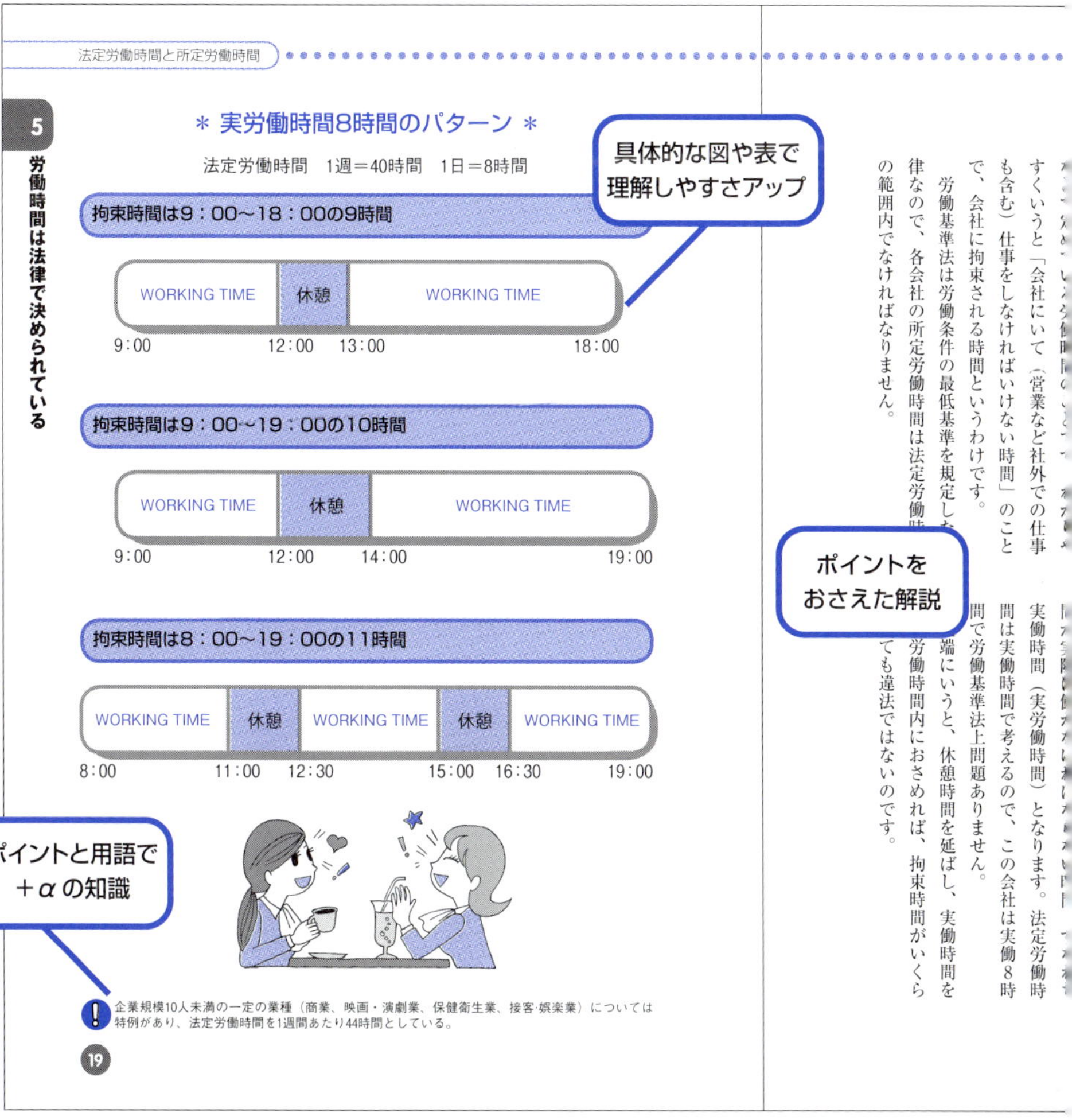

（本書は原則として2024年6月末日現在の法律等に基づいて書かれています）

CONTENTS

目次

PART 1 給与計算事務を始める前に

1 給与の意味 New
給与は働いて得るもの 10

2 給与の体系的分類
給与にはさまざまな種類がある 12

3 従業員の生活を守る給与支払いの原則 New
給与支払いには5つのルールがある 14

4 平均賃金について
直前3か月間の賃金の平均額が平均賃金 16

5 法定労働時間と所定労働時間
労働時間は法律で決められている 18

6 休憩時間の与え方
休憩には3つのルールがある 20

7 法定労働時間外の労働 New
三六協定のない残業は法律違反 22

8 休日に関するルールと休日労働
休日の与え方にはルールがある 26

9 割増賃金の基礎部分の考え方
割増賃金は通常の給与をもとに計算する 28

10 変形労働時間制の特徴
変形労働時間制で週40時間を実現 30

11 年次有給休暇取得の条件
有給休暇を与えられない場合もある 32

12 年次有給休暇の給与と時効
休んでも給与が支払われる有給休暇 34

13 有給休暇の比例付与
パートタイマーも有給休暇がとれる 36

14 解雇に関する規制
従業員を勝手に解雇することはできない 38

15 給与明細書の作成～前準備と勤怠項目欄
給与計算は勤怠チェックから始まる 42

16 給与明細書の作成～支給項目欄
支給項目は自由に決められる 44

17 給与明細書の作成～控除項目欄1 New
社会保険料は報酬月額をもとに計算する 48

18 給与明細書の作成～控除項目欄2 New
雇用保険料は毎月計算する 52

19 源泉所得税の計算 New
給与を支払うときは源泉所得税を差し引く 54

20 扶養控除等（異動）申告書の書き方
給与所得者の扶養控除等（異動）申告書を書く 56

New 21 給与明細書の作成～控除項目欄3 財形貯蓄の控除には協定書が必要 60
New 22 給与明細書の作成～支給額欄 従業員の評価結果は総支給額 62
23 給与計算終了後の納付事務 決められた日までに確実に納付する 64

PART 2 年間タイムスケジュールによる給与計算・社会保険事務の進め方

給与計算事務年間カレンダー 70

4月

New 1 入社に関する事務1 採用に必要な手続きがある 72
New 2 入社に関する事務2 必要書類を整備しておく 74
New 3 入社に関する事務3 社会保険の加入手続きは入社時に行う 80
New 4 入社に関する事務4 雇用保険被保険者資格取得届を提出する 84
5 入社に関する事務5 中途採用の場合は住民税に注意する 86

6月

New 6 住民税とは 住民税は毎月控除し翌月納付する 88

7月

7 労働保険の年度更新1 労災保険料は全額会社が負担する 90
8 労働保険の年度更新2 年度更新は毎年6月1日から7月10日まで 92
New 9 労働保険の年度更新3 手続き前の準備がポイント 94
10 労働保険の年度更新4 確定保険料算定基礎賃金集計表を作成する 96
11 労働保険の年度更新5 確定保険料申告書を書く 100
New 12 標準報酬月額の決定1 標準報酬月額は年に一度見直す 104
13 標準報酬月額の決定2 報酬月額の対象にならない給与がある 106

New は改訂に伴い、内容を変更したテーマです。

14 標準報酬月額の決定3
支払い形態で異なる標準報酬月額決定方法 108

15 標準報酬月額の決定4
9月以降の標準報酬月額を決定する 110

16 標準報酬月額の決定5
給与が大幅に変動したら随時改定を行う 114

New
17 標準報酬月額の決定6
月額算定基礎届・報酬月額変更届の記載例 118

New
18 源泉所得税の納付方法
10人未満の会社に認められる納期の特例 122

19 賞与の支払い～支給の注意点
賞与にも労働基準法の適用がある 126

New
20 賞与の支払い～年金事務所への届け出1
標準賞与額に各保険料率を掛ける 128

New
21 賞与の支払い～年金事務所への届け出2
スムーズな処理を心がける 132

New
22 賞与の支払い～源泉所得税の計算
ケース別　源泉徴収税額の計算例 134

9月

23 退職時の事務手続き～注意すること
退職理由によって変わる事務手続き 138

24 退職者の事務手続き～社会保険
資格喪失日に注意する 140

25 退職者の事務手続き～労働保険
雇用保険被保険者資格喪失届を提出する 142

26 退職者の事務手続き～住民税
退職時期で異なる住民税の手続き 146

27 退職者の事務手続き～退職金1
退職金制度を採用するときのポイント 148

New
28 退職者の事務手続き～退職金2
退職金に関する税金と手続き 150

New
29 退職者の事務手続き～退職金3
退職金支給から納付までの手続き 152

12月

New
30 年末調整の意味
年末調整は会社が代わって行う確定申告 156

31 年末調整事務の流れ
年末調整の準備は11月から始める 158

32 年末調整の必要がない人
年末調整をする人としない人がいる 160

33 所得税計算のプロセス
所得税計算のプロセスを理解する 162

CONTENTS

34 New 年末調整に必要な書類
年末調整に必要な書類を確認する 164

35 控除額の計算
扶養控除等（異動）申告書から計算する 166

36 基礎控除申告書の書き方
基礎控除申告書を書く 168

37 New 配偶者控除等申告書の書き方
配偶者控除等申告書を書く 172

38 保険料控除の種類と特徴
保険料控除申告書を書く 180

39 New 住宅借入金等特別控除を受けるには
住宅借入金等特別控除申告書を書く 186

40 さまざまなケースがあることを理解する
夫婦で購入した住宅は持ち分を計算する 190

41 New 源泉徴収簿完成までの流れ
源泉徴収簿を書く 192

42 翌年1月の事務処理
年末調整がすべて終わるのは翌年1月 196

43 New 源泉徴収票の作成
源泉徴収票は源泉徴収簿をもとに作成する 200

44 法定調書と法定調書合計表
法定調書合計表を作成する 204

PART 3 従業員に関する各種社会保険の手続き

1 New 社会保険の意義と種類
国民の生活を守る社会保険 210

2 従業員の結婚や再就職
従業員が結婚したら手続きが必要 212

3 従業員の妊娠・出産
従業員が出産したら手続きが必要 214

4 育児休業給付
休業しても1年間は給付が受けられる 216

5 社会保険料の免除
子供が3歳になるまで保険料が免除される 220

6 従業員のケガ～労災指定病院での受診
労災保険から給付を受けられる 222

7 従業員のケガ～労災指定病院以外の病院での受診
いったん診察代を立て替える 224

8 従業員の仕事中のケガによる休業
休業期間中も給付を受けられる 226

9 平均賃金算定内訳
平均賃金算定内訳から給付基礎日額を計算する 228

New は改訂に伴い、内容を変更したテーマです。

10 障害補償給付
障害の程度により給付額は変わる 230

11 死傷病報告・その他
ケガ人が出たら死傷病報告を提出する 232

12 通勤災害
通勤途中のケガにも一定の給付がある 234

13 メンタルヘルス
心の病を訴える従業員が増えている 236

New 14 業務外の傷病（療養の給付）
健康保険から給付を受ける 238

15 高額療養費
自己負担金は限度を超えると返してもらえる 240

16 傷病手当金
業務外のケガや病気にも給付がある 244

17 従業員の死亡1
埋葬料または埋葬費が支給される 248

18 従業員の死亡2
遺族補償給付と葬祭料が支給される 250

New 19 高年齢雇用継続給付・在職老齢年金
60歳以降も働き続けるともらえる給付がある 252

20 定年延長・継続雇用制度
会社には雇用を確保する義務がある 256

New 21 健康保険証や年金手帳を紛失したとき
すぐに再交付を受ける 260

22 後期高齢者医療制度（長寿医療制度）
従業員が75歳になったら健康保険の資格を喪失 262

毎月の給与計算に関するチェックリスト……265
入社時のチェックリスト……265
退職時のチェックリスト……266
年末調整と法定調書作成に関するチェックリスト……266
官公庁届出書式一覧……267
書式等入手先一覧……268
税務関係HP・社会保険労務関係HP……268
さくいん……269

New は改訂に伴い、内容を変更したテーマです。

PART 1
給与計算事務を始める前に

- 給与の意味と支払いの原則
- 労働時間や休憩、休日のルール
- 有給休暇について
- 給与明細書の作成
- 各種納付事務について

給与は働いて得るもの

労働の対価として支払うのが給与

給与は、多くの人にとってとても大切な生活原資です。受け取る側にとって給与は1か月間がんばって働いた結果の賜物です。会社は、利益向上のため従業員が提供してくれた**労働の対価**として給与を支払うのです。

労働基準法では、給与を「賃金」と呼び、「賃金、給料、手当、賞与その他名称のいかんを問わず、労働の対償として使用者が労働者に支払うすべてのもの」と定めています。

また、労働者は賃金を受け取り、その賃金で生活している、ということを前提に、労働基準法は成り立っています。

額面と手取金額は大きく異なる

給与明細書には、いろいろな手当や数字が細かく書いてあります。

この中で受け取る側の従業員が最も気になるのは**手取金額**（**差引支給額**）ではないでしょうか。支払う側が重視する**総支給額**（いわゆる**額面**）とかなり数字に違いがあることがわかります。

手取金額は、まず額面の計算をし、そこからいろいろ差し引いて（**控除合計額**）求めるためにこのような差が生じるのです。

総支給額、控除合計額、差引支給額の関連とそれぞれの計算方法がわかってはじめて「給与計算がわかった！」といえるのです。

＊ 給《きゅう》与《よ》支《し》給《きゅう》明《めい》細《さい》書《しょ》の例 ＊

氏名	社員番号	所属
竹中 一郎	33	営業1課

給与支給明細書
○年○月

勤怠他	出勤	休出	特休	有休	欠勤	有休残			
	19			1		11			

勤怠他	出勤時間	遅早時間	普通残業時間	休出残業時間	法定休日時間	深夜時間
	152：00		7：30			
支給	基本給	役職手当	家族手当	住宅手当		
	250,000	30,000	15,000	20,000		
	時間外手当	休日手当	深夜手当			
	16,410					
	非課税通勤	課税通勤	遅早控除	欠勤控除		
	7,420					
控除	健康保険料	介護保険料	厚生年金保険料	雇用保険料	所得税	住民税
	16,966	2,720	31,110	2,033	4,370	13,800
	財形貯蓄	生命保険料				
	10,000					
	総支給額	控除合計額	差引支給額	銀行振込額	現金支給額	
	338,830	80,999	257,831	257,831		

遅刻・早退に対する給与カットのこと（遅早控除）

欠勤に対する給与カットのこと（欠勤控除）

いわゆる「額面」（総支給額）

いわゆる「手取金額」（差引支給額）

差引支給額 ＝ 総支給額 － 控除合計額

Column

賃金（労働の対償となるもの）とは

一例をあげると、結婚祝金ですが、これらについて社長個人が恩恵的に特定の従業員に出すのであれば、賃金とは認められません。

しかし、就業規則等で「従業員が結婚したときは○○円支給する」と規定している場合は賃金となります。

労働を提供してくれる従業員全員に公平に支給されるということは、すなわち「労働の対償」となると考えられます。

労働基準法：憲法第27条第2項（勤労条件の基準）に基づき、労働者が人間らしい生活を送れるように労働条件の最低基準を定めた法律。会社はこの法律で定める基準を下回る待遇で社員を働かせることはできない。

給与にはさまざまな種類がある

給与体系は会社によって異なる

給与とひと言でいっても、基本給や○○手当といろいろな支給項目があります。

これらを体系的に分類したものを**給与体系**といい、会社の業種や実情によって異なってきます。次ページの「給与体系の一例」を参考にしてください。

基準内給与と基準外給与

給与は、**基準内給与**と**基準外給与**に分類することができます。

基準内給与とは**所定労働時間**働いた場合に毎月決まって支給する給与のことで、基準外給与とは通常の労働時間以外の時間に働いた場合に支給する給与のことです。基準内給与は、さらに**基本給**と**諸手当**に分類できます。

基本給

文字どおり、従業員の基本的な給与となる部分で、勤続年数や年齢などによって決まる**属人給**と従業員の職務の内容や従業員の能力によって決まる**仕事給**の2種類をあわせもったものが一般的です。

諸手当

役付者や一定の資格取得者に支払われる役職手当や資格手当、従業員の生活補助を目的とした家族手当や住宅手当、出勤を奨励する皆勤手当や精勤手当、従業員の通勤に対する通勤手当、特別な作業をする従業員に支給する作業手当などがあります。

＊ 給与体系の一例 ＊

- 給与
  - 基準内給与
    - 基本給
    - 諸手当
      - 役職手当・資格手当
      - 家族手当・住宅手当
      - 皆勤手当・精勤手当
      - 通勤手当
      - 作業手当
  - 基準外給与
    - 時間外手当
    - 休日手当
    - 深夜手当
    - 宿日直手当

Column

給与形態とは

給与形態とは、どのような「形」で、あるいはどの「期間」を単位として給与を支払うかということです。

給与を支払う基準を「時」とするものには、年俸制、月給制、日給制、時間給制があります。

給与を支払う基準を「成果」とするものには、出来高給制、歩合給制、業績給制があります。

所定労働時間：就業規則などで定められている通常の労働時間のこと。

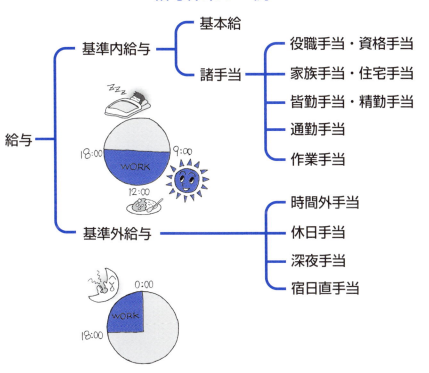

3

従業員の生活を守る給与支払いの原則

給与支払いには5つのルールがある

給料は生活の基盤

給与をもらった経験のある人の多くは「毎月決まった日に、給与明細書どおり決まった金額が自分が指定した銀行口座に振り込まれてくる」のが当たり前と思っているのではないでしょうか。

しかし、例えば「今月は、会社の資金繰りが苦しいから、いつも20日に支給していた給与を月末に支払う」と、会社が一方的に決めたとしたらどうでしょう。毎月27日に支払っている住宅ローンの返済が今月はできなくなるという事態も考えられますね。

給与は、受け取る社員にとっては生活の基盤になるもので、何より安定的かつ確実な支払いが求められます。

5つのルールを守って支払う

そこで、給与（正確には「賃金」）が労働者にきちんと支払われるよう、以下の5つのルールを労働基準法第24条で定めています。

すなわち、給与は、

- **毎月1回以上**（毎月払いの原則）
- **一定の日に**（一定期日払いの原則）
- **全額を**（全額払いの原則）
- **労働者に直接**（直接払いの原則）
- **通貨で**（通貨払いの原則）

支払いなさいというものです。

これら5つのルールは非常に重要で、違反した場合30万円以下の罰金が科せられます。

＊ 給与（賃金）支払いの５原則 ＊

給与は、毎月１回以上支払わなければならない
（今月は会社が赤字だからといって、翌月2か月分まとめて支払うことはできない）

- ただし、賞与や退職金など臨時に支払われる賃金は別

給与は、毎月一定の日に支払わなければならない

- 20日頃支払うなど期日指定がない場合や、毎月第3金曜日に支払うなど月によって期日が違う場合も認められない
- ただし、月末払い（30日または31日または28日）は認められる

給与は、支給額全額を支払わなければならない

- ただし、個人負担の社会保険料など別に法律で給与から控除することが定められている場合や労使合意に基づく労働組合費の控除などの場合はこの限りではない

給与は、直接社員本人に支払わなければならない

- たとえ社員の親や配偶者が代理人であっても認められない
- ただし、本人が病気中などやむをえない場合で、本人の配偶者や親が単に給与を会社に取りに来た場合などに支払うことは可能

給与は、通貨で支払わなければならない
（手形や小切手で支払うことも会社で販売している商品などで代替することもできない）

- 社員に直接現金を渡すのが原則（社員の同意を得て口座振込みにすることも認められている）
- 令和5年4月よりデジタル払い（厚生労働大臣が指定する資金移動業者の口座への賃金の資金移動による支払い）も認められている

直前3か月間の賃金の平均額が平均賃金

労働基準法で定めている平均賃金

平均賃金とは、休業手当や休業補償、解雇予告手当（⬇40ページ）などの計算をするときに基礎として用いられる金額のことです。

平均賃金の求め方

平均賃金は、これを算定すべき事由が発生した日（例：解雇予告手当の場合は解雇通告日）前3か月間の賃金総額をその期間の総暦日数（労働日数ではない）で割って求めます。

給与締切日がある場合は、直前の給与締切日以前3か月間となります。

なお、過去3か月間に下記の期間があるときは、その期間およびその期間に受けた給与を総日数および給与総額から省いて計算します。

総日数および給与総額から省くもの

- 業務上の傷病による療養のための休業期間
- 産前産後の休業期間
- 会社都合による休業期間
- 育児休業・介護休業期間
- 試用期間

給与総額から省くもの

過去3か月間に下記の手当等が支払われていれば、それらを給与総額から省いて計算します。

- 臨時に支払われた賃金
- 3か月を超えるごとに支払われる賃金（ボーナス等）
- 法令や労働協約によらない現物給付

すなわち、最も実態に近い金額を求めるのです。

＊ 平均賃金の求め方 ＊

給与形態が月給や週給の場合

$$\text{平均賃金} = \frac{\text{算定事由発生日前3か月間の賃金総額}}{\text{算定事由発生日前3か月間の総暦日数}}$$

給与形態が日給や時間給または請負制の場合

（平均賃金の最低保障額）

$$\text{平均賃金} = \frac{\text{算定事由発生日前3か月間の賃金総額}}{\text{算定事由発生日前3か月間の労働日数}} \times \frac{60}{100}$$

※労働日数であることに注意

＊ 平均賃金の計算例 ＊

ケース 月給の場合

- 給与形態……月給制
- 給与締切日……毎月15日
- 給与支払日……毎月25日
- 算定事由発生日……6月27日
- 過去の給与……7月分総支給額：105,781円／6月分総支給額：257,844円
  5月分総支給額：248,356円／4月分総支給額：260,712円
  3月分総支給額：235,142円

平均賃金の計算方法

- 算定事由発生日直前の給与締切日は6月15日なので、過去3か月は3月16日から6月15日になる
- 給与は4月分、5月分、6月分の3か月分となる

$$\text{平均賃金} = \frac{260,712\text{円}+248,356\text{円}+257,844\text{円}}{92\text{日（3/16〜6/15）}} = \boxed{8,336\text{円}}$$

：
これが平均賃金となる

休業手当：会社都合で従業員を休業させた場合にその休業中に支払う手当（平均賃金の60％以上）。
休業補償：従業員が業務災害による傷病の療養のため働くことができず、賃金が受けられない場合に会社が支払う補償費（賃金ではない）。労働基準法では平均賃金の60％としているが、これを上回る休業補償費についても賃金とは認められない。

労働時間は法律で決められている

労働時間は1日8時間

法定労働時間とは、労働基準法で定めている労働時間の限度のことで、1週間および1日について定めています。具体的には、1週間については40時間、1日については8時間としています。

一方、**所定労働時間**とは、会社ごとに就業規則などで定めている労働時間のことです。わかりやすくいうと「会社にいて（営業など社外での仕事も含む）仕事をしなければいけない時間」のことで、会社に拘束される時間というわけです。

労働基準法は労働条件の最低基準を規定した法律なので、各会社の所定労働時間は法定労働時間の範囲内でなければなりません。

拘束時間と実働時間とは違う

所定労働時間が朝9時から夕方6時まで、休憩時間が正午から1時までの1時間の会社を考えてみましょう。

この場合、会社に拘束される時間は9時間になりますが、9時間から休憩の1時間を引いた8時間が実際に働かなければならない時間、すなわち実働時間（実労働時間）となります。法定労働時間は実働時間で考えるので、この会社は実働8時間で労働基準法上問題ありません。

極端にいうと、休憩時間を延ばし、実働時間を法定労働時間内におさめれば、拘束時間がいくら長くても違法ではないのです。

＊ 実労働時間8時間のパターン ＊

法定労働時間　1週＝40時間　1日＝8時間

拘束時間は9：00〜18：00の9時間

WORKING TIME | 休憩 | WORKING TIME

9:00　12:00　13:00　18:00

拘束時間は9：00〜19：00の10時間

WORKING TIME | 休憩 | WORKING TIME

9:00　12:00　14:00　19:00

拘束時間は8：00〜19：00の11時間

WORKING TIME | 休憩 | WORKING TIME | 休憩 | WORKING TIME

8:00　11:00　12:30　15:00　16:30　19:00

企業規模10人未満の一定の業種（商業、映画・演劇業、保健衛生業、接客·娯楽業）については特例があり、法定労働時間を1週間あたり44時間としている。

6

休憩には3つのルールがある

休憩の与え方には決まりがある

始業時刻9時、終業時刻18時、休憩1時間という所定労働時間を考えてみましょう。実労働時間は8時間でなにも問題はなさそうですが……。

もし休憩時間が17時から18時の1時間だとしたら、従業員は昼ごはんも食べずに8時間ずっと働かなければなりません。これは問題です。

そこで労働基準法では、**休憩**について以下のように規定しています。

休憩時間は、

- **労働時間の途中に与える**
- **従業員にいっせいに与える**
- **自由に利用させる**

労働時間で変わる休憩時間

労働基準法では「労働時間が6時間を超える場合は少なくとも45分、8時間を超える場合は少なくとも1時間の休憩を労働時間の途中に与える」と規定しています。

これは、労働時間が6時間以内なら、たとえ昼食時であっても休憩を与えなくてもいいし、8時間以内なら休憩時間は45分でいいということです。

さらにいえば、8時間を超えて労働する場合、たとえ何時間残業しても所定労働時間内に1時間の休憩さえ与えていれば、その後休憩を与える必要はないということです。従業員にとってはかなり過酷ですが、法律上そうなっているのです。

＊「従業員にいっせいに与える」の例外＊

●労使協定を結んだ場合

いっせいに与えない労働者の範囲やその場合の休憩の与え方について協定を結ぶ

●以下の事業については労使協定がなくても いっせいに与えなくてもよい

運送、販売、理容、金融、保険、広告、映画、演劇、興行、郵便、電気通信、保健衛生、旅館、飲食店、娯楽場、官公署（非現業）等

＊「自由に利用させる」の例外＊

- ●警察官や消防吏員など一部の職種
- ●休憩時間を自由に利用させている限り「休憩時間に外出する場合には許可が必要である」と会社で規定することは必ずしも法律違反とされていない

お昼休みの電話待ちは休憩時間？

せっかくのお昼休みなのに、相手のつごうで「電話待ち」といったようなことはよく起こります。このようないわゆる手待ち時間は、いつ電話が入るかわからないわけで休憩しているとはいえません。したがって手待ち時間については休憩時間ではなく労働時間とされます。

労使協定：労働者と使用者とが協議して決定したこと。

7

三六協定《さぶろくきょうてい》のない残業は法律違反

時間外労働には割増賃金を支払う

所定労働時間として定められた時間内で仕事が終わらなかったり、深夜にまで及んだり、あるいは休日に仕事が入ったりすることもあります。**時間外労働**、**深夜労働**、**休日労働**というものです。

この場合、通常の給与にプラスアルファ（**割増賃金**）が必要です。労働基準法で一定の割増率を決めているのです（⬇次ページ）。

従業員と三六協定を結ぶ

法定労働時間を超えて働かせる場合は、あらかじめ会社と従業員との間で書面による協定を結び、所轄の労働基準監督署長に届け出なければなりません。これがいわゆる**三六**（サブロク）**協定**（時間外労働・休日労働に関する協定）です。

「うちは割増賃金をちゃんと支払っているから大丈夫」という会社で、よくよく聞くと三六協定を結んでいないということがあります。これは労働基準法違反になるのです。

まずこの協定を結び、届け出た上でないと、時間外や休日に働かせることはできません。そして実際に働いた場合には、先に述べた割増賃金が必要となるのです。

あなたの会社にも、当たり前のように残業や休日出勤をしている人がいると思いますが、三六協定の届け出はすんでいますか？

＊ 割増賃金の割増率 ＊

働き方	割増率
時間外労働 （法定労働時間を超えた労働）	2割5分以上 ただし、1か月の時間外労働の時間数に応じて割増率が異なる。 ・限度時間（月45時間）以内⇒2割5分以上 ・限度時間（月45時間）超60時間以内⇒労使で時間短縮や割増賃金率の引上げについて協議する［努力義務］ ・60時間超⇒5割以上または2割5分超の割増賃金の支払いに代えて有給の休日（年休とは別の休日）の付与も可能 ※限度時間については24ページⒹⒺⒽⒾ参照
休日労働 （法定休日における労働）	3割5分以上
深夜労働 （午後10時から午前5時における労働）	2割5分以上
時間外労働（限度時間内）＋深夜労働 （時間外労働が深夜に及んだ場合）	2割5分以上 ＋ 2割5分以上＝5割以上
休日労働 ＋ 深夜労働 （休日労働が深夜に及んだ場合）	3割5分以上 ＋ 2割5分以上＝6割以上

※〔休日労働 ＋ 時間外労働〕という考え方はない

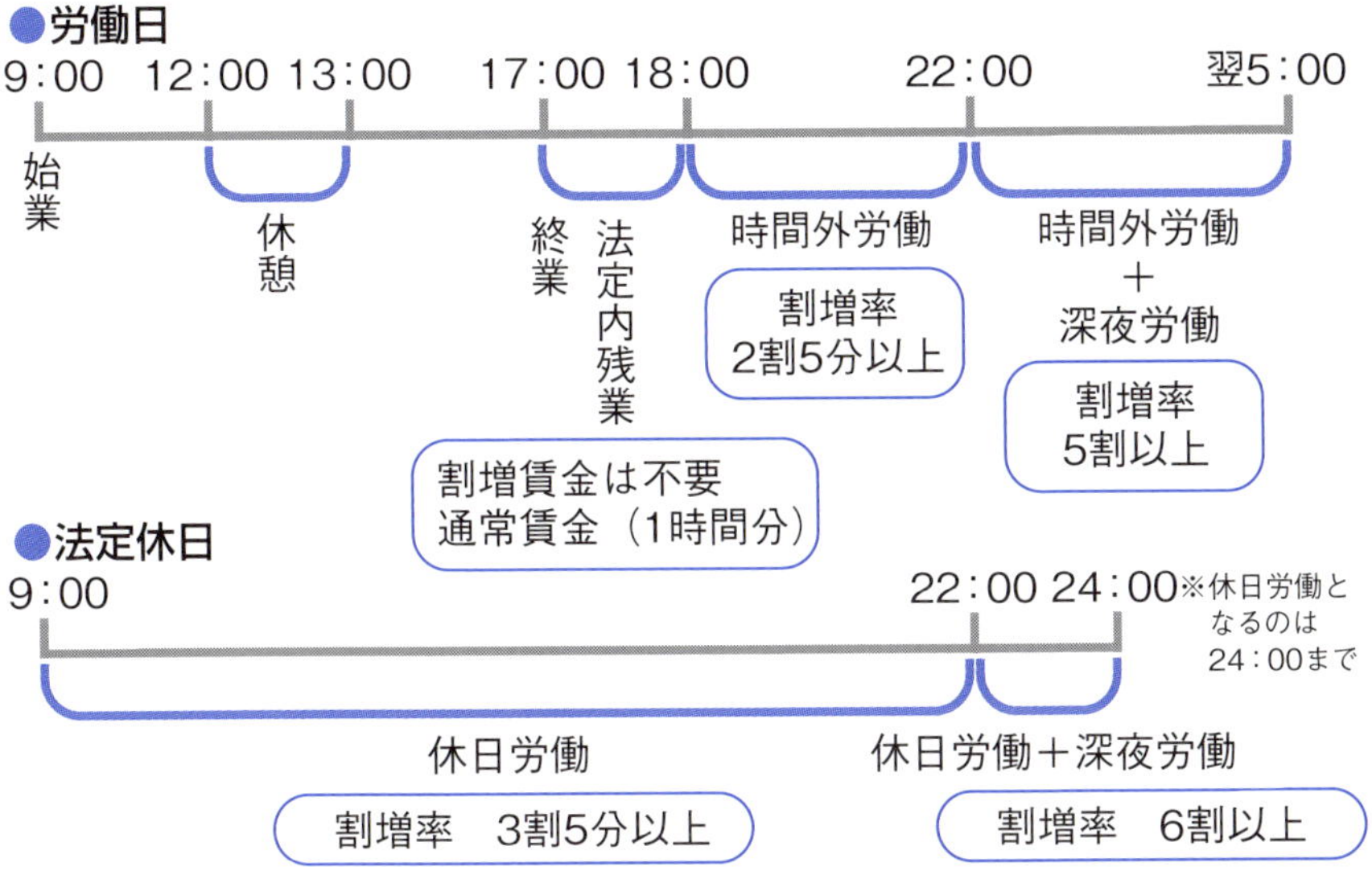

三六協定：労働基準法の36条に定められているためサブロク協定と呼ばれている。

＊ 時間外労働《じかんがいろうどう》 休日労働《きゅうじつろうどう》に関《かん》する協定届《きょうていとどけ》 ＊

様式第９号の２（第16条第1項関係）

時間外労働・休日労働に関する協定届

労働保険番号	13104223456000□□□□（都道府県・所掌・管轄・基幹番号・枝番号・被一括事業場番号）
法人番号	987654XXXXXX□

事業の種類	事業の名称	事業の所在地（電話番号）	協定の有効期間
事務機器の販売	さくら商事株式会社	（〒105 －0004 ）東京都港区新橋○－○－○（電話番号：03 －1234 －5678 ）	令和○年4月1日から令和×年3月31日

時間外労働	時間外労働をさせる必要のある具体的事由	業務の種類	労働者数（満18歳以上の者）	所定労働時間（1日）（任意）	延長することができる時間数 1日 法定労働時間を超える時間数	1日 所定労働時間を超える時間数（任意）	1箇月（①については45時間まで、②については42時間まで） 法定労働時間を超える時間数	1箇月 所定労働時間を超える時間数（任意）	1年（①については360時間まで、②については320時間まで） 起算日（年月日）Ⓐ令和○年4月1日 法定労働時間を超える時間数	1年 所定労働時間を超える時間数（任意）
① 下記②に該当しない労働者	顧客からの要求に対応するため	営業	10人	8時間	Ⓒ5時間	5時間	Ⓓ45時間	45時間	Ⓔ360時間	360時間
Ⓑ ② 1年単位の変形労働時間制により労働する労働者										

休日労働	業務の種類	労働者数（満18歳以上の者）	所定休日（任意）	労働させることができる法定休日の日数	労働させることができる法定休日における始業及び終業の時刻
休日労働をさせる必要のある具体的事由：顧客からの要求に対応するため	営業	10人	土曜日、日曜日	1か月に2回	9:00～18:00

上記で定める時間数にかかわらず、時間外労働及び休日労働を合算した時間数は、1箇月について100時間未満でなければならず、かつ2箇月から6箇月までを平均して80時間を超過しないこと。☑Ⓛ
（チェックボックスに要チェック）

Ⓐ 起算日

1年間の上限時間を計算する際の起算日を記載する

Ⓑ 1年単位の変形労働時間制により労働する労働者

対象期間が3か月を超える1年単位の変形労働時間制が適用される労働者については、②の欄に記載する

Ⓒ 延長することができる時間数（1日）

1日の法定労働時間を超える時間数を定める

Ⓓ 延長することができる時間数（1か月）

1か月の法定労働時間を超える時間数を定める。①は45時間以内、②は42時間以内とする

Ⓔ 延長することができる時間数（1年）

1年の法定労働時間を超える時間数を定める。①は360時間以内、②は320時間以内とする

Ⓕ 臨時的に限度時間を超えて労働させることができる場合

事由は一時的または突発的に時間外労働を行わせる必要のあるものに限り、できるだけ具体的に定める

Ⓖ 限度時間を超えて労働させることができる回数

月の時間外労働の限度時間（45時間または42時間）を超えて労働させる回数を定める。年6回以内とする

Ⓗ 延長することができる時間数および休日労働の時間数

限度時間（月45時間または42時間）を超えて労働させる場合の、1か月の時間外労働と休日労働の合計の時間数を定める。月100時間未満、かつ、2～6か月平均で月80時間以内

Ⓘ 延長することができる時間数

限度時間（年360時間または320時間）を超えて労働させる1年の時間外労働（休日労働は含まない）の時間数を定める。年720時間以内に限る

※三六協定は事業場ごとに必要
※それぞれの事業場の所轄の労働基準監督署長へ届け出る

＊ 時間外労働《じかんがいろうどう》 休日労働《きゅうじつろうどう》に関《かん》する協定届《きょうていとどけ》 ＊

時間外労働
休日労働 に関する協定届（特別条項）

様式第９号の２（第16条第１項関係）

臨時的に限度時間を超えて労働させることができる場合	業務の種類	労働者数（満18歳以上の者）	1日（任意） 延長することができる時間数 法定労働時間を超える時間数	所定労働時間を超える時間数（任意）	1箇月（時間外労働及び休日労働を合算した時間数。100時間未満に限る。） 限度時間を超えて労働させることができる回数（6回以内に限る。）	延長することができる時間数及び休日労働の時間数 法定労働時間を超える時間数と休日労働の時間数を合算した時間数	所定労働時間を超える時間数と休日労働の時間数を合算した時間数（任意）	限度時間を超えた労働に係る割増賃金率	1年（時間外労働のみの時間数。720時間以内に限る。） 起算日（年月日） 〇〇年〇月〇日 延長することができる時間数 法定労働時間を超える時間数	所定労働時間を超える時間数（任意）	限度時間を超えた労働に係る割増賃金率
Ⓕ 突発的な顧客からの要求対応	営業	10人	7時間	7時間	Ⓖ 6回	Ⓗ 60時間	60時間	30%	Ⓘ 630時間	630時間	Ⓙ 30%
大規模なクレーム、トラブル対応											

限度時間を超えて労働させる場合における手続	労働者代表者への事前申入れ	
Ⓚ 限度時間を超えて労働させる労働者に対する健康及び福祉を確保するための措置	（該当する番号） ① ③	（具体的内容） 対象労働者への医師による面接指導の実施、対象労働者に11時間の勤務間インターバルを設定

上記で定める時間数にかかわらず、時間外労働及び休日労働を合算した時間数は、１箇月について100時間未満でなければならず、かつ２箇月から６箇月までを平均して80時間を超過しないこと。☑ Ⓛ
（チェックボックスに要チェック）

協定の成立年月日 令和〇年 3月 25日

協定の当事者である労働組合（事業場の労働者の過半数で組織する労働組合）の名称又は労働者の過半数を代表する者の 職名 営業 Ⓜ 氏名 山本 健太 (山本) Ⓠ

協定の当事者（労働者の過半数を代表する者の場合）の選出方法（ 挙手 Ⓝ ）

Ⓞ
上記協定の当事者である労働組合が事業場の全ての労働者の過半数で組織する労働組合である又は上記協定の当事者である労働者の過半数を代表する者が事業場の全ての労働者の過半数を代表する者であること。☑
（チェックボックスに要チェック）

上記労働者の過半数を代表する者が、労働基準法第41条第２号に規定する監督又は管理の地位にある者でなく、かつ、同法に規定する協定等をする者を選出することを明らかにして実施される投票、挙手等の方法による手続により選出された者であって使用者の意向に基づき選出されたものでないこと。☑（チェックボックスに要チェック） Ⓟ

令和〇年 4月 1日

使用者 職名 さくら商事株式会社 代表取締役
氏名 鈴木 宗太郎 ㊞ Ⓠ

〇〇 労働基準監督署長殿

Ⓙ 限度時間を超えた労働に係る割増賃金率

限度時間を超えて時間外労働をさせる場合の割増賃金率を定める。この場合、法定の割増率[25%]を超える割増率となるよう努める

Ⓚ 限度時間を超えて労働させる労働者に対する健康および福祉を確保するための措置

限度時間を超えた労働者に対し、以下のいずれかの健康確保措置を講ずることを定める。該当する番号を記入し、右欄に具体的内容を記載する

①医師による面接指導 ②深夜業の回数制限 ③終業から始業までの休息時間の確保（勤務間インターバル） ④代償休日・特別な休暇の付与 ⑤健康診断 ⑥連続休暇の取得 ⑦心とからだの相談窓口の設置 ⑧配置転換 ⑨産業医等による助言・指導や保健指導 ⑩その他

Ⓛ チェックボックス

時間外労働と法定休日労働を合計した時間数は、月100時間未満、2〜6か月平均80時間以内でなければいけない。これを労使で確認の上、必ずチェックを入れる

Ⓜ 労働者代表

三六協定を締結する者、管理監督者は労働者代表にはなれない

Ⓝ 選出方法

投票、挙手等の民主的な方法で労働者の代表を選出し、その選出方法を記載する

Ⓞ チェックボックス

過半数労働者の代表または過半数労働者で組織する労働組合であることを確認するチェックを入れる

Ⓟ チェックボックス

Ⓜの労働者代表が、管理監督者でなく民主的な方法で選ばれ、使用者の意向に基づく選出でないことを確認するチェックを入れる

Ⓠ 押印等

原則押印不要ではあるが、協定書をつけずにこの協定届だけで提出する場合は、労働者代表および使用者ともに自筆による署名または押印が必要

なお、様式については厚労省のHPからダウンロードできます。

時間外労働・休日労働に関する協定届
https://jsite.mhlw.go.jp/tokyo-roudoukyoku/hourei_seido_tetsuzuki/roudoukijun_keiyaku/36_kyoutei.html

！ 所定労働時間を超えている労働であっても、それが法定労働時間内の労働であれば割増賃金および三六協定は必要ない。

起算日：ある期間を計算するときにスタートとなる日のこと。

8 休日の与え方にはルールがある

法定休日と所定休日は意味が違う

休日については、労働基準法で「毎週少なくとも１回の休日」または「４週間を通じて４日以上の休日」を与えなければならないと規定しています。これを**法定休日**といいます。

一方、会社ごとに就業規則などで定めている休日を**所定休日**といい、必ずしも法定休日とは一致しません。完全週休２日制では、２日の休日のどちらかは所定休日となるわけです。

休日労働は割増賃金が必要

休日労働をさせた場合、**割増賃金**を支払わなければなりません。ここでわかりにくいのが「法定休日労働か所定休日労働か」ということです。

労働基準法では、法定休日労働の場合、割増率３割５分以上の割増賃金を支払うと規定しています。それに対して所定休日労働については法律上何も規定はありません。

ただし注意が必要です。例えば、１日の労働時間が８時間で土曜日・日曜日が休日の会社で、月曜日から金曜日までで40時間以上労働している場合、土曜日も働くと40時間を超えることになるので、法定時間外労働となり規定の割増率による割増賃金が必要になります。もし、さらに日曜日も働くと法定休日に労働したことになり、３割５分以上の割増賃金が必要になります。

＊ 振替休日と代休の違い ＊

	振替休日	代　休
意味	●あらかじめ休日と定めてある日を他の労働日と振り替えること ●これについて前もって従業員との間で手続き等が必要	●法定休日に労働をさせた場合に、その後に代わりの休日を与えること ●法定休日労働に該当する
割増賃金	●休日手当（3割5分以上）は不要 ●その週において1週間の法定労働時間を超えた場合は、その超えた部分について時間外手当（2割5分以上）が必要	●その後、代わりの休日を与える与えないにかかわらず、労働させた法定休日について、休日手当（3割5分以上）が必要

＊ 振替休日の例 ＊

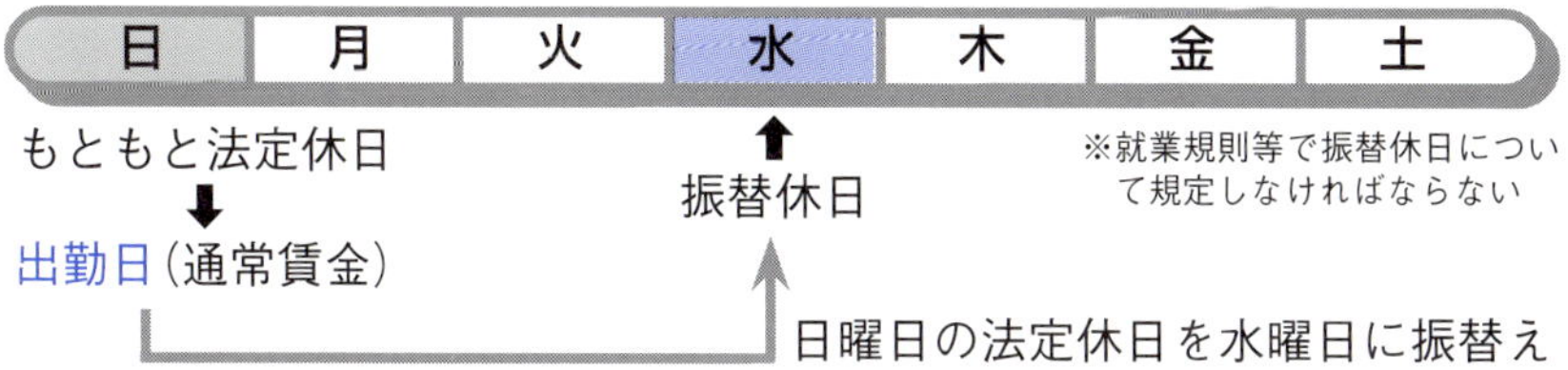

＊ 代休の例 ＊

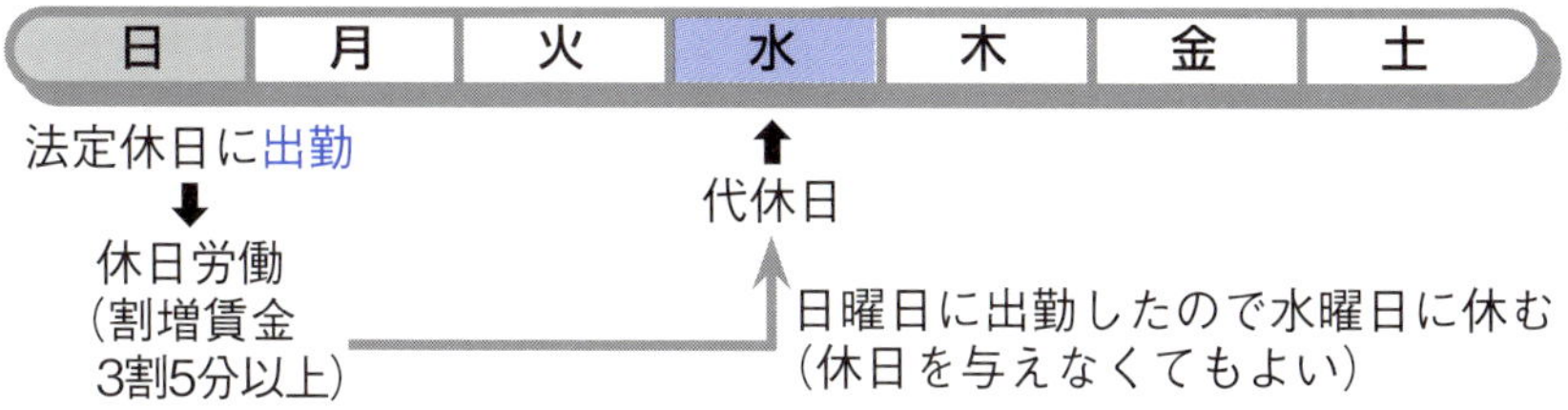

法定休日については「日曜日にしなければならない」といった曜日の限定はない（何曜日でもかまわない）。

9 割増賃金は通常の給与をもとに計算する

手当も割増賃金の対象になる

22ページで説明したように、時間外労働・休日労働・深夜労働をさせた場合、一定の割増率による**割増賃金**が必要となります。

ここでポイントとなるのが、割増賃金は「通常の労働時間または労働日に対して支払う賃金」に加えて支払うということです。

「通常の……」とあるように、割増賃金は基本給だけでなく手当等も含めて計算するのです。そのため割増賃金の単価はかなり高いものとなります。

割増賃金を計算式で表すと以下のようになります。

〔割増賃金＝1時間あたり通常支払う給与（基礎部分）×割増率〕

基礎部分から除外できる手当がある

このように、原則、基本給・諸手当のすべてを基礎にして割増賃金を計算します。ただし、通勤手当など（⬇次ページ）は例外です。これらは「労働の対価」としてではなく実費として支払います。これらの手当まで含めてしまうと、遠くから通勤している人（通勤手当が高い人）は割増手当も高くなり、労働とは関係なく賃金が上がるような不均衡が生じてしまうからです。

しかし、実態はどうであれ、手当の名称のいかんにかかわらず、これらを一律に支給しているような場合は、割増賃金の基礎部分から、これら手当を除外することはできません。

＊ 基礎部分から除外する手当 ＊

家族手当	扶養家族に応じて支給される手当
通勤手当	通勤にかかる費用に対する手当
別居手当	転勤などで家族と離れて生活し、その生計費の増加に対する手当
子女教育手当	扶養している子供の教育費等に対する手当
臨時に支払われる賃金	臨時的、突発的事由による手当や支給事由が不確定でまれに発生する手当（例）結婚手当
1か月を超えるごとに支払われる賃金	（例）ボーナス
住宅手当	住宅に要する費用に応じて算定された手当

＊ 給与形態による基礎部分の算出方法 ＊

時間給

●その金額

例：時給1,000円であれば1,000円が基礎部分となる

日給

●その金額を1日あたりの所定労働時間で割った額

例：日給8,000円、1日あたりの所定労働時間8時間であれば、8,000円÷8時間＝1,000円が基礎部分となる

月給

●その金額を1か月あたりの所定労働時間で割った額

例：月給240,000円、1か月あたりの所定労働時間160時間であれば、240,000円÷160時間＝1,500円が基礎部分となる

●1か月あたりの所定労働時間が月によって異なる場合は年間労働時間を12で割り（月平均所定労働時間）、当該時間で割った額

例：年間労働時間が2,052時間であれば、240,000円÷（2,052時間÷12月）≒1,404円が基礎部分となる

出来高払い（歩合給など）

●1か月分の出来高給を1か月間の総労働時間（残業時間等含む）で割った額（所定労働時間で割るのではない）

月平均所定労働時間の算出方法

年間所定休日数（土曜、日曜、年末年始、盆休みなど所定休日）が120日で1日の所定労働時間が8時間の会社の場合

（365日－120日）×8時間÷12か月＝163.33……時間が、1か月あたりの平均所定労働時間になる。

10

変形労働時間制で週40時間を実現

変形労働時間制で経費削減

「夏場は忙しいから、もっと残業してもらいたいのだが、割増賃金もばかにならないし」

こんな悩みを抱える経営者も多いことでしょう。この経営者のいうように、法定労働時間を超えて労働させた場合、会社は従業員に対し割増賃金を支払わなければなりません。これは会社にとってはとても高くつくものなのです。

労働基準法では、法定労働時間内での変則的な労働時間を認めています。これを**変形労働時間制**といいます。

これらをうまく利用すれば割増賃金を払わなくてもよいので、会社の経費を削減することができます。

4種類の変形労働時間制がある

労働基準法で規定している変形労働時間制には、以下の4種類があります。

- **1か月単位の変形労働時間制**
- **フレックスタイム制**
- **1年単位の変形労働時間制**
- **1週間単位の非定型的変形労働時間制**

それぞれの特徴や労使協定の締結・届け出については、次ページの表を参考にしてください。

仕事の忙しさが季節や時間帯によって変わるような場合、あるいは労働時間の交替制がある場合には意味のある制度といえるでしょう。ぜひ検討してみることをおすすめします。

＊ 変型労働時間制採用手続き一覧 ＊

	1か月単位の変形労働時間制	フレックスタイム制	1年単位の変形労働時間制	1週間単位の非定型的変形労働時間制
内容	●1か月以内の一定期間内で変形を組む ●その期間内で平均して1週間の法定労働時間を超えないようにすれば、特定の週や日に法定労働時間を超えて労働させることができる	●3か月以内の一定の期間（清算期間という）の総労働時間（清算期間を平均して1週間の法定労働時間を超えないようにする）を定める ●その範囲内で従業員自身が個々に始業時刻および終業時刻を決めることができる	●1か月を超え1年以内の一定期間内で変形を組む ●その期間内で平均して1週40時間を超えないようにすれば、特定の週や日に週40時間または1日8時間を超えて労働させることができる ●季節により繁閑の差がある会社や労働時間の交替制がある会社などに有効	●1週間あたりの労働時間を40時間以内と定めれば、特定の日に10時間まで労働させることができる
労使協定の締結	必要（就業規則等に定めれば不要）	必要	必要	必要
労使協定の届け出	必要	不要 ※清算期間が1か月を超える場合は必要	必要	必要
労使協定の内容	●変形を組む一定期間および当該期間の起算日 ●変形期間を平均して週法定労働時間を超えないという定め ●変形期間の各労働日の労働時間 ●有効期間	●対象となる労働者の範囲 ●清算期間および当該期間の総労働時間 ●標準となる1日の労働時間 ●コアタイム（絶対労働時間）およびフレキシブルタイム（選択労働時間）を設定する場合はその開始および終了の時刻	●対象となる労働者の範囲 ●変形を組む一定期間（対象期間：1か月超1年以内）および当該対象期間の起算日 ●特定期間（対象期間中の特別繁忙期） ●対象期間における労働日および労働時間 ●有効期間	●1週間の所定労働時間を40時間以内にする ●1週間に40時間を超えて労働させた場合は割増賃金を支払う
その他	●就業規則や労使協定などに各日各週の労働時間を特定する	●フレックスタイム制を採用する旨を就業規則等に定める ●清算期間が1か月を超える場合は、1か月ごとの労働時間が週平均50時間を超えないこと。超えた場合、その月で割増賃金の支払いが必要	●対象期間の1日および1週間の労働時間の限度がある（1日＝10時間）（1週間＝52時間） ※例外あり ●連続労働日数は6日が限度である（特定期間については12日が限度）	●常時使用労働者数30人未満の小売業・旅館・料理店・飲食店に限られる ●1週間の各日の労働時間をあらかじめ書面で通知する

コアタイム：勤務が義務付けられている時間帯（例：11時〜15時）のこと。
フレキシブルタイム：勤務するかどうかを労働者に委ねる時間帯（例：9時〜11時、15時〜18時）のこと。

有給休暇を与えられない場合もある

有給休暇取得の条件は2つ

労働基準法では、ある一定の条件を満たした従業員は、その従業員の当然の権利として年次有給休暇を取得できると定めています。「一定の条件」とは、以下の2つです。

雇入れの日から起算して6か月間継続勤務している

継続勤務とは正社員で6か月間きっちり働くというわけではなく、従業員としての立場が切り替わっても(パートから正社員に)継続勤務として認められます。また病気等で欠勤していても雇用関係が続いている限り、継続勤務として認められます。

全労働日の8割以上出勤している

全労働日とは、原則所定労働日のことですが、次に掲げる日は全労働日に含みません。

- ●所定休日に労働させた場合はその日
- ●会社都合で休業した日
- ●正当なストライキや争議行為で従業員からの労務の提供がなかった日

また「8割以上出勤（＝8割以上の出勤率）」については、次に掲げる理由で休業した場合でも、出勤日とみなして計算します。

- ●従業員が業務災害による傷病のため休業した期間
- ●育児・介護休業法により、育児休業または介護休業した期間
- ●産前6週間（多胎妊娠は14週間）および産後8週間における女性の産前産後の休業期間
- ●年次有給休暇を取得した日

＊ 勤続年数と付与日数の関係 ＊

- 6か月を超えると1年ごとに毎年付与される
- 6か月を超えても前年の出勤率が8割未満の場合、その年は付与されない

勤続年数（雇入日起算）	6か月	1年6か月	2年6か月	3年6か月	4年6か月	5年6か月	6年6か月
付与日数	10日	11日	12日	14日	16日	18日	20日

※最高付与日数20日　　6年6か月以降、1年ごとに20日付与

＊ 有給休暇の与え方 ＊

1日単位（原則）	通常は1日単位で与える
半日単位（可能）	労働者が希望し、使用者が同意すれば、半日単位で与えることが可能
時間単位	労使協定を締結すれば1年に5日を限度として有給休暇を時間単位で与えることができる

＊Column＊

時季指定権と時季変更権

　年次有給休暇は、原則従業員が希望する日を指定して、有給休暇を取得します。これを、従業員側の「時季指定権」といいます。しかし、その日に取得されると「事業の正常な運営を妨げる」という場合にのみ、他の日に変更させる権利が会社側にあります。これを「時季変更権」といいます。

　なお、34ページにある「計画的付与」の場合には、この時季指定権、時季変更権ともに行使できません。

多胎妊娠：双子、三つ子、それ以上の妊娠のこと。

12

年次有給休暇の給与と時効

休んでも給与が支払われる有給休暇

有給休暇は給与の有る休暇

年次有給休暇は「有給の休暇」なので、当然、給与の支払いが発生します。この給与について労働基準法では、次の3種類のどれかの方法を採用する（就業規則等で規定する）よう定めています。

- **労働基準法第12条で定められている平均賃金**
- **所定労働時間労働した場合に支払われる通常の賃金**
- **健康保険法による標準報酬日額に相当する額**

有休取得日を特定できる計画的付与

労働基準法では年次有給休暇の計画的付与を規定しています。労使協定を締結することにより、労働者の有休取得日を特定できるものです。

ただし、計画的付与ができるのは従業員がもっている有給休暇のうち「5日を超える部分」とされています。少なくとも5日分は従業員が自由に使えるように残しておかなければなりません。

有給休暇5日は必ず消化

年次有給休暇を10日以上付与した労働者に対し、**付与した日から1年間に5日以上の有休を消化させなければなりません。**

労働者自らで消化しきれない場合は、その労働者の意見を聞いて、会社が有休取得日を指定し、消化させることになります。

＊ 年次有給休暇の時効 ＊

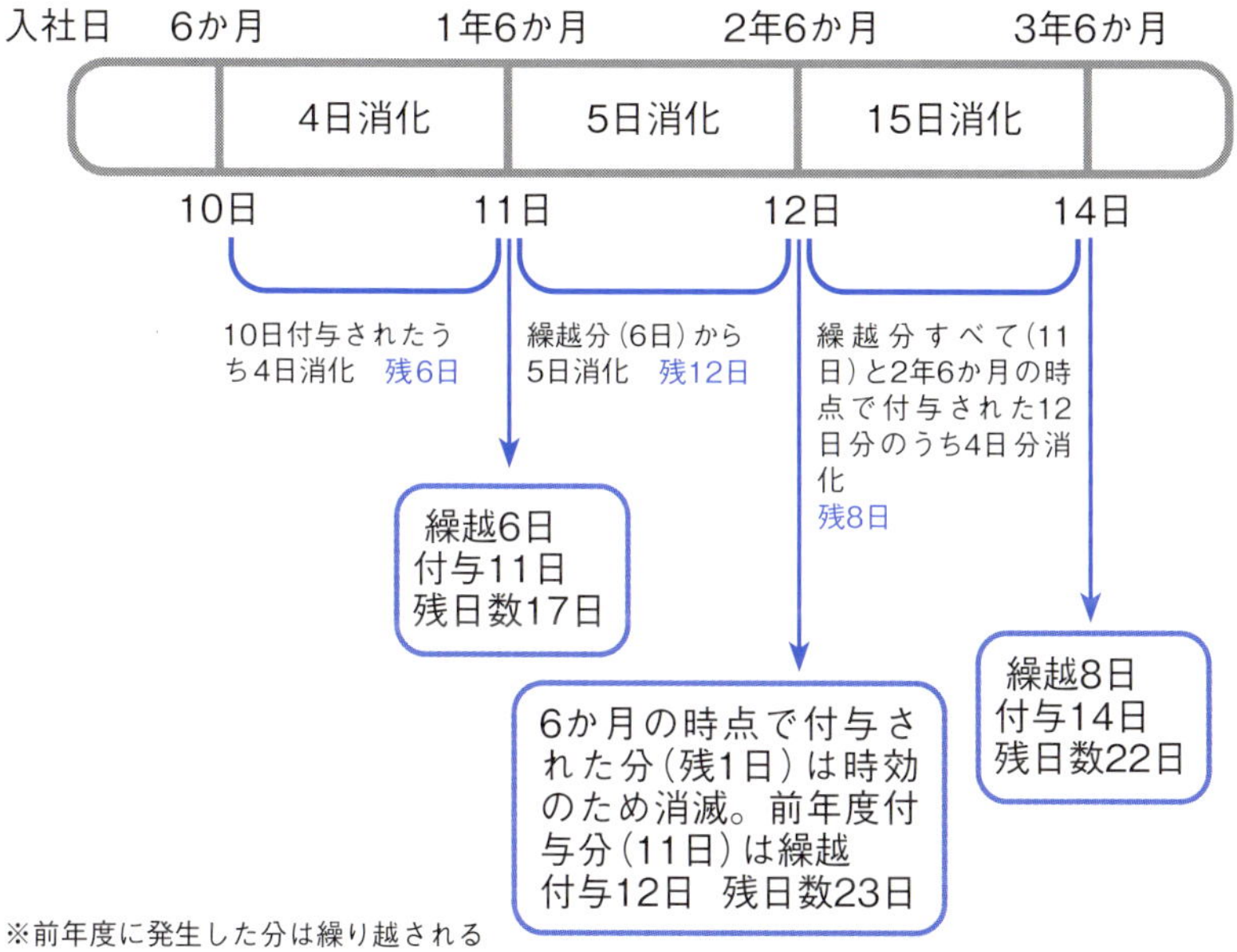

※前年度に発生した分は繰り越される

※年次有給休暇の時効は2年

Column

年次有給休暇の買上げは違法

消化しきれなかった有給休暇について、会社が買い取り、お金で支払うということは違法です。ただし、労働基準法で定めている以上の有給休暇部分については買上げをすることが可能です。また、退職の際、残っている有休をお金に換える必要はありません。退職と同時に有休は消滅します。

しかし、従業員から「残りの有休をすべて消化した時点で退職したい」という申し出があれば拒否できないので、退職日は有休消化の最終日となります。

標準報酬日額：〔標準報酬月額÷30〕で求める。この標準報酬日額を採用する場合は労使協定の締結が必要。ただし労働基準監督署長への届け出は不要。

13

パートタイマーも有給休暇がとれる

労働日数で変わる有給休暇日数

労働基準法では、一定の条件を満たした労働者に年次有給休暇の取得権を認めています。ここでいう労働者にはパートタイマーやアルバイトも含みます。

ただし、週5日勤務の正社員と週2日勤務のパートタイマーの年次有給休暇日数が同じでは不公平になってしまいます。そこで、年次有給休暇日数は週所定労働日数に応じて調整されています。これを「**年次有給休暇の比例付与**」といいます（⬇次ページ）。

労働時間と労働日数がポイント

では、どのような働き方をしている従業員に比例付与されるのでしょう。これも労働基準法で規定しています。

週所定労働時間が30時間未満で、下記のどちらかに該当する場合です。

- **週所定労働日数4日以下**
- **年間所定労働日数216日以下**

例として、1日の労働時間が7時間で週4日働くパートタイマーと1日の労働時間が3時間で週5日働くパートタイマーを考えてみましょう。

前者（週所定労働時間28時間、週所定労働日数4日）は比例付与に該当しますが、後者（週所定労働時間15時間、週所定労働日数5日）は該当しません。ということは、労働時間は短いのに、正社員と同じだけの年次有給休暇日数があるということです。

＊ 年次有給休暇の比例付与 ＊

●通常労働者の週所定労働日数（5.2日）と 比例付与対象労働者の週所定労働日数比較

週所定労働日数 または 年間所定労働日数	勤続年数（雇入日起算）						
	6か月	1年6か月	2年6か月	3年6か月	4年6か月	5年6か月	6年6か月以上
4日 169～216日	7日	8日	9日	10日	12日	13日	15日
3日 121～168日	5日	6日	6日	8日	9日	10日	11日
2日 73～120日	3日	4日	4日	5日	6日	6日	7日
1日 48～72日	1日	2日	2日	2日	3日	3日	3日

※1年間の所定労働日数48日未満の場合、有休を与えなくてもよい
※上記表は次の計算式により求められる

$$\text{通常労働者の有給休暇日数} \times \frac{\text{比例付与対象労働者の週所定労働日数}}{\text{通常労働者の週所定労働日数（5.2日）}}$$

＊Column＊
有給休暇のいっせい管理

有給休暇は、労働基準法上、入社6か月後から付与されることになりますが、従業員1人ずつ付与日が違ってくると管理するのがとても大変です。その煩雑さを避けるために、従業員全員の付与日を同じにしている会社も多いでしょう。

その際注意することは、労働基準法を下回らないということです。4月1日に入社した人も、5月1日に入社した人も10月1日に10日付与するのはかまいませんが、3月1日に入社した人に10月1日まで有休を与えないのは法律違反です。

勤続年数と付与日をしっかり考慮した上で、いっせい管理しなければなりません。

❗ アルバイトとパートタイマーは労働基準法上、同じ労働者として扱われるので、アルバイトでも同様の有給休暇を取得できる。

従業員を勝手に解雇することはできない

解雇は慎重に

昨今、労働問題でよく取り上げられる内容に解雇があります。

本来、労働契約については定めに従い自由に解除できるわけですが、これは労働者側からだけいえることなのです。

使用者（会社）側が当該契約を解除（解雇）する場合は、労働者保護の観点から、労働基準法で使用者に対し、いろいろと制約を与えています。

この規定を正確に理解していなければ、労使間で大きな溝ができてしまいます。

雇入れよりも退職時（特に解雇）のほうが慎重に事を進めなければなりません。

解雇してはいけない期間がある

労働基準法では、従業員を解雇してはいけない期間を定めています。

- **業務上の災害による傷病のための療養期間およびその後30日間**
- **産前産後による休業期間およびその後30日間**

この期間内においては、たとえ解雇理由が従業員に重大な過失があるような懲戒解雇（例：従業員による重大な横領が発覚した場合）であったとしても解雇できません。

しかし、この解雇制限期間について、例外もあります（⬇次ページ）。すなわちこの例外の理由に該当する場合は解雇してもよいということになります。

＊ 解雇してはいけない期間と例外が認められるケース ＊

❶従業員が業務上の災害（いわゆる労災）のため傷病にかかり療養している期間および療養終了後30日間

❷女性従業員の産前産後による休業期間（産前6週間、多胎妊娠の場合は14週間、産後8週間の休業）および休業終了後30日間

❶、❷の両方に該当する例外

- 大規模な火災や天災などで事業の継続が不可能※になった場合（事業の部分的な縮小や一時的な休止を除く）で、その理由を労働基準監督署長が認めた場合

※事業の継続が不可能：その事業場が直接被害を受けた場合が該当するが、大規模な災害で、間接的な被害（取引先や鉄道・道路が被害を受けること等により影響を受けた場合）でも、その実態等に照らし認められる場合がある

❶のみに該当する例外

- 療養開始後3年を経過し、平均賃金1200日分の打切補償を支払った場合

※療養開始後3年を経過したとき、またはその後に労働者災害補償保険法による傷病補償年金を受けることになったときは、打切補償を支払ったものとみなす

＊Column＊

期間契約従業員の休業

期間契約で働いている従業員の契約期間が満了した場合は、たとえ労災による休業中であったとしても、その日をもって退職となります。これは解雇には当たらず、労働契約の期間満了による「自然退職」となるからです。

打切補償：労災で療養補償を受けている従業員が3年経っても治らないとき、使用者は平均賃金の1200日分を支払うことにより、その後の補償義務を免れる。

30日以上の解雇予告期間が必要

39ページで説明した場合を除き、使用者（会社）側からの解雇も原則認められています。

しかし、突然「明日からこなくていいよ」といわれた従業員は、その日から先の生活の予定が立たなくなってしまいます。

このような事態を避けるため、労働基準法では、**解雇予告期間**を設けています。

従業員を解雇する場合、例えば「5月31日付で解雇する」と解雇日を特定し「少なくともその日の30日前（ここでは5月1日）までに通告しなければならない」のです。「30日前」とは、労働日ではなく暦日で数えることに注意してください。

解雇予告期間はお金に代えられる

30日前の予告ができないとき（例：すぐにでも従業員を解雇しなければ会社の秩序が乱れるなど）は、予告に代えて**30日分以上の平均賃金**を支払えば（**解雇予告手当という**）、即日解雇することが可能となります。

また、予告期日と平均賃金の支払いを併用することもできます。つまり、20日前に予告した場合は平均賃金を10日分支払い、10日前に予告した場合は平均賃金を20日分支払うということです。

なお、この解雇予告手当は解雇通告と同時に支払わなければなりません。

予告なしに解雇できる場合もある

以下のような場合には、予告をしないでも従業員を解雇することができます。

- **大規模な火災や天災などで廃業を余儀なくされた場合**
- **労働者側のペナルティによる解雇（懲戒解雇）**

ただし、これらの事情について労働基準監督署長の認定がある場合に限られます。

＊ 解雇予告制度の適用を受けない者 ＊

解雇予告（予告手当）を要しない従業員		解雇予告（予告手当）が必要になる場合
日雇労働者	➡	1か月を超えて引き続き雇用する場合
契約期間が2か月以内の労働者	➡	所定の期間を超えて引き続き雇用する場合
4か月以内の季節的業務に従事する労働者	➡	所定の期間を超えて引き続き雇用する場合
試用期間中の労働者	➡	14日を超えて雇用する場合

Column

その他の「解雇」についての決まりごと

●解雇に関する基本的ルール（労働契約法第16条）
「解雇は、客観的に合理的な理由を欠き、社会通念上相当であると認められない場合は、その権利を濫用したものとして、無効とする」

●就業規則において
就業規則の必要的記載事項に「解雇の事由」を含める（就業規則等に「解雇の事由」を記載することを義務付ける）。

●労働条件の明示
労働契約を締結する際、書面交付により労働条件を明示しなければならない内容のうち「退職に関する事項」の中に「解雇の事由」を含める。

●解雇理由の明示
解雇予告された労働者が、解雇前でも使用者に対し、当該解雇の理由について証明書を請求することができる。

●妊娠・出産・育児休業・介護休業などを理由とする解雇
育児介護休業法および男女雇用機会均等法で禁止されている。

！ 労働者側からの労働契約終了（退職）については、民法の観点から、少なくとも14日前には意思表示しなければならない。

15

給与明細書の作成～前準備と勤怠項目欄

給与計算は勤怠チェックから始まる

給与明細書は4つの項目からなる

会社によって明細書の形式は違いますが、記載内容にそれほどの違いはありません。

明細書は大きく、**勤怠項目欄**、**支給項目欄**、**控除項目欄**、**支給額欄**の4つのパートに分かれています。

担当者は、これらすべての計算を給与締切日と給与支払日の間ですませなければなりません。

勤怠の管理が重要

勤怠項目欄を完成させることから給与計算はスタートします。そのため出勤簿やタイムカードなどの管理がとても大切になります。

タイムカードの打刻もれや出退勤システムの不具合などは早めにチェックしておきましょう。そして給与締切日後はそれらを早急に集計します。

勤怠チェックのほかにも、給与計算の前準備としてしなければならないことがいくつかあります。

- **人事情報の管理（入退職者や人事異動、扶養家族の増減など）**
- **支給項目変更手続き（昇降給、家族手当や通勤手当などの変更）**
- **控除項目変更手続き（社会保険料や住民税の変更など）**

このような情報を集約するには**個人別マスター台帳**などを作成しておくと管理しやすくなります。また**労働者名簿**の情報もここに網羅できると便利です。

＊給《きゅう》与《よ》支《し》給明細書《きゅうめいさいしょ》＊

氏名	社員番号	所属

給与支給明細書

年　月分

勤怠他	出勤	休出	特休	有休	欠勤	有休残			

勤怠他	出勤時間	遅早時間	普通残業時間	休出残業時間	法定休日時間	深夜時間
支給	基本給	役職手当	家族手当	住宅手当		
	時間外手当	休日手当	深夜手当			
	非課税通勤	課税通勤	遅早控除	欠勤控除		
控除	健康保険料	介護保険料	厚生年金保険料	雇用保険料	所得税	住民税
	財形貯蓄	生命保険料				
	総支給額	控除合計額	差引支給額	銀行振込額	現金支給額	

勤怠項目欄：出勤日数や労働時間、有休日数などを記入する欄。これをもとに給与計算をする

支給項目欄：基本給や手当額を記入する欄

控除項目欄：給与から差し引かれるものを記入する欄

支給額欄：支給項目欄、控除項目欄の合計額や実際に受け取る金額を記入する欄

＊Column＊

完全月給制と日給月給制

基本的には2つとも月給制で、1か月を単位として給与が支払われます。完全月給制は、毎月決まった金額が支給され、たとえ遅刻や早退、欠勤があったとしても給与カットが行われない制度であるのに対し、日給月給制では、欠勤に対して1日分の給与を差し引いて支給するという制度です。

個人別マスター台帳：給与計算時のマスター管理や社会保険の諸手続きなどに役立つ。基本的な個人情報のほかに給与形態・金額・保険料額・扶養家族・保険番号等を1人1台帳にまとめておくと便利。
労働者名簿：労働基準法で作成が義務付けられている帳簿のこと。賃金台帳、出勤簿とあわせて法定3帳簿という。

支給項目は自由に決められる

給与には最低ラインがある

給与は従業員の生活を支えるものなので「最低でもこれぐらいは払いなさい」と**最低賃金法**で給与の支給額について定めています。

最低賃金法では、地域別・産業別にそれぞれ時間額による最低賃金を定めています。支給額を考える際には、このハードルを越えなければなりません。

税金のかからない給与に注意

基本給、○○手当など、支給項目については原則会社で自由に決めることができます。ただし、それぞれの計算のしかたは、**月給**、**日給**あるいは**時給**かによって違ってきます。

月給の場合、原則毎月の基本給は同じですが、日給の場合は〔出勤日×日額〕、時給の場合は〔出勤時間×時間給〕というように、日数や時間で基本給が決まります。

そのため、勤怠項目の「出勤日」「出勤時間」が重要になってきます。

手当についても月を単位とするもの、その作業に従事した時間を単位とするもの、割増賃金（⬇22ページ）などがあります。

なお、手当には非課税扱い（**源泉所得税のかからない給与**）となるものがあります（次ページ表）。ただし、一定の基準により課税扱いとなることもあるので、注意が必要です。

＊ 主な非課税給与（手当）の種類と内容 ＊

<table>
<tr><th></th><th>内容</th></tr>
<tr><td>通勤手当（ひと月当たり）</td><td>①電車などの交通機関または有料道路を利用する人
運賃または料金の実費相当額（通勤定期券を支給する場合も同じ）
ただし、150,000円が限度
②マイカーや自転車等を使用して通勤する人
<table>
<tr><th>通勤距離（片道）</th><th>非課税限度額</th></tr>
<tr><td>55km以上</td><td>31,600円</td></tr>
<tr><td>45km以上55km未満</td><td>28,000円</td></tr>
<tr><td>35km以上45km未満</td><td>24,400円</td></tr>
<tr><td>25km以上35km未満</td><td>18,700円</td></tr>
<tr><td>15km以上25km未満</td><td>12,900円</td></tr>
<tr><td>10km以上15km未満</td><td>7,100円</td></tr>
<tr><td>2km以上10km未満</td><td>4,200円</td></tr>
<tr><td>2km未満</td><td>全額課税</td></tr>
</table>
③交通機関＋マイカーや自転車等で通勤する人
①の非課税限度額＋②の非課税限度額（ただし、150,000円が限度）</td></tr>
<tr><td>旅費手当</td><td>以下の旅行費用のうち通常必要な支出額
①出張旅費
②就職、退職、転勤の理由のために転居するときの旅費
③死亡退職者の遺族が転居するときの旅費
④通勤に利用する交通手段が災害などにより利用できず、他の交通機関を利用した場合に支給する実費交通費ややむをえず宿泊した場合に支給する実費宿泊費</td></tr>
<tr><td>宿日直料</td><td>1回の宿日直につき、4,000円まで
ただし、食事が支給される場合は、食事代を控除した残額</td></tr>
<tr><td>夜食代</td><td>1回の深夜勤務につき、税抜300円まで
ただし、夜食の支給ができない場合に限る
※深夜勤務とは、勤務時間の一部でも午後10時から翌日午前5時までの間に含まれる場合をいう</td></tr>
<tr><td>見舞金</td><td>葬祭料、香典または災害等の見舞金で、社会通念上相当と認められるもの</td></tr>
</table>

最低賃金についての詳細は、厚生労働省のホームページを参照。適用額の早見表もある。

マイナスになる支給項目がある

支給項目欄の中に、ほかと性質が異なる欄が2つあります。「**遅早控除**」と「**欠勤控除**」です。

基本給をはじめ各手当の欄にはプラスとなる金額が記入されますが、この2つについては、マイナスとなる金額が記入されます。

遅早控除とは「遅刻や早退をして所定労働時間働かなかったらその時間分の給与を差し引く」、欠勤控除とは「欠勤した分（1日分の給与）を差し引く」という意味です。これは「**ノーワーク・ノーペイ**」**の原則**（働かなければ賃金は支払われない）に従ったものなのです。

日給や時間給の場合は、働いた日数や時間によって給与額が変わるので、この遅早控除欄や欠勤控除欄を使うことはありませんが、月給制の場合は原則毎月固定額になるので、もし働かなかった時間や日がある場合は、この欄を使用して給与の減額が行われるのです。

減給の制裁には限度がある

会社によっては「遅刻3回は欠勤1回に相当する」というような規定を設けているところがあります。この規定では、もし10分ぐらいの遅刻を3回した場合、遅刻総時間は30分なのに、1日分の給与を引かれてしまうことになってしまいます。

これでは、単なる控除ではなく「**減給の制裁**」（ペナルティ）にあたります。減給の制裁に関しては労働基準法で制限していて、以下の額を超えて就業規則等に定めることはできません。

- **1回の事由（1事案）に関し、その労働者の平均賃金1日分の半額**
- **総額（すべての減給事案）では一賃金支払期（月給の場合は給与1月分）の10分の1**

したがって、前記のようなケースでは、1事案（遅刻3回）に関し、おそらく「平均賃金1日分の半額」を超えて減給することになります。これは違法となります。

＊ 遅早控除と欠勤控除の計算例 ＊

月間所定労働時間　160時間　月間所定労働日数　20日

給与支給明細書
○年○月

氏名	社員番号	所属
竹中　一郎	33	営業1課

	出勤	休出	特休	有休	欠勤	有休残			
勤怠他	19			1	2	0			

	出勤時間	遅早時間	普通残業時間	休出残業時間	法定休日時間	深夜時間
勤怠他	152：00	3：00	7：30			
支給	基本給	役職手当	家族手当	住宅手当		
	250,000	30,000	15,000	20,000		
	時間外手当	休日手当	深夜手当			
	16,410					
	非課税通勤	課税通勤	遅早控除	欠勤控除		
	7,420		5,904	32,242		
	健康保険料	介護保険料	厚生年金保険料	雇用保険料	所得税	住民税

ケース1　遅早控除　3時間の遅刻の場合

$$\frac{\text{遅早控除する給与項目}}{\text{月間所定労働時間}}\times\text{遅早時間}$$

あらかじめ就業規則等で定めておく

$$=\frac{\text{基本給＋役職手当＋家族手当＋住宅手当}}{\text{160時間}}\times\text{3時間}$$

$$=\frac{\text{250,000円＋30,000円＋15,000円＋20,000円}}{\text{160時間}}\times\text{3時間}\fallingdotseq\underline{\text{1,968円}}\times\text{3時間}$$

遅早1時間あたりの控除額

＝5,904円（5,904円の遅早控除）

ケース2　欠勤控除　2日欠勤の場合

$$\frac{\text{欠勤控除する給与項目}}{\text{月間所定労働日数}}\times\text{欠勤日数}$$

あらかじめ就業規則等で定めておく

$$=\frac{\text{基本給＋役職手当＋家族手当＋住宅手当＋通勤手当}}{\text{20日}}\times\text{2日}$$

$$=\frac{\text{250,000円＋30,000円＋15,000円＋20,000円＋}\underline{\text{7,420円}}}{\text{20日}}\times\text{2日}=\underline{\text{16,121円}}\times\text{2日}$$

欠勤1日あたりの控除額

通勤手当も控除の対象になる

＝32,242円（32,242円の欠勤控除）

17 社会保険料は報酬月額をもとに計算する

賃金全額払いには例外がある

給与には「**全額払いの原則**」(⬇14ページ)がありますが、社会保険料・所得税・住民税については、給与から差し引くことが法令で認められています。

ここでいう社会保険料とは、広義の社会保険(健康保険、介護保険、厚生年金保険、労働者災害補償保険、雇用保険)のうち従業員が負担する保険料(⬇次ページ)のことです。

報酬月額で保険料が変わる

健康保険(介護保険を含む)と厚生年金保険については、保険料額の決定、計算方法および徴収方法は同じです。

社会保険では、給与のことを「**報酬**」、1か月あたりの報酬額を「**報酬月額**」といい、保険料額は報酬月額で決まります。

ほかの控除項目と違うのは、毎月変動する報酬月額に従って保険料額が変わるわけではないということです。

健康保険(介護保険を含む)では1等級から50等級まで、厚生年金保険では1等級から32等級まで区分し、その等級の範囲内に標準となる報酬月額(これを**標準報酬月額**という)を設けて、その額によって保険料額や給付額を決めます。

標準報酬月額には5つの決定方法があり、その方法以外で変動することはありません(⬇次ページ)。

＊ 給与の法定控除 ＊

社会保険料

- 健康保険料（健康保険法）
- 介護保険料（介護保険法）
- 厚生年金保険料（厚生年金保険法）
- 雇用保険料（労働保険の保険料の徴収等に関する法律）

※労災保険は全額事業主負担のため従業員からの保険料徴収はない

所得税（所得税法）

住民税（地方税法）

＊ 報酬月額（標準報酬月額）の決定方法 ＊

- 資格取得時決定……従業員が入社したとき（➡108ページ）
- 定時決定……………毎年1回行われる社会保険料の見直し（➡110ページ）
- 随時改定……………固定的給与に変動があり、標準報酬月額等級が2等級以上変わるとき（➡114ページ）
- 産前産後休業終了時改定…産前産後休業終了後標準報酬月額等級が下がるとき（➡220ページ）
- 育児休業等終了時改定…育児休業終了後標準報酬月額等級が下がるとき

※保険者算定…………上記の方法で算定しがたいときは、保険者が標準報酬を決定する

＊ 社会保険料額 ＊

- 原則：保険料額はそれぞれ標準報酬月額に保険料率を乗じて求める

健康保険料率	99.8／1,000（東京都）
介護保険料率	16.0／1,000
厚生年金保険料率	183.0／1,000

※実務的には「標準報酬月額及び保険料額表」を用いて求める
※保険料額は会社と従業員で折半する

社会保険料は翌月の給与から控除する

給与から控除する社会保険料、すなわち従業員が負担する社会保険料については、前月分の保険料であるということに注意してください。４月に入社した従業員の社会保険料は５月に支払う給与からはじめて控除します。

社会保険は月を単位として保険料を徴収するので、入社した日が１日であっても31日であっても、その月は１か月分の保険料を支払わなければなりません。

逆に退職の場合は、退職日の翌日が社会保険の**資格喪失日**となり、喪失月については保険料は徴収されません。月の途中で退職する場合はその月の保険料はいりませんが、前月分の保険料は控除しなければなりません。

ただし、月の末日で退職する場合は、翌日（翌月１日）が資格喪失日になるため、その月（退職日の属する月）の社会保険料も支払わなければならないので注意してください。

介護保険料は40歳から

介護保険料については健康保険の被保険者のうち40歳以上65歳未満の人について控除します。40歳に達した日（40歳の**誕生日の前日**）から被保険者となるので、その月分から保険料の控除が開始されます。

誕生日が○月１日の人は誕生日の前月分から介護保険料を控除しなければなりません。

厚生年金保険料は70歳まで、健康保険料は75歳まで

厚生年金保険は、70歳に達した日に被保険者の資格を喪失します。

70歳に達した日とは、70歳の**誕生日の前日**です。この日が資格喪失日になります。喪失した月分からその人の厚生年金保険料は発生しないので、控除しないように注意しましょう。

健康保険は75歳で資格を喪失します。こちらは〝前日〟ではなく75歳の**誕生日当日**が喪失日となります。

＊ 保険料額の出し方 ＊

健康保険料額＝標準報酬月額×99.8／1,000（従業員負担分は49.9／1,000）（東京都）
介護保険料額＝標準報酬月額×16.0／1,000（従業員負担分は8.0／1,000）
厚生年金保険料＝標準報酬月額×183.0／1,000（従業員負担分は91.5／1,000）

ケース 年齢42歳（介護保険対象者）：標準報酬月額 300,000円（健康保険：22等級 厚生年金保険：19等級）の場合

- 健康保険料　14,970円
- 介護保険料　2,400円
- 厚生年金保険料　27,450円

（以上、従業員負担分）

＊ 健康《けんこう》保険《ほけん》・厚生年金《こうせいねんきん》保険《ほけん》の保険料額表《ほけんりょうがくひょう》 ＊

※健康保険料は、東京都の保険料

標準報酬		報酬月額		全国健康保険協会管掌健康保険料				厚生年金保険料（厚生年金基金加入員を除く）	
				介護保険第2号被保険者に該当しない場合		介護保険第2号被保険者に該当する場合		一般、坑内員・船員	
等級	月額			9.98%		11.58%		18.300%※	
				全額	折半額	全額	折半額	全額	折半額
		円以上	円未満						
1	58,000	～	63,000	5,788.4	2,894.2	6,716.4	3,358.2		
2	68,000	63,000 ～	73,000	6,786.4	3,393.2	7,874.4	3,937.2		
3	78,000	73,000 ～	83,000	7,784.4	3,892.2	9,032.4	4,516.2		
4(1)	88,000	83,000 ～	93,000	8,782.4	4,391.2	10,190.4	5,095.2	16,104.00	8,052.00
5(2)	98,000	93,000 ～	101,000	9,780.4	4,890.2	11,348.4	5,674.2	17,934.00	8,967.00
6(3)	104,000	101,000 ～	107,000	10,379.2	5,189.6	12,043.2	6,021.6	19,032.00	9,516.00
7(4)	110,000	107,000 ～	114,000	10,978.0	5,489.0	12,738.0	6,369.0	20,130.00	10,065.00
8(5)	118,000	114,000 ～	122,000	11,776.4	5,888.2	13,664.4	6,832.2	21,594.00	10,797.00
9(6)	126,000	122,000 ～	130,000	12,574.8	6,287.4	14,590.8	7,295.4	23,058.00	11,529.00
10(7)	134,000	130,000 ～	138,000	13,373.2	6,686.6	15,517.2	7,758.6	24,522.00	12,261.00
11(8)	142,000	138,000 ～	146,000	14,171.6	7,085.8	16,443.6	8,221.8	25,986.00	12,993.00
12(9)	150,000	146,000 ～	155,000	14,970.0	7,485.0	17,370.0	8,685.0	27,450.00	13,725.00
14(11)	170,000	165,000 ～	175,000	16,966.0	8,483.0	19,686.0	9,843.0	31,110.00	15,555.00
15(12)	180,000	175,000 ～	185,000	17,964.0	8,982.0	20,844.0	10,422.0	32,940.00	16,470.00
16(13)	190,000	185,000 ～	195,000	18,962.0	9,481.0	22,002.0	11,001.0	34,770.00	17,385.00
17(14)	200,000	195,000 ～	210,000	19,960.0	9,980.0	23,160.0	11,580.0	36,600.00	18,300.00
18(15)	220,000	210,000 ～	230,000	21,956.0	10,978.0	25,476.0	12,738.0	40,260.00	20,130.00
19(16)	240,000	230,000 ～	250,000	23,952.0	11,976.0	27,792.0	13,896.0	43,920.00	21,960.00
20(17)	260,000	250,000 ～	270,000	25,948.0	12,974.0	30,108.0	15,054.0	47,580.00	23,790.00
21(18)	280,000	270,000 ～	290,000	27,944.0	13,972.0	32,424.0	16,212.0	51,240.00	25,620.00

Column

休業中の社会保険料はどうなるの？

一般に会社を休業している従業員に対して給与は支払われません。しかし、社会保険に加入している限り保険料は徴収されるので、会社も従業員本人も保険料を支払わなければなりません。会社は給与から控除することができないので別途徴収することになります。

しかし、産前産後休業、3歳に達するまでの子の育児のための休業の場合は、会社負担分も従業員の本人負担分も免除されます。ただし、この規定は介護休業には適用されないので注意してください。

18

雇用保険料は毎月計算する

毎月変わる雇用保険料

健康保険（介護保険を含む）や厚生年金保険は、標準報酬月額をもとに保険料額を算定し、この保険料額が毎月変動することはありません。

しかし広義の社会保険のうち**雇用保険**だけは算定方法が異なり、給与支払いのつど、**賃金総額**に雇用保険料率を乗じて算定します。すなわち雇用保険料は毎月変動するということです。

賃金総額とは**給与総支給額**のことです。健康保険（介護保険を含む）や厚生年金保険では給与を「報酬」といいましたが、雇用保険では「**賃金**」といいます。広義の社会保険の「報酬」や「賃金」には現物給与（例：通勤定期）や非課税通勤費も含みます。

雇用保険料は業種によって料率が変わる

毎月の給与から控除される雇用保険料は、健康保険料や厚生年金保険料とは異なり、業種によって料率が変わります（↓次ページ）。

「農林水産・清酒製造の事業」や「建設の事業」は「一般の事業」に比べて高い設定となっています。これらの事業は、**季節的休業や事業規模の縮小、一定期間での雇用（建築物ごとなど）が多く、雇用保険でいう保険事故となる「離職」が増えることになるため、保険料が高くなる**のです。

農林水産業の中でも酪農や養鶏、園芸サービスなどの事業は、そのリスクが少ないため一般の事業と同じ率となっています。

＊ 雇用保険料率 ＊

事業区分	保険料率	会社負担分	従業員負担分
一般の事業	15.5／1,000	9.5／1,000	6／1,000
特掲事業　農林水産・清酒製造の事業	17.5／1,000	10.5／1,000	7／1,000
特掲事業　建設の事業	18.5／1,000	11.5／1,000	7／1,000

※農林水産事業のうち以下の事業は「一般の事業」として取り扱われる。
・牛馬育成、酪農、養鶏、養豚の事業
・園芸サービスの事業
・内水面養殖の事業
・船員が雇用される事業

ケース　総支給額　338,830円の場合の雇用保険料

338,830円×従業員負担分（＝6 ／ 1,000）
＝2,032.98……
＝2,033（従業員負担分：給与から控除する雇用保険料）

1円未満の端数の取扱い

①被保険者負担分を賃金から源泉控除する場合、被保険者負担分の端数が50銭以下のときは切捨て、50銭1厘以上のときは切上げ
②被保険者負担分を被保険者が事業主へ現金で支払う場合、被保険者負担分の端数が50銭未満のときは切捨て、50銭以上のときは切上げ
※慣習的な取り扱い等の特約がある場合には、この限りではない

Column

雇用保険料率は労使折半ではない

雇用保険事業は、主に労働者（失業者）に対する給付の事業である「失業等給付等」と事業主等に対する助成を目的とした事業「雇用保険二事業」を行っています。

「雇用保険二事業」に関する費用は、事業主（会社）が負担することになっているため雇用保険料率は労使折半ではなく、会社負担分が 3.5/1,000（建設の事業については 4.5/1,000）多くなっています。これらの率を差し引いた残りの料率を労使折半しているわけです。

19

給与を支払うときは源泉所得税を差し引く

所得税は源泉徴収される

従業員に給与や賞与を支払う時は、所得税を差し引くことになっています。所得税は暦年（1月1日～12月31日）で計算されますが、会社があらかじめ概算額を給料等から控除（**源泉徴収**）するのです。

源泉徴収された所得税（源泉所得税）は会社が預り、定められた期限までに税務署に納付することとなっています（⬇66、124ページ）。

源泉所得税の計算のしかた

①課税対象額を求める

総支給額から非課税給与（⬇45ページ）を差し引いた**課税給与**を求め、そこから社会保険料（健康保険・厚生年金・雇用保険料）を差し引いた残りが**課税対象額**となります。

②源泉徴収税額表を適用する

源泉徴収税額表にあてはめて源泉所得税を計算します。源泉徴収税額表には**月額表**（甲欄、乙欄）と**日額表**（甲欄、乙欄、丙欄）があり、雇用形態や契約期間などによって、使用する税額表が異なります（⬇次ページ表）。

一般的に会社の給料は月給制なので、月額表の甲欄を用いて計算します。扶養親族等の数で源泉所得税額が変わります。扶養親族等の数が多いほど、手取り給与額も増えます（⬇57ページ）。

＊ 源泉徴収税額表の適用欄 ＊

税額表	給与形態	適用する欄	
月額表	●1月ごとに支払う給与 ●半月ごとや10日ごとに支払う給与 ●月の整数倍の期間ごとに支払う給与	「給与所得者の扶養控除等（異動）申告書」の提出あり ↓ 甲欄	「給与所得者の扶養控除等（異動）申告書」の提出なし ↓ 乙欄
日額表	●日々支払う給与 ●1週ごとに支払う給与 ●日割計算して支払う給与	（甲欄）	（乙欄）
日額表	●日雇賃金	丙欄	

※丙欄は、日雇い労働者や、あらかじめ2か月以内の雇用契約で働くアルバイトなどに支給する給与に適用する

＊ 給与所得者の扶養控除等（異動）申告書 ＊

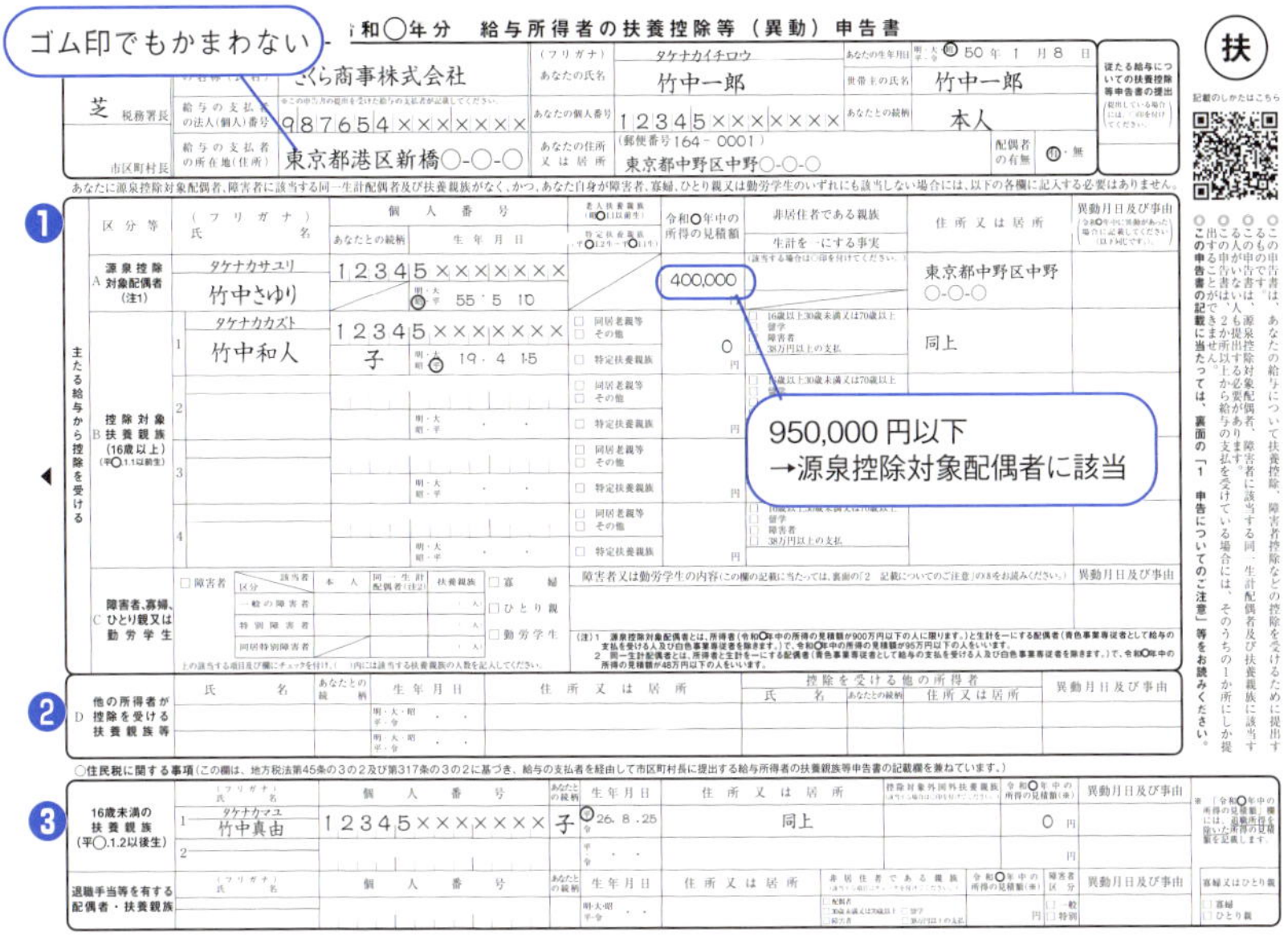

※令和7年1月から、前年の扶養控除等（異動）申告書の記載内容と異動がない場合は、記載に代えて、その異動がない旨の記載によることができることとされた

20 給与所得者の扶養控除等（異動）申告書を書く

扶養控除等（異動）申告書は、その年最初の給与の支払いを受ける日の前日までに給与の支払者に提出します。提出しないと、55ページの表のとおり源泉徴収税額表の乙欄を使うことになります。甲欄を使うためには扶養している人がいない場合も提出が必要です。

2か所以上の会社から給料の支払いを受けている場合はそのうちの1か所にしか提出することはできません。新たに扶養する人が増えた場合など記載内容に異動があった場合は、異動後の内容に補正してもらうようにしましょう。

この申告書に記載された内容に基づいて扶養親族等の数などを把握し、源泉徴収する所得税額が決まります。

各記載欄のポイント

「主たる給与から控除を受ける」の欄

ほとんどの人は1か所の会社からしか給与を受けていないので、「主たる給与」＝「当社からもらう給与」となります。多くの場合はこの欄のみの記入となります（⬇55ページ❶）。

「他の所得者が控除を受ける扶養親族等」の欄

この欄に記載された扶養親族等については、「扶養親族等の数」には算入しません（⬇55ページ❷）。

「住民税に関する事項」の欄

16歳未満の扶養親族は「扶養親族等の数」には算入しませんが、住民税の算定の際に使用するため該当する場合はここに記載します（⬇55ページ❸）。

＊ 扶養親族の範囲 ＊

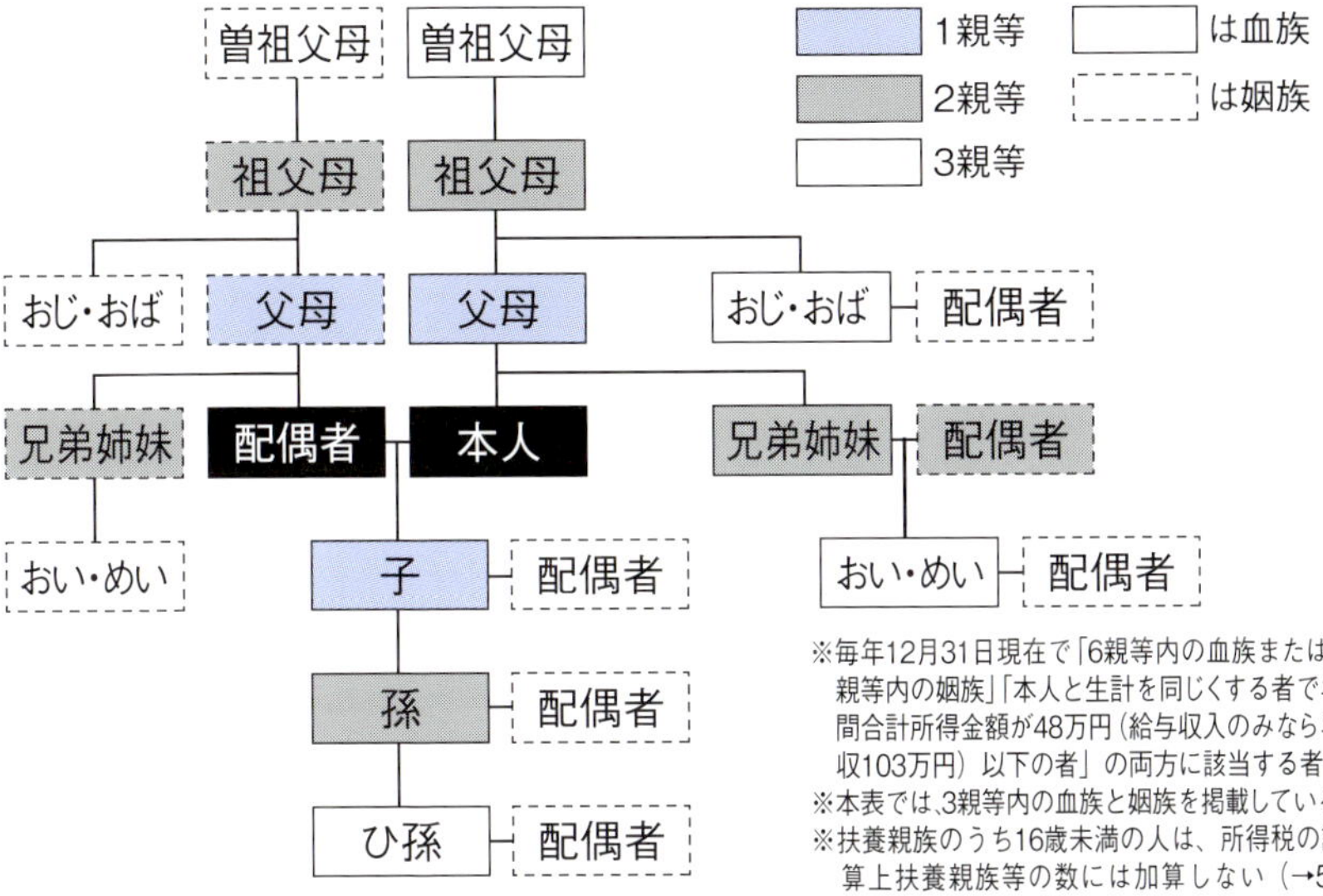

※毎年12月31日現在で「6親等内の血族または3親等内の姻族」「本人と生計を同じくする者で年間合計所得金額が48万円（給与収入のみなら年収103万円）以下の者」の両方に該当する者
※本表では、3親等内の血族と姻族を掲載している
※扶養親族のうち16歳未満の人は、所得税の計算上扶養親族等の数には加算しない（→56ページ、171ページ）

「扶養親族等の数」とは

「扶養親族等の数」＝「源泉控除対象配偶者」＋「控除対象扶養親族」

- **源泉控除対象配偶者**：給与等の支払いを受ける本人（合計所得金額が900万円〈年間給与収入1,095万円〉以下である人に限る）と生計を一にする配偶者で所得の見積額が95万円〈年間給与収入150万円〉以下の人。
- **扶養親族**：給与の支払いを受ける本人と生計を一にする「6親等内の血族または3親等内の姻族」で、合計所得金額が48万円（給与収入なら年収103万円）以下の人。
- **控除対象扶養親族**：扶養親族のうち、その年の12月31日現在で年齢16歳以上の人。

※源泉所得税額を求めるときは、その年の所得額はまだ確定していないので見積もり額で判定するが、年末調整や確定申告ではその年の12月31日現在の確定した金額に基づいて判定することに注意。

Column

収入と所得は違う

扶養親族や源泉控除対象配偶者などの判定に際しては「所得金額」が用いられます。

所得金額とは、収入金額から必要経費などを控除したものです。給与所得者でいうと、給与収入（年収）から給与所得控除額を差し引いたものが所得金額です。

例えば103万円のアルバイト収入であれば、

103万円（給与収入）－55万円（給与所得控除額）＝48万円（所得金額）

となり、所得金額が48万円以下ということで扶養親族に該当します。

生計を一にする：同じ財布で生活をしている、生活の面倒をみていること。必ずしも同居している必要はない。
血族と姻族：血統の続いている人が血族（養子も血族となる）。配偶者の血族を姻族という。

＊ 配偶者の取り扱いまとめ ＊

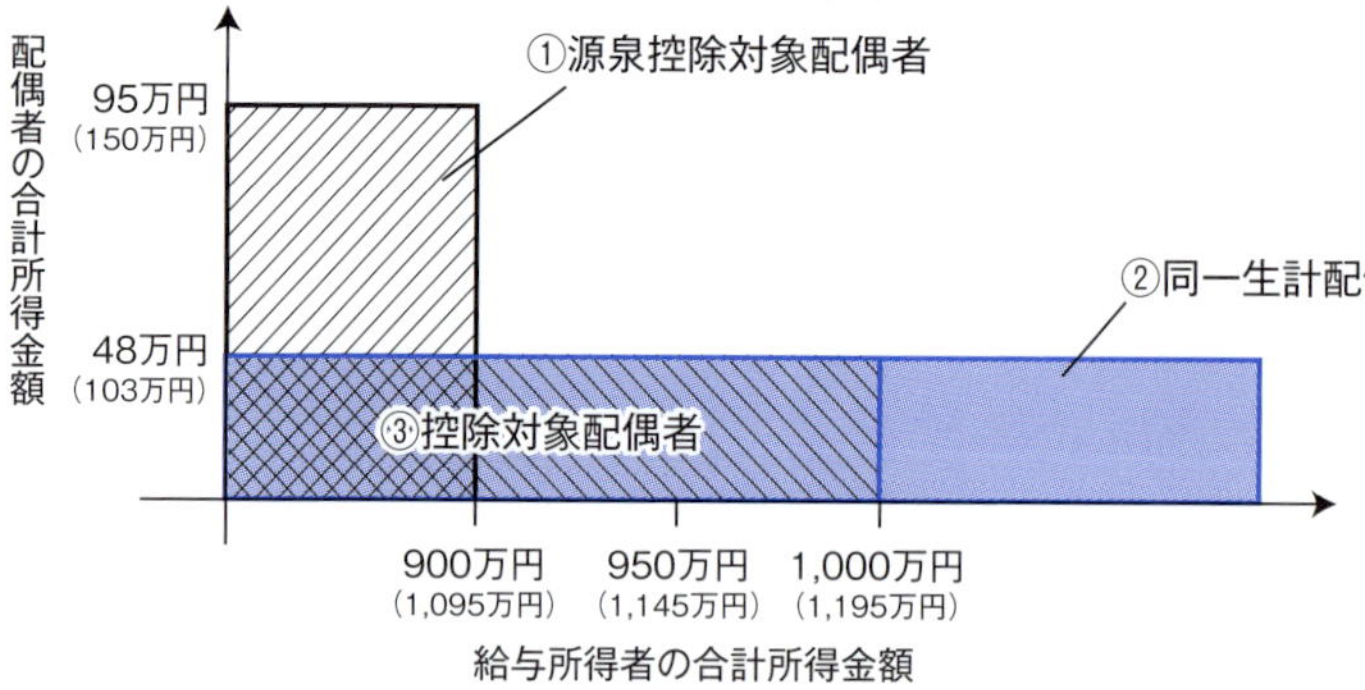

※（　）書き数字は給与収入のみの場合の給与収入金額

①源泉控除対象配偶者（図の▨の部分）：毎月の源泉徴収時に扶養親族等の数に1人を加えて計算する。

②同一生計配偶者（図の■の部分）で（特別）障害者に該当する場合は、扶養親族等の数に1人、同居特別障害者に該当する場合は、2人を加えて計算する。

③源泉控除対象配偶者に該当しないが、控除対象配偶者に該当する場合（図の▧の部分）、毎月の源泉徴収時には考慮されないが、年末調整や確定申告で配偶者控除・配偶者特別控除を受けることができる。

＊ 扶養親族の数の算定例 ＊

- 「扶養親族等の数」＝「源泉控除対象配偶者」＋「控除対象扶養親族」（→前ページ）
- 本人が、障害者・寡婦・ひとり親・勤労学生（→171ページ）のいずれかに該当する：該当するごとに扶養親族等の数にプラス1人としてカウント。
- 同一生計配偶者や扶養親族の中に、障害者（特別障害者を含む）・同居特別障害者のいずれかに該当する人がいる：該当するごとに扶養親族等にプラス1人としてカウント。

《配偶者以外の扶養親族の数の算定例》

扶養親族等の数	主なケース
0人	
1人	16歳未満の子供が障害者
2人	本人がひとり親 16歳未満の子供が同居特別障害者（※）

※特別障害者(1)＋同居特別障害者(1)の合計2人としてカウントする

《配偶者にかかる扶養親族の数の算定例》

扶養親族等の数	本人の合計所得金額900万円以下	本人の合計所得金額900万円超
0人	95万円超 95万円超障害者	48万円以下 48万円超障害者
1人	95万円以下 48万円超95万円以下障害者	48万円以下障害者
2人	48万円以下障害者	配偶者が48万円以下同居特別障害者

凡例　所得者本人　配偶者　扶養親族（16歳以上）　扶養親族（16歳未満）

＊ 源泉所得税の計算例 ＊

ケース　扶養家族3人の場合

●家族構成（4人家族）
本人（夫）年収500万円
妻（専業主婦）　⬅源泉控除対象配偶者
子　2人（1人は16歳以上、1人は16歳未満）　⬅控除対象扶養親族
（源泉控除対象配偶者・控除対象扶養親族で）計2人（16歳未満は対象外）

●給与明細書は下のとおり

給	時間外手当	休日手当	深夜手当			
	16,410					
	非課税通勤	課税通勤	遅早控除	欠勤控除		
	7,420					
控除	健康保険料	介護保険料	厚生年金保険料	雇用保険料	所得税	住民税
	16,966	2,720	31,110	2,033	4,370	13,800
	財形貯蓄	生命保険料				
	10,000					
	総支給額	控除合計額	差引支給額	銀行振込額	現金支給額	
	338,830	80,999	257,831	257,831		

課税対象額＝338,830円（総支給額）－7,420円（非課税給与）－52,829円（社会保険料）＝278,581円（この数字を税額表にあてはめる）

●給与所得の源泉徴収税額表にあてはめる

手順1　課税対象額を「その月の社会保険料等控除後の給与等の金額」の該当する金額欄を探してあてはめる

手順2　「扶養親族等の数」に該当する欄まで右にたどっていく

手順3　そこに示された数字が、その従業員の所得税額となる

その月の社会保険料等控除後の給与等の金額		甲								乙
		扶養親族等の数								
		0人	1人	2人	3人	4人	5人	6人	7人	
以上	未満	税額								税額
円	円	円	円	円	円	円	円	円	円	円
88,000	円未満	0	0	0	0	0	0	0	0	その月の社会保険料等控除後の給与等の金額の3.063%に
254,000	257,000	6,750	5,140	3,510	1,900	290	0	0	0	38,500
257,000	260,000	6,850	5,240	3,620	2,000	390	0	0	0	39,400
260,000	263,000	6,960	5,350	3,730	2,110	500	0	0	0	40,400
263,000	266,000	7,070	5,450	3,840	2,220	600	0	0	0	41,500
266,000	269,000	7,180	5,560	3,940	2,330	710	0	0	0	42,500
269,000	272,000	7,280	5,670	4,050	2,430	820	0	0	0	43,500
272,000	275,000	7,390	5,780	4,160	2,540	930	0	0	0	44,500
275,000	278,000	7,490	5,880	4,270	2,640	1,030	0	0	0	45,500
278,000	281,000	7,610	5,990	4,370	2,760	1,140	0	0	0	46,600
281,000	284,000	7,710	6,100	4,480	2,860	1,250	0	0	0	47,600
284,000	287,000	7,820	6,210	4,580	2,970	1,360	0	0	0	48,600
287,000	290,000	7,920	6,310	4,700	3,070	1,460	0	0	0	49,700

源泉徴収税額

21

給与明細書の作成～控除項目欄3

財形貯蓄の控除には協定書が必要

住民税は毎月一定額を徴収する

住民税の徴収方法には**普通徴収**と**特別徴収**があります。特別徴収とは、会社（給与支払者）が毎月の給与を支払う際に各従業員（納税者）から住民税を控除（給与天引き）し、それぞれの市町村に納める方法をいいます。地方税法では会社が従業員の住民税を特別徴収することを義務付けています。

毎年5月ごろに特別徴収税額の通知書が送られてきたら、その額を個人別マスター台帳（⬇43、79ページ）に追記しておきましょう。

住民税額は6月からが新年度となります。翌年5月までは原則毎月定額となりますが、6月だけは端数処理をするため7月以降と金額が異なります。

協定書を作成する

今まで説明してきた控除項目はすべて**法定控除**として法律で当然に控除すべきものとして取り扱われています。

法定控除以外に財形貯蓄や生命保険料などを給与から控除する場合は、**賃金支払いの5原則**の**「全額払いの原則」**（⬇14ページ）に違反してしまいます。ただし、労使の書面による協定書（⬇次ページ）を作成すれば例外として認められます。

この協定は、必ず書面を作成しなければなりませんが労働基準監督署長への届け出義務はありません。

なお、この協定における従業員の代表となる者は三六協定の労働者代表と同じです（⬇25ページ）。

＊住民税の徴収＊

支給	時間外手当	休日手当	深夜手当			
	16,410					
	非課税通勤	課税通勤	遅早控除	欠勤控除		
	7,420					
控除	健康保険料	介護保険料	厚生年金保険料	雇用保険料	所得税	住民税
	16,966	2,720	31,110	2,033	4,370	13,800
	財形貯蓄	生命保険料				
	10,000					
	総支給額	控除合計額	差引支給額	銀行振込額	現金支給額	
	338,830	80,999	257,831	257,831		

●給与明細書

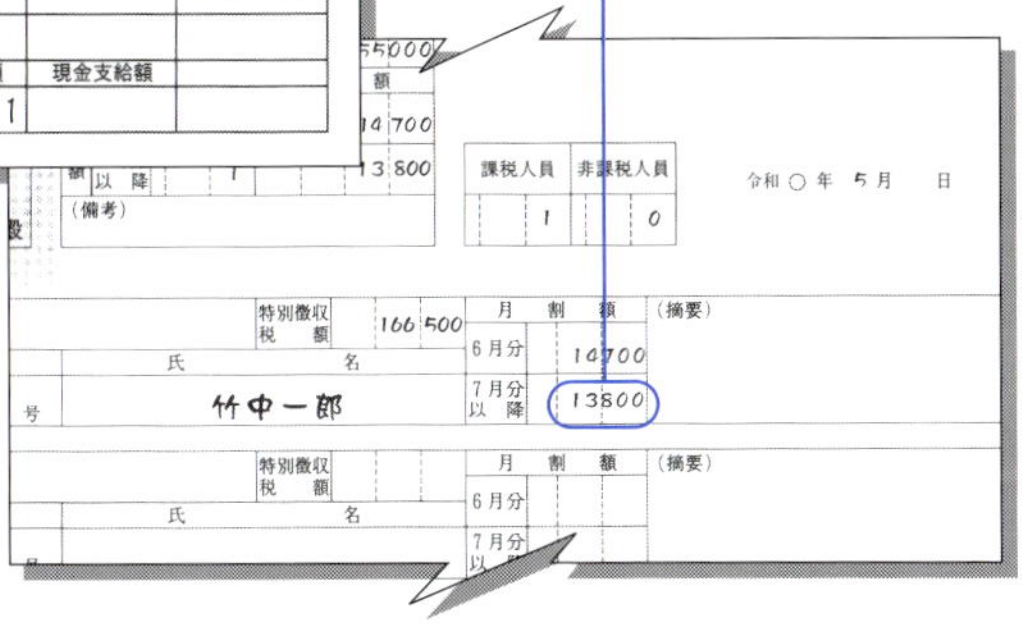

●特別徴収税額の通知書

＊協定書の例＊

賃金の一部控除に関する協定書

さくら商事株式会社（以下会社という）と従業員代表　山本 健太は、労働基準法第24条第1項に基づき、賃金の一部控除に関し、次のとおり協定する。

記

1.会社は、毎月25日、賃金の支払いの際、次の各号に掲げるものを控除する。
　①財形法に基づく貯蓄金
　②団体生命保険料
　③会社製品の購入代金
2.1.の③については、賞与支払いの際にも、控除することができる。
3.1.に掲げるもののうち、従業員が退職の際に未払いのものがある場合は、退職金からも控除することができる。
4.この協定は令和○年4月1日から有効とする。
　この協定の有効期間は3か年とする。ただし、有効期間満了後も、いずれかの当事者が90日前に文書による破棄の通告をしない限り、効力を有するものとする。

令和○年3月25日

使用者職名　さくら商事株式会社
代表取締役　鈴木　宗太郎
従業員代表　山本　健太

22

従業員の評価結果は総支給額

気になるのは手取金額？

これまで給与明細書の中身（勤怠項目欄、支給項目欄、控除項目欄）を見てきましたが、いよいよ最終段階の支給額の計算です。

これは10ページでも述べていますが、もう一度一連の給与計算の総まとめとして読んでください。

総支給額とは支給項目欄の合計金額で、**控除合計額**とは控除項目欄の合計額です。この総支給額から控除合計額を差し引いたものが**差引支給額**、すなわち**手取金額**です。

給与を銀行振込みする会社であれば銀行振込額に、また現金支給の会社であれば現金支給額に、差引支給額と同額を記入します。

一般に従業員が気になるのは手取金額ですが、実際に会社が従業員に支払っている金額は総支給額なのです。すなわち、その従業員を評価している数字（＝価値）ということですね。

給与計算終了後の作業が大事

毎月の給与計算が終わると、ほっとして、来月分へのマスター更新などの作業を忘れがちです。これは給与計算の大きな失敗につながるので、十分注意してください。

また、年末調整に備えるため、課税給与額や社会保険料等の控除額などをあらかじめ源泉徴収簿へ記入しておくようにしましょう。

＊ 支給額欄の確認 ＊

<table>
<tr><td>氏　名</td><td>社員番号</td><td>所　属</td><td rowspan="2">給与支給明細書
○年○月</td></tr>
<tr><td>竹中　一郎</td><td>33</td><td>営業1課</td></tr>
</table>

<table>
<tr><td rowspan="4">勤怠他</td><td>出勤</td><td>休出</td><td>特休</td><td>有休</td><td>欠勤</td><td>有休残</td><td colspan="2"></td><td colspan="2"></td><td colspan="2"></td></tr>
<tr><td>19</td><td></td><td></td><td>1</td><td></td><td>11</td><td colspan="2"></td><td colspan="2"></td><td colspan="2"></td></tr>
<tr><td colspan="2">出勤時間</td><td colspan="2">遅早時間</td><td colspan="2">普通残業時間</td><td colspan="2">休出残業時間</td><td colspan="2">法定休日時間</td><td colspan="2">深夜時間</td></tr>
<tr><td colspan="2">152：00</td><td colspan="2"></td><td colspan="2">7：30</td><td colspan="2"></td><td colspan="2"></td><td colspan="2"></td></tr>
<tr><td rowspan="6">支給</td><td colspan="2">基本給</td><td colspan="2">役職手当</td><td colspan="2">家族手当</td><td colspan="2">住宅手当</td><td colspan="2"></td><td colspan="2"></td></tr>
<tr><td colspan="2">250,000</td><td colspan="2">30,000</td><td colspan="2">15,000</td><td colspan="2">20,000</td><td colspan="2"></td><td colspan="2"></td></tr>
<tr><td colspan="2">時間外手当</td><td colspan="2">休日手当</td><td colspan="2">深夜手当</td><td colspan="2"></td><td colspan="2"></td><td colspan="2"></td></tr>
<tr><td colspan="2">16,410</td><td colspan="2"></td><td colspan="2"></td><td colspan="2"></td><td colspan="2"></td><td colspan="2"></td></tr>
<tr><td colspan="2">非課税通勤</td><td colspan="2">課税通勤</td><td colspan="2">遅早控除</td><td colspan="2">欠勤控除</td><td colspan="2"></td><td colspan="2"></td></tr>
<tr><td colspan="2">7,420</td><td colspan="2"></td><td colspan="2"></td><td colspan="2"></td><td colspan="2"></td><td colspan="2"></td></tr>
<tr><td rowspan="4">控除</td><td colspan="2">健康保険料</td><td colspan="2">介護保険料</td><td colspan="2">厚生年金保険料</td><td colspan="2">雇用保険料</td><td colspan="2">所得税</td><td colspan="2">住民税</td></tr>
<tr><td colspan="2">16,966</td><td colspan="2">2,720</td><td colspan="2">31,110</td><td colspan="2">2,033</td><td colspan="2">4,370</td><td colspan="2">13,800</td></tr>
<tr><td colspan="2">財形貯蓄</td><td colspan="2">生命保険料</td><td colspan="2"></td><td colspan="2"></td><td colspan="2"></td><td colspan="2"></td></tr>
<tr><td colspan="2">10,000</td><td colspan="2"></td><td colspan="2"></td><td colspan="2"></td><td colspan="2"></td><td colspan="2"></td></tr>
<tr><td rowspan="2"></td><td colspan="2">総支給額</td><td colspan="2">控除合計額</td><td colspan="2">差引支給額</td><td colspan="2">銀行振込額</td><td colspan="2">現金支給額</td><td colspan="2"></td></tr>
<tr><td colspan="2">338,830</td><td colspan="2">80,999</td><td colspan="2">257,831</td><td colspan="2">257,831</td><td colspan="2"></td><td colspan="2"></td></tr>
</table>

差引支給額＝総支給額－控除合計額

Column

労働基準法上認められる端数処理

給与計算の過程で端数が出ることがあります。そのようなときには、以下のように端数処理を行います。

●1時間あたりの給与額や割増賃金額に1円未満の端数が生じた場合

➡50銭未満の端数は切捨て、50銭以上1円未満の端数は1円に切上げ

●1か月間の割増賃金の総額に1円未満の端数が生じた場合

➡50銭未満の端数は切捨て、50銭以上1円未満の端数は1円に切上げ

●1か月分の差引支給額に100円未満の端数が生じた場合（就業規則等に定める）

➡50円未満の端数は切捨て、50円以上100円未満の端数は100円に切上げ

●1か月分の差引支給額に1,000円未満の端数が生じた場合（就業規則等に定める）

➡1,000円未満の端数を翌月の給与支払日に繰り越して支給する

今どき、50銭といわれてもぴんとこないかもしれませんね。

23

決められた日までに確実に納付する

納付時期・納付先に注意する

給与計算が終了したら、従業員から源泉徴収した保険料や税金を納付しなければなりません。

納付期日と納付先は、それぞれ決まっていて、期日に遅れると**延滞税**や**延滞金**などといった本来納めるべき額にプラスアルファがつくこともあるので、十分に注意してください。

社会保険料は前月分を納付する

従業員の給与から徴収した健康保険料、介護保険料、厚生年金保険料と会社負担分の社会保険料（およそ従業員負担分と同額）をあわせて、**毎月末日までに年金事務所**へ納付します（あらかじめ届け出た銀行等からの口座振替による方法）。

毎月中旬ごろに「**保険料納入告知額・領収済額通知書**」が年金事務所から郵送されてくるので、必ず記載されている金額を確認しましょう。

社会保険料は、前月分を今月の給与から控除し、月末に納付するというしくみになっています。

例えば、4月分の社会保険料は5月に支払う給与（支払日が5月というだけで必ずしも5月分給与とは限らない）から控除し、5月31日に会社負担分とあわせて納付します。

1月遅れで納付するので、新入社員の社会保険料は入社月の翌月以降の納入告知書に反映されることになります。ややこしいので注意してください。

＊ 保《ほ》険《けん》料《りょう》納《のう》入《にゅう》告《こく》知《ち》額《がく》・領《りょう》収《しゅう》済《ずみ》額《がく》通《つう》知《ち》書《しょ》 ＊

保険料納入告知額・領収済額通知書

あなたの本月分保険料額は下記のとおりです。

なお、納入告知書を指定の金融機関に送付しましたから、
指定振替日（納付期限）前日までに口座残高の確認をお願いします。

事業所整理記号	○○サロハ	事業所番号	123

納付目的年月　令和○年4月	納付期限　令和○年5月31日	
健康勘定	厚生年金勘定	子ども・子育て支援勘定
健康保険料	厚生年金保険料	子ども・子育て拠出金
685,835	1,068,746	7,083
合　計　額	¥1,761,664円	

下記の金額を指定の金融機関から口座振替により受領しました。

令和○年　3月分保険料	領収日　令和○年4月30日	
健康勘定	厚生年金勘定	子ども・子育て支援勘定
健康保険料	厚生年金保険料	子ども・子育て拠出金
636,635	987,266	6,543
合　計　額	¥1,630,444円	

令和○年5月17日

歳 入 徴 収 官

厚生労働省年金局事業管理課長
（日本年金機構
○○年金事務所）

〒105-0004　東京都港区新橋○-○-○

さくら商事 株式会社　　　様

（裏面へつづく）

※子ども・子育て拠出金は、子ども・子育て支援法に基づくもので、厚生年金保険における事業主は拠出金を納付しなければならない（従業員の費用負担はない）

※拠出金額は被保険者個々の厚生年金保険の標準報酬月額および標準賞与額に拠出金率（1,000分の3.6）を乗じて得た額の総額

Column

納入告知書の金額がおかしいと思ったら

●少額の場合…年金事務所と、会社との端数計算の計算方法の違いかもしれません。

●従業員1人分以上の保険料額が違う場合…資格取得届や資格喪失届の届出日の関係で翌月以降の納入告知書に反映し、精算されるのかもしれません。

●厚生年金保険料だけ金額があわない場合…70歳以上の人は厚生年金保険の資格を喪失するので保険料も不要です。その分を省いて計算していますか？

●賞与を支払った場合…翌月以降の納入告知書にその賞与にかかる保険料額と毎月の保険料額が合算されて記載されています。

雇用保険料の納付は年に1回

雇用保険料の納付は、健康保険料や厚生年金保険料などと異なり年に1回です。納付先は所轄都道府県労働局ですが、銀行などの金融機関に納付します。

雇用保険料と労災保険料とをあわせて労働保険料として、毎年4月から翌年3月までの1年度間の保険料を概算（**概算保険料**）で納付しておきます。

1年度の最終日の3月31日が過ぎると実際払うべきであった保険料額が確定（**確定保険料**）するので、すでに支払っている概算保険料との差額を精算します。これを**年度更新**といいます（➡92ページ）。

納付時期は原則1年に1回（7月10日）となっていますが、概算保険料額によっては年3回に分割することもできます。その場合の納付期限は第1期については7月10日、第2期については10月31日、そして第3期については翌年1月31日です。

結局、その日まで従業員の給与から控除した雇用保険料を会社が預かることになるわけです。

住民税は市区町村ごとに納付する

給与から特別徴収した住民税は、徴収した月の**翌月10日までに各市区町村に納付**します（実際には市区町村の収納事務を取り扱う金融機関に納付する）。

毎年5月ごろに各市区町村から「特別徴収税額通知書」といっしょに1年分（6月分から翌年5月分）の納入書が郵送されてきます。それに納入金額を書き入れ、金融機関で納付します。

源泉所得税の納付

給与から源泉徴収した所得税は、当該給与を支払った月の**翌月10日までに**会社を管轄する**税務署**に納付します。実際には郵便局や銀行などの金融機関に納付書と納付金額を添えて提出します。

年末調整後など、納付すべき所得税額が、たとえ0円であっても納付書の提出を要します。この場合は、**直接税務署へ提出**しなければなりません。

＊ 住民税納入書《じゅうみんぜいのうにゅうしょ》 ＊

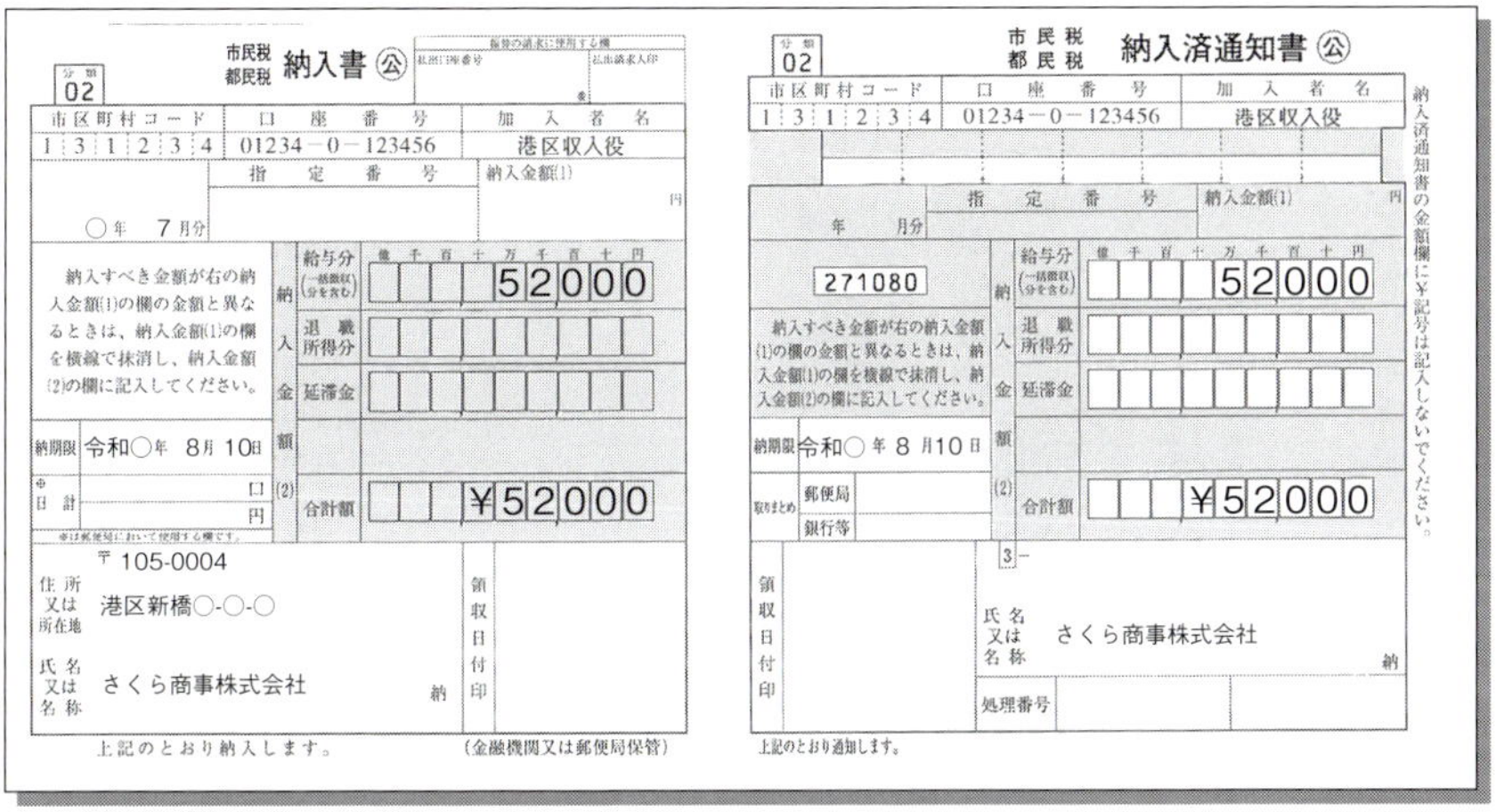

※納入書は市区町村ごとに作成する（従業員を市区町村別に振り分ける）
※住民税は他の控除項目と違い、納入金額は毎月ほとんど変わらない
※従業員が退職した場合は、当該従業員の市町村への納入金額（納入書に書き込む金額）が変わるので注意すること

＊ 給与所得《きゅうよしょとく》・退職所得等《たいしょくしょとくとう》の所得税徴収高計算書《しょとくぜいちょうしゅうだかけいさんしょ》領収済通知書《りょうしゅうずみつうちしょ》(源泉所得税納付書《げんせんしょとくぜいのうふしょ》) ＊

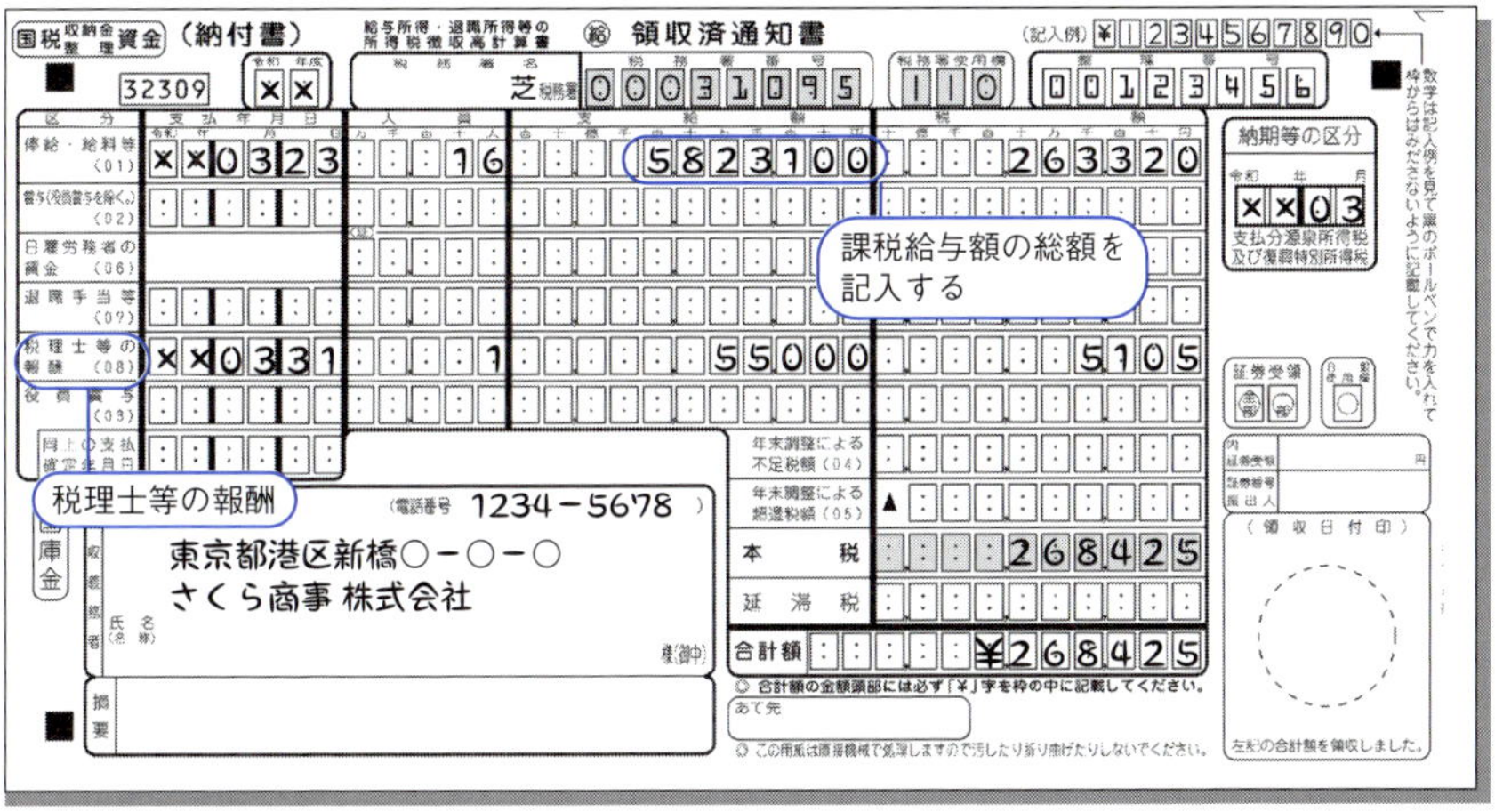

※インターネットを利用して住民税や源泉所得税等の納付ができる。事前に届け出が必要となるので詳しくはeLTAX、e-Taxのホームページを参照

https://www.eltax.lta.go.jp/
https://www.e-tax.nta.go.jp/

advice

令和6年定額減税について

令和6年6月1日から給与・賞与等について所得税を源泉徴収するときに定額減税を行うこととなりました（令和6年限りの取り扱いのため、他のページでは定額減税は加味せず記載している）。

竹中一郎さんの源泉徴収簿（192ページ）を一部抜粋で掲載するので、参考にしてください。

年末調整時には、あらためて、

・16歳未満の扶養親族が定額減税の対象として漏れていないか

・非居住者を誤ってカウントしていないか

・減税対象である同一生計配偶者（→58ページ）の要件に誤りはないか

などチェックしてください。

●源泉徴収簿（抜粋）　竹中一郎さんのケース
減税枠：〔本人3万円＋3万円×3人（妻、子2人）＝12万円〕

給与所得に対する源泉徴収簿

	月	月日							
給料・手当等	5	5 24	336,880	52,862	284,018	2	4,580		4,580
	6	6 25	330,316	52,822	277,494	2	4,270 ▲4,270		0
	7	7 25	331,410	52,829	278,581	2	4,370 ▲4,370		0
	8	8 23	360,945	53,006	307,939	2	5,370 ▲5,370		0
	9	9 25	350,445	52,943	297,502	2	5,010 ▲5,010		0
	10	10 25	339,068	52,875	286,193	2	4,580 ▲4,580		0
	11	11 25	332,504	52,836	279,668	2	4,370 ▲4,370		0
	12	12 25	354,384	52,967	301,417	2	5,130 ▲5,130	▲25,840	▲25,840
	計		① 4,167,490	② 636,315	3,531,175		③ 25,840		
賞与等	7	7 10	300,000	46,620	253,380	2	（税率 4.084%） 10,348	▲10,348	
	12	12 8	600,000	93,240	506,760	2	（税率 4.084%） 20,696	▲20,696	
							（税率　%）		
							（税率　%）		
	計		④ 900,000	⑤ 139,860	760,140		⑥ 0		

年末調整

給料・手当等	①	4,167,490 円	③	25,840 円
賞与等	④	900,000	⑥	0
計	⑦	5,067,490	⑧	25,840
給与所得控除後の給与等の金額	⑨	3,611,200		所得金額調整控除の適用 有・無（※ 適用有の場合は⑩に記載）
所得金額調整控除額 ((⑦－8,500,000円)×10%、マイナスの場合は0)	⑩	（1円未満切上げ、最高150,000円）		
給与所得控除後の給与等の金額（調整控除後）（⑨－⑩）	⑪	3,611,200		
社会保険料等控除額 給与等からの控除分（②＋⑤）	⑫	776,175		配偶者の合計所得金額（400,000 円）
社会保険料等控除額 申告による社会保険料の控除分	⑬			旧長期損害保険料支払額（　円）
社会保険料等控除額 申告による小規模企業共済等掛金の控除分	⑭			
生命保険料の控除額	⑮	120,000		⑫のうち小規模企業共済等掛金の金額（　円）
地震保険料の控除額	⑯	50,000		
配偶者（特別）控除額	⑰	380,000		⑬のうち国民年金保険料等の金額（　円）
扶養控除額及び障害者等の控除額の合計額	⑱	380,000		
基礎控除額	⑲	480,000		
所得控除額の合計額（⑫＋⑬＋⑭＋⑮＋⑯＋⑰＋⑱＋⑲）	⑳	2,186,175		
差引課税給与所得金額（⑪－⑳）及び算出所得税額	㉑	（1,000円未満切捨て）1,425,000	㉒	71,250
（特定増改築等）住宅借入金等特別控除額			㉓	0
年調所得税額（㉒－㉓、マイナスの場合は0）			㉔	0
年調年税額（㉔×102.1%）			㉕	（100円未満切捨て）0
差引超過額又は不足額（㉕－⑧）			㉖	25,840
超過額の精算 本年最後の給与から徴収する税額に充当する金額			㉗	
超過額の精算 未払給与に係る未徴収の税額に充当する金額			㉘	
超過額の精算 差引還付する金額（㉖－㉗－㉘）			㉙	25,840
超過額の精算 同上のうち 本年中に還付する金額			㉚	25,840
超過額の精算 同上のうち 翌年において還付する金額			㉛	
不足額の精算 本年最後の給与から徴収する金額			㉜	
不足額の精算 翌年に繰り越して徴収する金額			㉝	

㉔-2 120,000　㉔-3 0　㉔-4 48,750

・12万円の減税枠（㉔-2）があるが、年末調整したところ税額が71,250円しかないので、減税できる金額は71,250円となる。
・源泉徴収簿の余白には、㉒の税額71,250から㉔-2の定額減税額を控除した金額を㉔-3として記載する（赤字の場合は0）。
・減税しきれなかった48,750円（㉔-4）については、控除外額として源泉徴収票にも記載することとなっている。

●源泉徴収票（摘要欄）

社会保険料等の金額	生命保険料の控除額	地震保険料の控除額	住宅借入金等特別控除の額
内 776千175円	120千000円	50千000円	千　円

（摘要）
源泉徴収時所得税減税控除済額　71,250　控除外額　48,750

生命保険料の金額の内訳	新生命保険料の金額	180,000円	旧生命保険料の金額	円	介護医療保険料の金額	96,000円	新個人年金保険料の金額	120,000円	旧個人年金保険料の金額	円
住宅借入金等	住宅借入金等特別控除適用数		居住開始年月日（1回目）	年　月　日	住宅借入金等特別控除区分（1回目）		住宅借入金等年末残高（1回目）	円		

※現行の源泉徴収簿には定額減税を記載する欄はないので、国税庁では欄外に記載する例を紹介している。

参考：https://www.nta.go.jp/publication/pamph/gensen/0023012-317.pdf

PART 2
年間タイムスケジュールによる
給与計算・社会保険事務の進め方

- 入社に関する事務
- 住民税について
- 労働保険の年度更新
- 標準報酬月額の決定について
- 賞与に関する事務
- 退職者の事務手続き
- 年末調整の意味と事務の流れ
- 必要書類のチェック
- 源泉徴収簿の作成
- 法定調書合計表の作成

年間カレンダー

25日	末日
給与支払い 扶養控除等（異動）申告書により源泉所得税額の控除額を決定する	前年12月分の社会保険料の支払い／給与支払報告書の提出／源泉徴収票・法定調書の提出／労働保険料を分割納付している場合、（前年度）第3期分の支払い
給与支払い	1月分の社会保険料の支払い
給与支払い	2月分の社会保険料の支払い
給与支払い 健康保険・介護保険や雇用保険料率の変更に注意	3月分の社会保険料の支払い
給与支払い	4月分の社会保険料の支払い
給与支払い 住民税控除額変更に注意	5月分の社会保険料の支払い
給与支払い 	6月分の社会保険料の支払い
給与支払い	7月分の社会保険料の支払い
給与支払い	8月分の社会保険料の支払い
給与支払い 社会保険料控除額変更に注意	9月分の社会保険料の支払い 労働保険料を分割納付している場合、第2期分の支払い
給与支払い	10月分の社会保険料の支払い
給与支払い 年末調整による還付または徴収に注意	11月分の社会保険料の支払い

※このカレンダーでは、25日を給与支払い日としている
※住民税を特別徴収しているものとしている

208ページの「給与計算における年齢別早見表」もあわせてご確認ください。

給与計算事務

月	10日	20日
1月	前年12月分の源泉所得税と住民税の支払い	前年7月から12月までの源泉所得税の支払い（納期の特例の場合）
2月	1月分の源泉所得税と住民税の支払い	
3月	2月分の源泉所得税と住民税の支払い	
4月	3月分の源泉所得税と住民税の支払い	
5月	4月分の源泉所得税と住民税の支払い	
6月	5月分の源泉所得税と住民税の支払い	
7月	6月分の源泉所得税と住民税の支払い 1月から6月までの源泉所得税の支払い（納期の特例の場合） 報酬月額算定基礎届の提出	労働保険の年度更新と支払い 労働保険料を分割納付している場合、第1期分の支払い（6／1～7／10） 4月～6月までの給与をもとに計算する
	夏季賞与支払い➡5日以内に賞与支払届を提出	
8月	7月分の源泉所得税と住民税の支払い	
9月	8月分の源泉所得税と住民税の支払い	
10月	9月分の源泉所得税と住民税の支払い	
11月	10月分の源泉所得税と住民税の支払い	
12月	11月分の源泉所得税と住民税の支払い	
	冬季賞与支払い➡5日以内に賞与支払届を提出	

- カレンダーにしてみると、給与計算事務は毎月パターン化されていることがよくわかる
- 給与計算に伴う資金負担は、毎月10日、給料日、末日に集約される
- 毎月の給与計算事務が集中するのは、20日前後
- 毎月10日と末日の支払いは、給与計算の集計結果として支払額が算出される

採用に必要な手続きがある

採用時にすべきこと

従業員を採用するには、さまざまな手続きが必要です。法律で義務付けられた手続きもあります。

労働条件の明示

労働契約を結ぶ際（内定も含まれる）には、従業員に対して労働条件を明示しなければなりません。労働基準法では、従業員に明示しなければならない具体的な内容を定めています（⬇次ページ）。

また、労働基準法等の改正により、就業場所や業務内容の変更の有無（有期契約労働者の場合、無期転換権に関する記載等）も必要となっているので注意が必要です（⬇次ページ）。

賃金や労働時間など、採用される側からしてみれば特に気になるところなので、十分に説明をするように心がけましょう。

就業規則の作成

労働基準法では、常時10人以上の従業員を使用する事業所は**就業規則**を作成し、所轄の労働基準監督署へ届け出る義務があると規定しています。10人の中には正社員だけではなく、パートタイマーや有期契約社員も含まれます。

採用時の健康診断

労働安全衛生法で、健康診断の実施を義務付けています。ただし、健康診断を受けてから3か月以内の採用の場合は、その診断書を提出してもらうことで代用できます。

＊ 採用時に会社が従業員に明示しなければならない事項 ＊

書面の交付が義務付けられている事項※

- 労働契約の期間（有期労働契約を更新する場合はその基準）
- 就業場所・従事すべき業務
- 始業および終業の時刻、所定労働時間を超える労働の有無、休憩時間および休日等
- 賃金（退職手当や賞与等を除く）
- 退職（解雇の事由を含む）

パートタイマーや有期契約社員を雇い入れる場合、次の事項も明示しなければならない。

- 昇給の有無
- 退職手当の有無
- 賞与の有無
- 雇用管理の改善等に関する事項に係る相談窓口

※2019年4月より労働者が希望した場合はFAX、メール、SNSメッセージ機能等の印刷可能な手段でも伝達可能とされている

書面の交付が義務付けられていない事項

- 昇給に関する事項
- 退職手当
- 臨時に支払われる賃金（退職手当を除く）、賞与他最低賃金額に関する事項
- 従業員負担の食費など
- 安全衛生
- 職業訓練※
- 災害補償及び業務外の傷病扶助
- 表彰および制裁
- 休職

※職業に必要とされる知識や技能の習得とレベルアップを図ることを狙いとしたすべての訓練の総称。職業訓練学校などで行われる訓練なども含まれる

＊ 2024年4月の労働基準法等の改正で新しく必要となった明示事項 ＊

いつ？（タイミング）	明示事項	記載内容
すべての労働契約締結時 有期労働契約の更新時	就業場所・業務の変更の有無とその範囲	●変更の有無を記載する ●変更ありの場合は、その範囲も記載する ＊今後の見込みも含め、変更の可能性がある場合はその内容も記載する
有期労働契約締結時 （契約更新時を含む）	更新上限の有無と内容	●更新上限の有無を記載する ●契約更新の上限を設ける場合には、「通算契約期間または更新回数の上限」を記載する ＊この上限については、具体的な日付の記載でも可能とされている
	無期転換申込機会	●「無期転換申込権※」が発生する契約更新の際には、「無期転換を申し込むことができる旨」を記載する
	無期転換後の労働条件	●「無期転換申込権※」が発生する契約更新の際には、無期転換後の労働条件変更の有無を記載する ●労働条件を変更する場合は、その内容も記載する

※無期転換申込権：労働者の申込みにより「無期労働契約（期間の定めのない労働契約）」への転換ができる権利で、この権利は同一の使用者との間での有期労働契約が通算5年を超えるときに発生する

出典：厚生労働省ホームページ

2 必要書類を整備しておく

法定帳簿を整備する

労働基準法で会社に対し作成と3年間の保存を義務付けている書類がいくつかあります。

中でも代表的なのが、①労働者名簿、②賃金台帳、③出勤簿（これらをあわせて法定3帳簿という）です。

また、平成31年の法改正（年5日の有給休暇の強制付与）で、労働者ごとの年次有給休暇管理簿（⬇78ページ）の調製・保存が新たに義務付けられました。

これらの帳簿類は、労働基準監督署の調査の際には必ず確認され、対象者がいるのに未整備の場合は罰則の対象にもなるので、必ず整備するようにしましょう。

これらに記入すべき事項は決められていますが、書式に決まりはありません。記載例（⬇76～78ページ）を参考にしてください。労働基準法で3年間の保存義務の定められている書類とその起算日は左ページに記載していますので、留意してください。

あると便利な個人別マスター台帳

法定帳簿と異なり作成の義務はありませんが、給与計算をスムーズにするためにその根拠となる金額や基準等の情報を従業員ごとにまとめた個人別マスター台帳（⬇79ページ）があると、1枚ですべてが把握できるので非常に便利です。

＊ 労働基準法で3年間の保存※が義務付けられている書類 ＊

※令和2年4月の民法改正に伴い、5年間に改正されたが、当分の間は3年間

労働者名簿

起算日：従業員の死亡、退職または解雇の日

賃金台帳

起算日：最後の記入をした日

雇入れまたは退職に関する書類

起算日：従業員の退職または死亡の日

年次有給休暇管理簿

起算日：年次有給休暇を与えた期間が満了した日

災害補償に関する書類

起算日：災害補償が終わった日

賃金その他労働関係に関する重要な書類（出勤簿・タイムカード・三六協定等）

起算日：その完結の日

＊Column＊

「マイナンバーカード」の利用

平成28年1月から、マイナンバーカードの交付が開始されています。このマイナンバーカードは公的証明書として利用できるほか、ICチップが組み込まれているため電子証明書としても利用できます。e-Taxとの連携や、コンビニでの各種証明書の受け取りなども可能になるなど、その利用範囲は広がっています。

また、健康保険証利用登録をすることにより、「マイナ保険証」が健康保険証として医療機関や薬局での利用が可能となります。「マイナ保険証」の利用により、例えば高額医療での「限度額適用認定証」の書類申請手続きが省略できるなどのメリットがあります。

※「行政手続における特定の個人を識別するための番号の利用等に関する法律（平成25年法律第27号）」

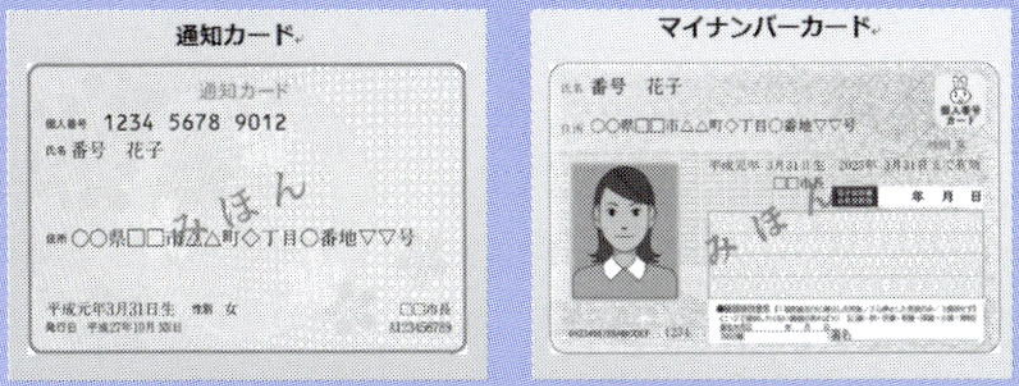

出典：総務省ホームページ

三六協定：時間外労働または休日労働等について労使の間で結ぶ協定。労働基準法第36条に基づくことからこのように呼ばれている。（➡22〜25ページ）

＊ 労働者名簿 ＊

労働者名簿

フリガナ	タケナカ　イチロウ		
氏　名	竹中　一郎		
生年月日	Ⓢ・H　○年　1月　8日生まれ	性別	㊚　女
住　所	〒164-0001 東京都中野区中野○-○-○		
雇入れ年月日	平成×年　8月　1日		
従事する業務の種類	営業		
解雇・退職・ または死亡	解雇　退職　死亡　　年　月　日		
	上記理由		
雇入れの 経緯	定期採用		
	中途採用		

学　歴

平成△年３月　東都大学商学部商学科卒業

職　歴

平成△年４月～平成×年７月

総合株式会社　人事部

備　考

※上記■は、労働者名簿に記入しなければならない事項
※常時使用する従業員が30人未満の事業所は「従事する業務の種類」については記入不要
※日雇労働者のように異動の激しい者の記入は不要

＊賃金台帳＊

賃　　金　　台

氏名	性別	その他
No.33　竹中一郎	男	

賃金計算期間		4月分	5月分	6月分	月分	月分	合計
労働日数		20日	20日	20日	日	日	日
労働時間数		160時間	160時間	160時間	時間	時間	時間
残業労働時間数		15時間	10時間	7時間	時間	時間	時間
休日労働時間数		時間	時間	時間	時間	時間	時間
深夜労働時間数		2時間	時間	時間	時間	時間	時間
基本給		250,000	250,000	250,000			
手当	役職手当	30,000	30,000	30,000			
	家族手当	15,000	15,000	15,000			
	住宅手当	20,000	20,000	20,000			
	時間外手当	32,820	21,880	15,316			
	休日手当						
	深夜手当	5,250					
	通勤手当	7,420	7,420	7,420			
小計		360,490	344,300	337,736			
賞与							
その他							
総支給金額		360,490	344,300	337,736			
控除1	健康保険料	16,966	16,966	16,966			
	介護保険料	2,720	2,720	2,720			
	厚生年金保険料	31,110	31,110	31,110			
	雇用保険料	2,163	2,066	2,026			
	所得税	5,130	4,580	4,270			
	住民税	13,800	13,800	14,700			
控除2	財形貯蓄	10,000	10,000	10,000			
	生命保険料						
控除額計		81,889	81,242	81,792			
差引支給額		278,601	263,058	255,944			

※上記▒は、賃金台帳に記入しなければならない事項
※給与の一部を控除する場合、労使協定が必要
※通貨以外のもので支払われた給与がある場合、その評価総額
※日々雇い入れられる者（1か月を超えて引き続き使用される者を除く）の場合「賃金計算期間」は不要

＊ 出勤簿 ＊

出勤簿　令和〇〇年〇〇月　所属：〇〇〇　氏名：竹中一郎

日	曜日	始業時刻	終業時刻	労働時間 所定内	労働時間 時間外	遅早欠勤	備考	印
1日	火	9:00	18:00	8:00		無		㊞
2日	水	9:00	19:30	8:00	1:30	無		㊞
3日	木	9:00	18:00	8:00		無		㊞
4日	金	9:00	20:00	8:00	2:00	無		㊞
5日	土							
：								
29日	火	9:00	18:00	8:00		無		㊞
30日	水					無	年休	㊞
31日	木	9:00	18:00	8:00		無		㊞
合計				160:00	4:30			

所定日数	出勤日数	欠勤日数	有給取得日数	休日出勤日数	特別休暇日数	遅早回数
21	20	0	1	0	0	0

出典：沖縄労働局ホームページ

＊ 年次有給休暇管理簿 ＊

年次有給休暇管理簿（例）

部門名　〇〇〇部　　氏名　竹中一郎　　20××　年度分

入社年月日	基準日（付与日）	有効期間	前年度繰越日数	8　日	計	28　日
20××年4月1日	20××年10月　1日	20××年10月　1日（基準日） 〜 20××年9月30日	今年度付与日数	20　日		

年次有給休暇取得年月日 自20××年10月　1日 ～ 至20××年9月30日	使用日数（時間数）	残日数（時間数）	請求等種別	請求日（指定日）	本人印	直属上司印	部門長印	備考
20××年11月　6日 ～20××年11月　6日	1　日 時	27日 時	・本人請求 ・計画年休 ・会社指定	10/30	㊞	㊞	㊞	
20××年12月　6日 ～20××年12月　8日	3　日 時	24日 時	・本人請求 ・計画年休 ・会社指定	10/1	㊞	㊞	㊞	
20××年　2月　6日 ～20××年　2月　7日	2　日 時	22日 時	・本人請求 ・計画年休 ・会社指定	2/6	㊞	㊞	㊞	
年　月　日～　年　月　日	日 時	日 時	・本人請求 ・計画年休 ・会社指定	/				
年　月　日～　年　月　日	日 時	日 時	・本人請求 ・計画年休 ・会社指定	/				
年　月　日～　年　月　日	日 時	日 時	・本人請求 ・計画年休 ・会社指定	/				
年　月　日～　年　月　日	日 時	日 時	・本人請求 ・計画年休 ・会社指定	/				
年　月　日～　年　月　日	日 時	日 時	・本人請求 ・計画年休 ・会社指定	/				

出典：山口労働局ホームページ

＊ 個人別マスター台帳 ＊

個人別マスター台帳

1

作成日 令和○年 4月 10日

令和○年 4月 ～ 年 月		職員コード	00234
氏名	山田 大作	入社年月日	令和○年 4月 1日
		生年月日	昭和○年 6月 10日
住所	〒 162-0851 東京都新宿区弁天町○-○-○	電話	03 (2222) 3333
	〒	電話	(　　)
	(変更年月日 年 月 日)		
所属	営業部 第1課	資格	職種
	部 課	資格	職種
区分	常用 臨時 役員 高齢者（満64歳以上）		
保険証番号	健康保険 さろは○○○○	雇用保険	
	厚生年金保険 124598763	厚生年金基金	
税額表	月額表 日額表	甲欄 乙欄 丙欄	

家族の状況	氏名	続柄	生年月日	扶養の有無	家族手当	同居の別
	山田 勇	父	昭和○年 7月 11日 (○)歳	有・無	有・無	同・別
	山田 洋子	母	昭和○年 9月 23日 (○)歳	有・無	有・無	同・別
			年 月 日 (　)歳	有・無	有・無	同・別
			年 月 日 (　)歳	有・無	有・無	同・別
			年 月 日 (　)歳	有・無	有・無	同・別

科目		当初	変更					
基本給	月給	円 180,000	／ 円	／ 円	／ 円	／ 円	／ 円	／ 円
	日給		／	／	／	／	／	／
	時給		／	／	／	／	／	／
残業手当	普通	1,398	／	／	／	／	／	／
	休日	1,509	／	／	／	／	／	／
	深夜	1,677	／	／	／	／	／	／
通勤手当	手当額	○○○○	／	／	／	／	／	／
	非課税額	○○○○	／	／	／	／	／	／
	課税額		／	／	／	／	／	／

Column

求められる厳正な労働時間管理

近年、社会問題となっている未払い残業問題や、長時間労働による過労死、精神疾患などに対応し、平成31年4月に働き方改革による法改正が行われました。これにより、タイムカード、ICカード等の客観的な記録での勤怠管理や、その対象を一般社員だけでなく管理監督者等にも広げるなど、具体的かつ厳格な対応が義務付けられることになりました。

残業のない会社でも、一度、自社の労働時間管理ルールについて確認しましょう。

社会保険の加入手続きは入社時に行う

採用時に情報を確認する

従業員を採用したら、はじめにその従業員の情報（①入社年月日、②氏名・住所・性別・生年月日・マイナンバー、③雇用形態、④給与形態、⑤被扶養者の有無とその氏名・続柄・性別・生年月日・同居の有無・収入（仕送りも含む）、⑥基礎年金番号通知書の有無等）を集め、**社会保険の対象となるかどうかを確認**します。マイナンバー取得にあたっては、法律上、会社に厳正な本人確認義務等が課せられています。

パートタイマーや契約社員であっても、1週間の所定労働時間と1か月の所定労働日数が一般の社員の**4分の3以上であれば**、日雇労働者等一部を除き社会保険の対象となります。

資格取得日に注意

健康保険と厚生年金保険の加入要件は、年齢条件（健康保険は74歳まで、厚生年金保険は原則として69歳まで）以外は同じなので、原則として資格取得の手続きは、**「健康保険 厚生年金保険被保険者資格取得届」**の1枚で行います（所轄の年金事務所宛てに資格取得日から5日以内に行う）。

資格取得日とは、実際に報酬が発生した日（仕事を開始した日）で、労働契約を結んだ日とは限りません。入社後一定の試用期間を設けている場合であっても同じです（つまり試用期間の開始日）。

＊ 健《けん》康《こう》保《ほ》険《けん》 厚《こう》生《せい》年《ねん》金《きん》保《ほ》険《けん》被《ひ》保《ほ》険《けん》者《しゃ》資《し》格《かく》取《しゅ》得《とく》届《とどけ》 ＊

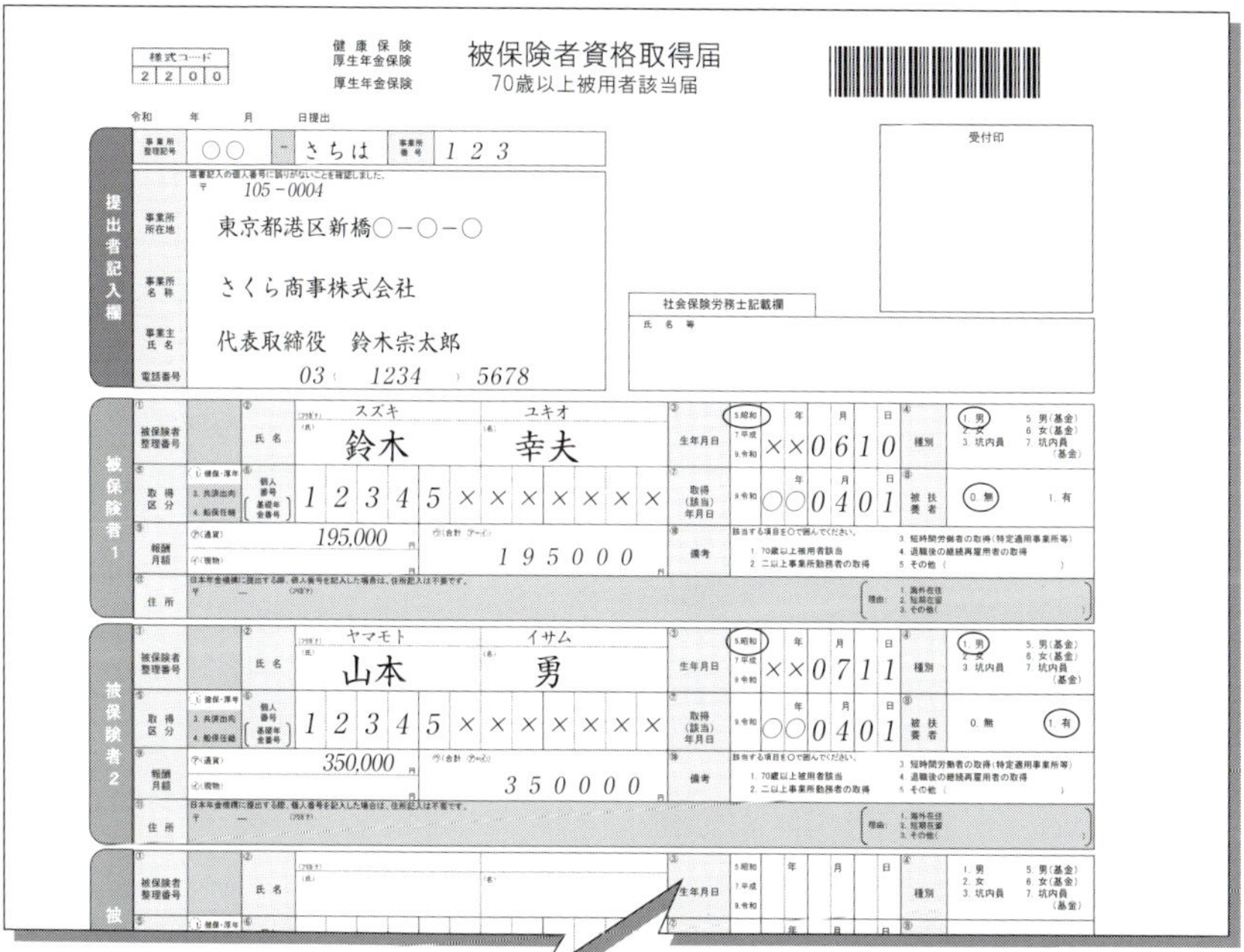

健康保険
厚生年金保険
厚生年金保険

被保険者資格取得届
70歳以上被用者該当届

様式コード 2200

令和　年　月　日提出

提出者記入欄
事業所整理記号 ○○ - さちは　事業所番号 123
事業所所在地 〒105-0004 東京都港区新橋○-○-○
事業所名称 さくら商事株式会社
事業主氏名 代表取締役　鈴木宗太郎
電話番号 03（1234）5678

受付印
社会保険労務士記載欄 氏名等

被保険者1
氏名 （ﾌﾘｶﾞﾅ）スズキ ユキオ （氏）鈴木 （名）幸夫
生年月日 5.昭和 ××0610
種別 1.男
取得区分 1.健保・厚年
個人番号［基礎年金番号］ 12345××××××
取得（該当）年月日 9.令和 ○○0401
被扶養者 0.無
報酬月額 ㋐（通貨）195,000円 ㋒（合計 ㋐＋㋑）195000円
備考 該当する項目を○で囲んでください。

被保険者2
氏名 （ﾌﾘｶﾞﾅ）ヤマモト イサム （氏）山本 （名）勇
生年月日 5.昭和 ××0711
種別 1.男
取得区分 1.健保・厚年
個人番号［基礎年金番号］ 12345××××××
取得（該当）年月日 9.令和 ○○0401
被扶養者 1.有
報酬月額 ㋐（通貨）350,000円 ㋒（合計 ㋐＋㋑）350000円
備考 該当する項目を○で囲んでください。

※従業員が70歳以上の場合には、⑩備考欄の該当する項目を○で囲む
※報酬額欄の金額には、残業の見込額、通勤手当等も加える
※「被保険者の氏名」「基礎年金番号」については、「年金手帳または基礎年金番号通知書」の記載事項と一致しているかを必ず確認する

＊Column＊

短時間労働者への社会保険適用拡大と「106万円の壁」

2020年5月29日に成立した「年金制度の機能強化のための国民年金法等の一部を改正する法律」により、社会保険の加入者数が101名（2024年10月からは51名）以上の企業で、次の要件を全て満たすパート・アルバイトは社会保険上の「短時間労働者」となり、社会保険に加入しなければなりません。

□週の所定労働時間が20時間以上
□所定内賃金が月額8.8万円以上
□2か月を超える雇用の見込みがある
□学生ではない

この要件である「所定内賃金」を年換算すると年間で105.6万円となることから、「106万円の壁」と呼ばれています。

＊ 健康《けんこう》保険《ほけん》被《ひ》扶《ふ》養者《ようしゃ》（異動《いどう》）届《とどけ》 ＊

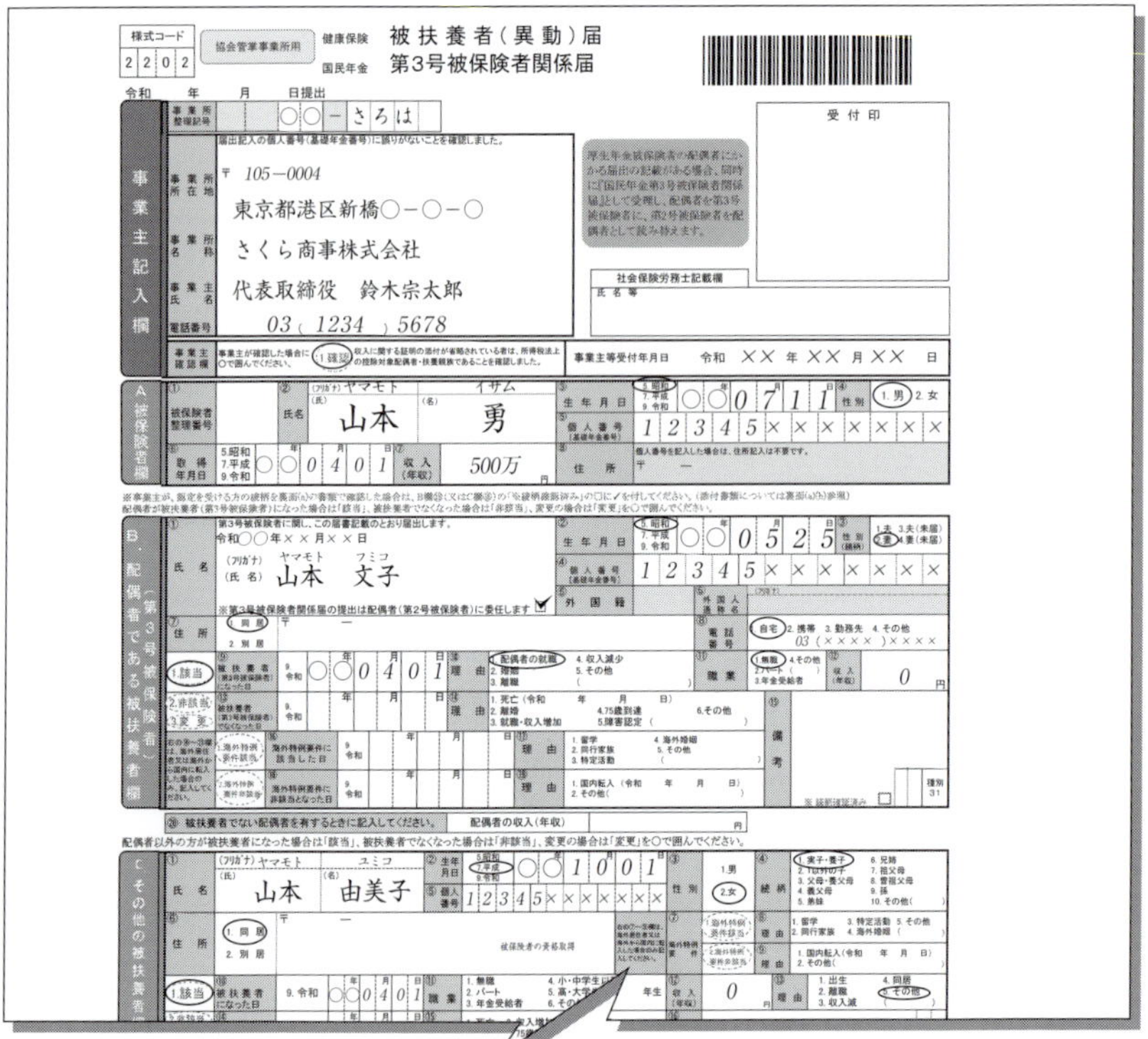

被扶養者の範囲は意外と広い

社会保険に加入する従業員に健康保険上の被扶養者（⬇次ページ）がいる場合には「健康保険被扶養者（異動）届」を提出します（結婚や出産で新たに被扶養者が増えた場合も同様）。

これにより、家族の保険証が発行されます。

収入が多いと被扶養者にならない

健康保険の被扶養者となるためには一定基準をクリアする必要があります（⬇次ページ）。

被保険者の収入によって生計を維持し、家族自身に収入がある場合は一定額未満であること等を判断基準に、実情を踏まえ判断されます。

＊ 被扶養者の範囲 ＊

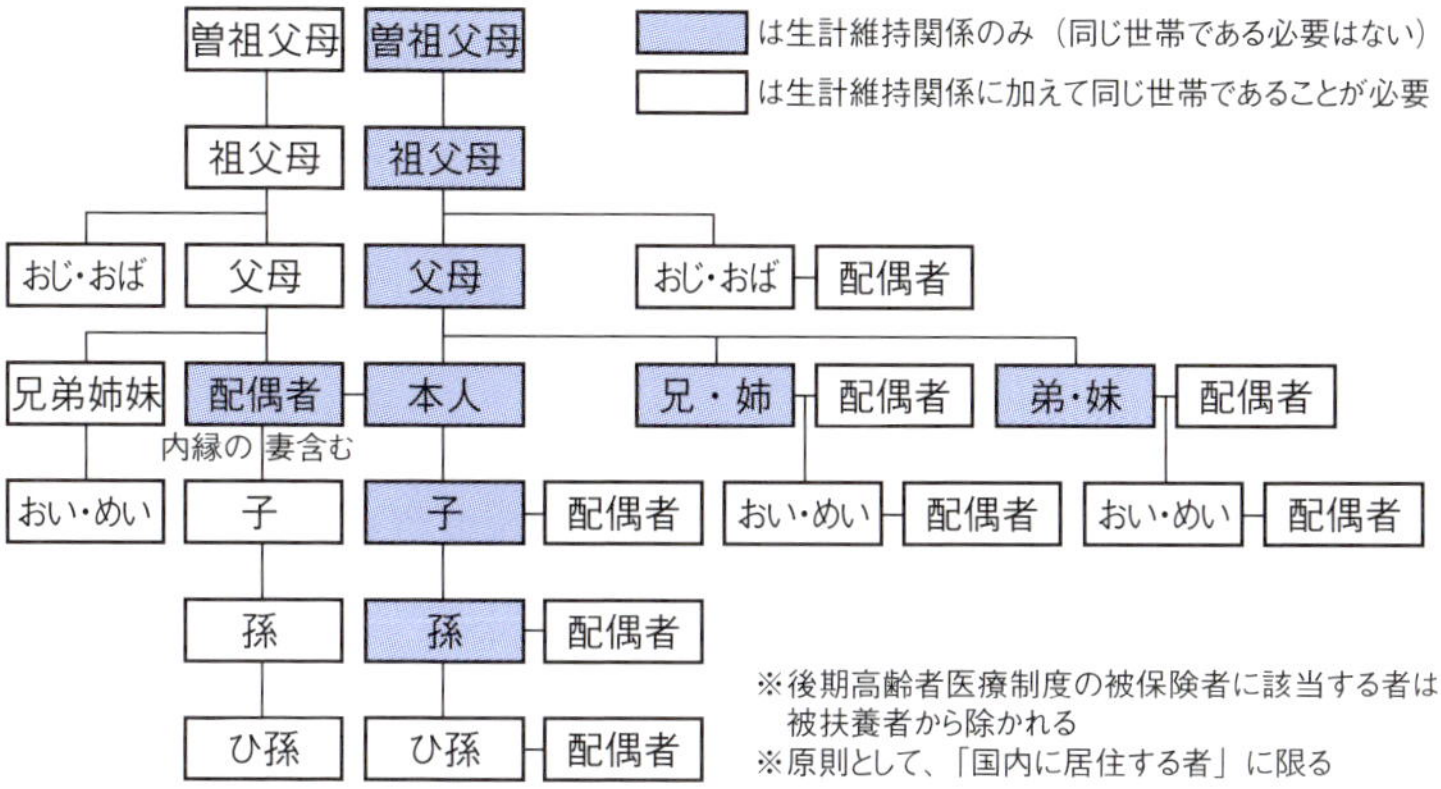

※後期高齢者医療制度の被保険者に該当する者は被扶養者から除かれる
※原則として、「国内に居住する者」に限る

＊ 生計維持の判断基準 ＊

※ここでいう「年間収入」とは、税務上の扶養判断の基準とは異なり、今後1年間で見込める収入額

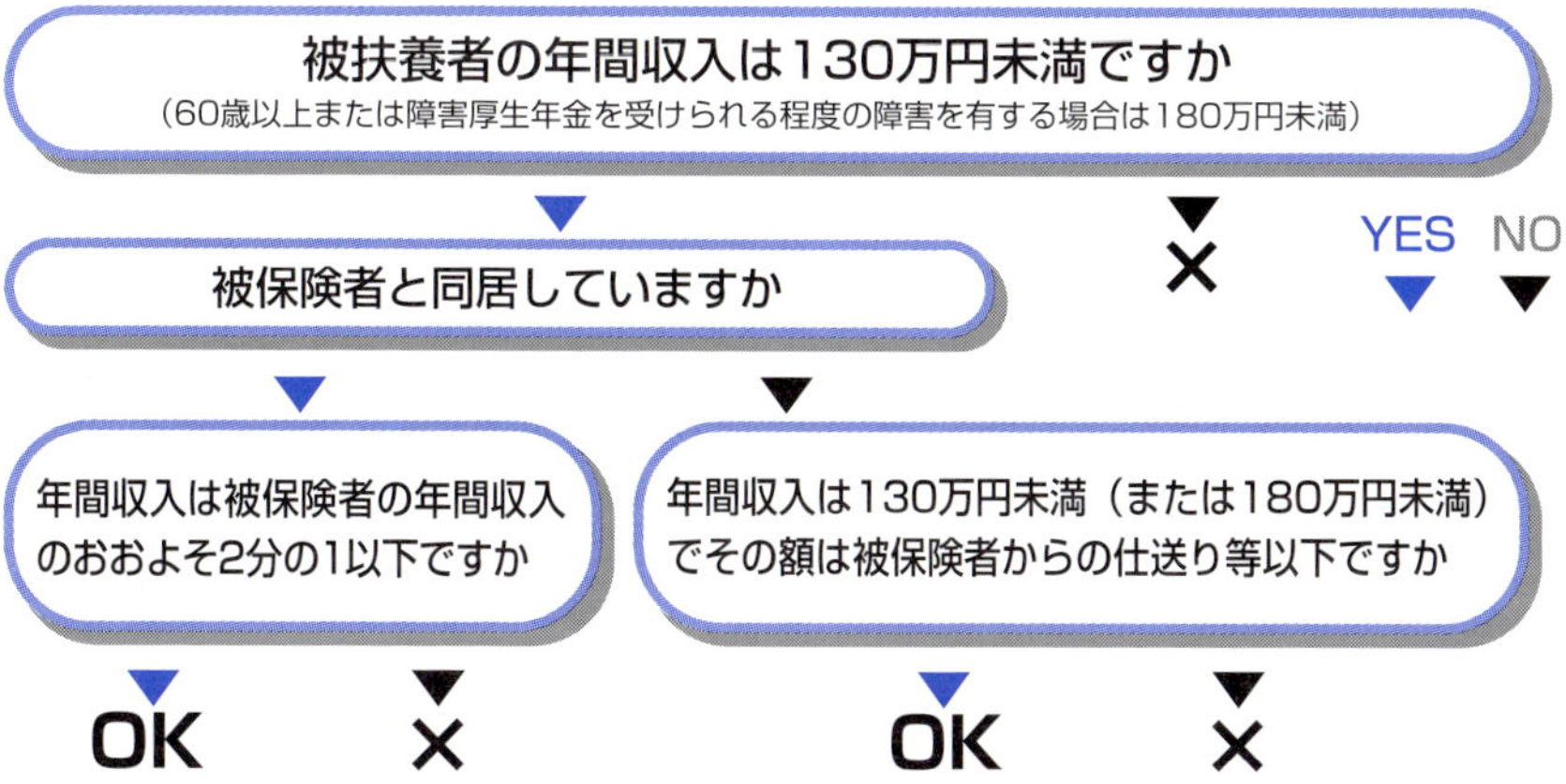

Column

「130万円の壁」への対応

社会保険に加入している会社員等に扶養されている配偶者は、「第3号被保険者」とされ、社会保険料を支払う必要がありません。しかし、年収130万円を超えると扶養から外れて、自分で社会保険料を支払うことになることから、「130万円の壁」といわれています。

しかし、2023年10月よりパート・アルバイトで働く方が、繁忙期に労働時間を延ばすなどにより、収入が一時的に上がったとしても、事業主がその旨を証明することで、連続して2年間は引き続き扶養に入り続けることが可能となっています。

雇用保険被保険者資格取得届を提出する

提出先は公共職業安定所

採用した従業員が雇用保険の被保険者に該当する場合は、会社を管轄する**公共職業安定所**（ハローワーク）に「**雇用保険被保険者資格取得届**」を提出します（**雇用保険の対象とならない人につ**いては91ページ参照）。

提出期限は採用した月の翌月の10日までです。提出の際、前職がある従業員で「雇用保険被保険者番号」がわからないときは、資格取得届の備考欄に今までの職歴等を記しておきます。

なお、労災保険では被保険者という考え方はなく、会社が一括処理するので、新しく従業員を採用した場合に特別な手続きは必要ありません。

＊ 提出時およびその後の注意 ＊

確認資料

①労働者名簿
②入社時のタイムカードまたは出勤簿（コピー可）
③（パートタイマー、有期契約社員の場合）雇用契約書または雇用条件通知書

手続き後の処理

資格取得の手続きをすると次の書類が返却されてくる

- 雇用保険被保険者証及び資格取得等確認通知書（被保険者通知用）……本人に交付する
- 資格取得等確認通知書（事業主通知用）……会社に保管する
- 資格喪失届（氏名変更届）……会社に保管する

※雇用保険被保険者証は雇用保険を受給する際等に必要になるので大切に保管しておくよう従業員に通知しておく

＊ 雇用《こよう》保険《ほけん》被《ひ》保険者《ほけんしゃ》資格《しかく》取得届《しゅとくとどけ》 ＊

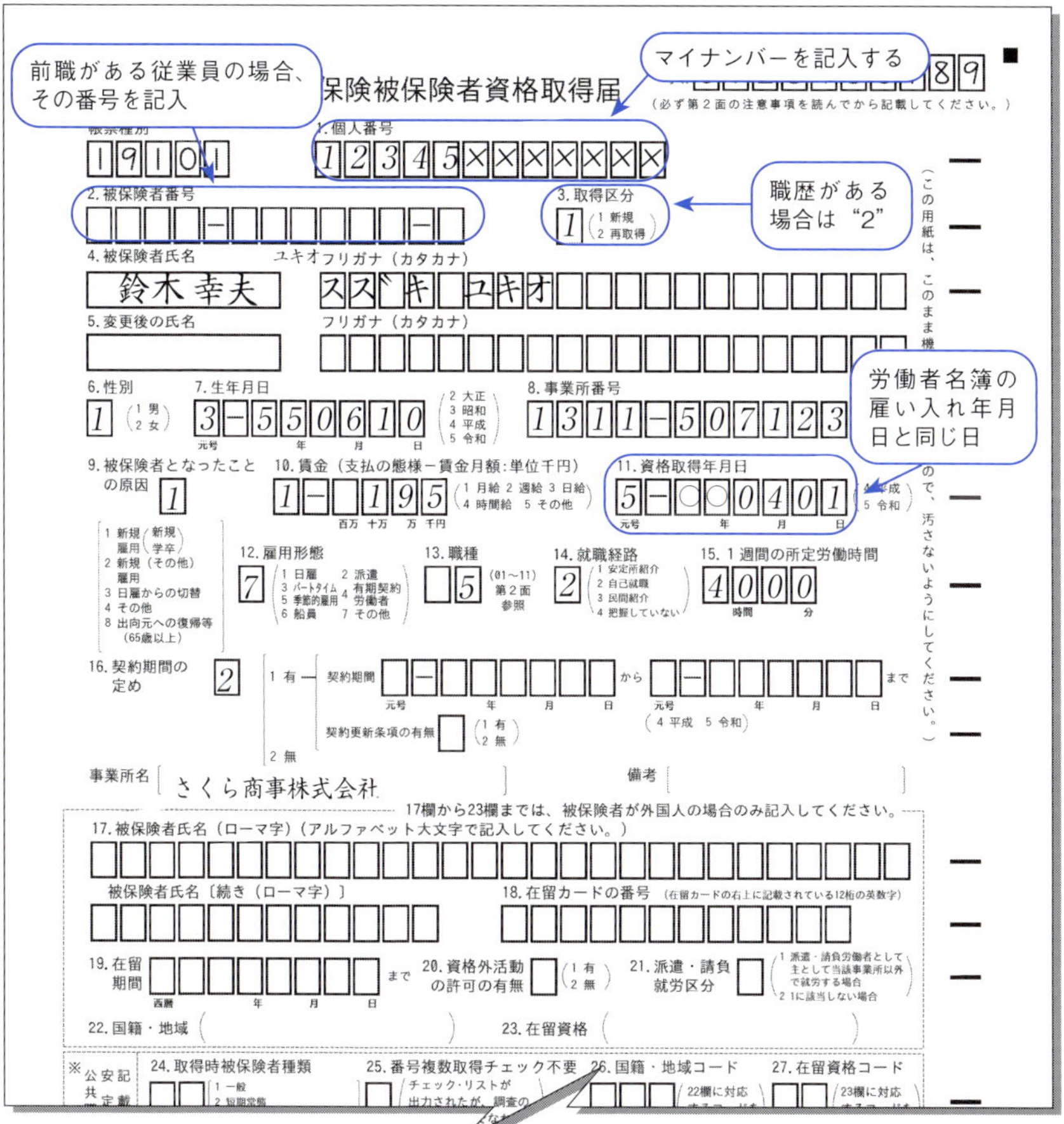

Column

身元保証書には、保証の限度額の記載が必要

身元保証書は、労働者が会社に損害を与えた場合に連帯して損害賠償を負うことを第三者に約束させる書類ですが、令和2年4月1日の民法改正により、その賠償に上限額を定めなければ無効とされることになりました。

SNSの普及により、従業員による会社の誹謗中傷被害が急増しており、改めて「身元保証」について見直しされる企業も増えています。

個人型確定拠出年金（iDeCo）：毎月掛金を拠出し、自分自身で「投資信託」や「定期預金」等で運用しながら積み立て、将来（原則60歳以降）年金や一時金で受け取るしくみ。最近では「iDeCo」という名称で、セカンドライフの資金積立手段として注目されている。

5

4月 入社に関する事務5

中途採用の場合は住民税に注意する

新卒採用と中途採用で扱いは異なる

住民税は都道府県民税・市区町村民税の総称です。住民税は、会社が従業員の給与から天引き（源泉徴収）して、従業員に代わって納めるのが一般的ですが、新卒採用者と中途採用者とでは手続きが異なります。

新卒採用者の場合

住民税は、前年度の所得に基づいて課税されます（⬇89ページ）。したがって、一般に前年度の所得のない新卒採用者については翌年5月分までの住民税はゼロとなります。会社は住民税に関して何も手続きをする必要はありません。

前職のある採用者の場合

従業員が以前勤めていた会社を退職する際に、住民税を直接従業員の居住している市区町村に全額納付している場合（退職時に、住民税の**普通徴収**や**一括徴収**を選択していた場合）には、翌年5月分まで会社が徴収すべき住民税はないので、手続きの必要はありません。

しかし、前の会社で引き続き次の勤務先の給料から住民税を天引きして納付する方法（**特別徴収**）を従業員が選択していた場合には、従業員の以前の勤務先から「給与所得者異動届出書」を送付してもらい、現会社（新勤務先）で給与から住民税を源泉徴収します。

なお、この方法を選択できるのは、その従業員が以前勤めていた会社を6月1日から12月31日までの間に退職していた場合です。

＊ 給《きゅう》与《よ》所得者《しょとくしゃ》異《い》動届《どうとどけ》出《で》書《しょ》 ＊

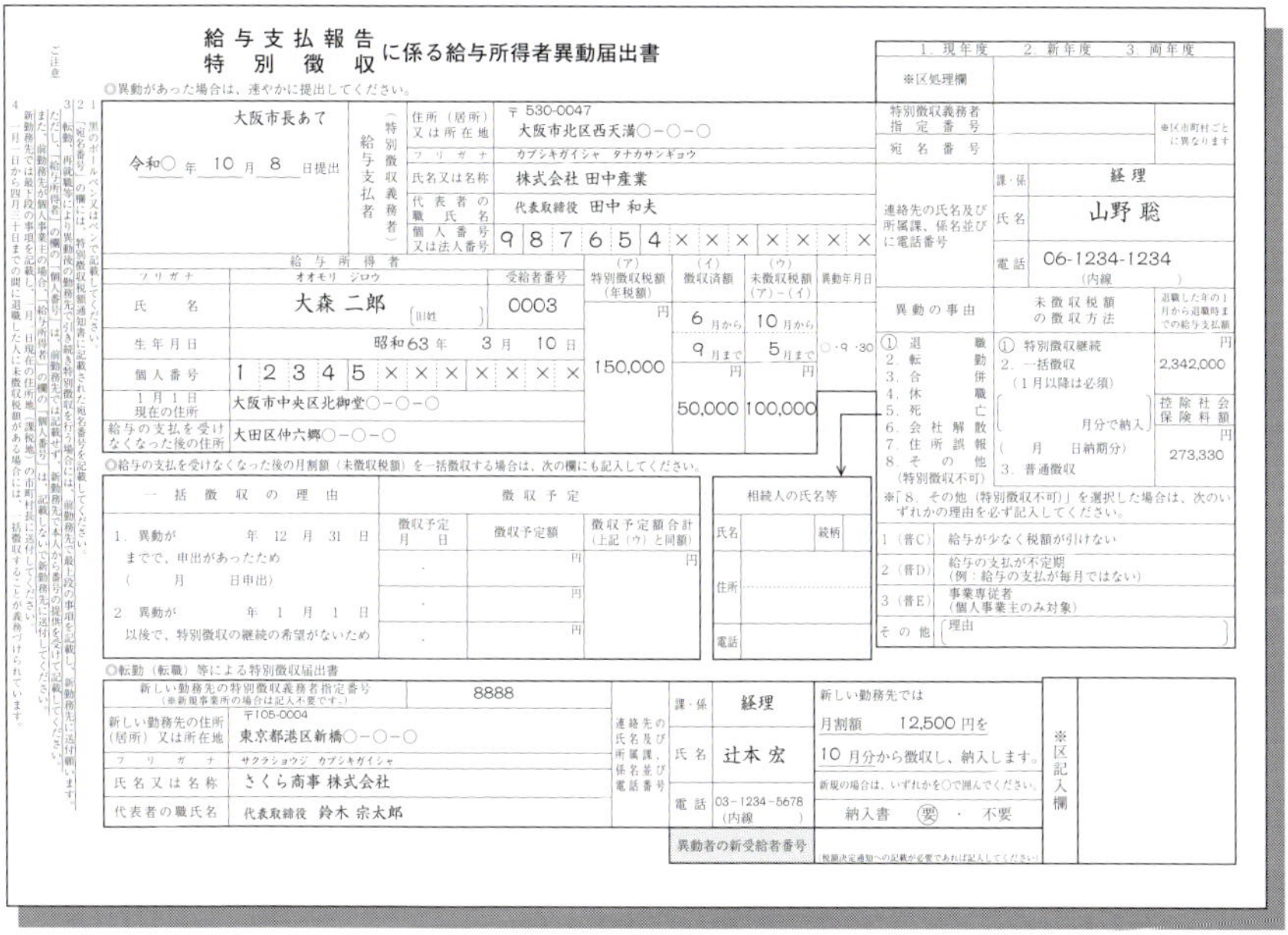
給与支払報告 特別徴収 に係る給与所得者異動届出書
◎異動があった場合は、速やかに提出してください。
大阪市長あて
令和○ 年 10 月 8 日提出
給与支払者（特別徴収義務者）
住所（居所）又は所在地 〒530-0047 大阪市北区西天満○－○－○
フリガナ カブシキガイシャ タナカサンギョウ
氏名又は名称 株式会社 田中産業
代表者の職氏名 代表取締役 田中 和夫
個人番号又は法人番号 9 8 7 6 5 4 × × × × × × ×
1. 現年度 2. 新年度 3. 両年度
※区処理欄
特別徴収義務者指定番号
宛名番号
※区市町村ごとに異なります
連絡先の氏名及び所属課、係名並びに電話番号
課・係 経理
氏名 山野 聡
電話 06-1234-1234（内線 ）
給与所得者
フリガナ オオモリ ジロウ
氏名 大森 二郎（旧姓 ）
受給者番号 0003
生年月日 昭和63 年 3 月 10 日
個人番号 1 2 3 4 5 × × × × × × ×
1月1日現在の住所 大阪市中央区北御堂○－○－○
給与の支払を受けなくなった後の住所 大田区仲六郷○－○－○
（ア）特別徴収税額（年税額） 150,000 円
（イ）徴収済額 6 月から 9 月まで 50,000 円
（ウ）未徴収税額（ア）－（イ） 10 月から 5 月まで 100,000 円
異動年月日 ○・9・30
異動の事由 ① 退職 2. 転勤 3. 合併 4. 休職 5. 死亡 6. 会社解散 7. 住所誤報 8. その他（特別徴収不可）
未徴収税額の徴収方法 ① 特別徴収継続 2. 一括徴収（1月以降は必須）（ 月分で納入）（ 月 日納期分） 3. 普通徴収
退職した年の1月から退職時までの給与支払額 2,342,000 円
控除社会保険料額 273,330 円
◎給与の支払を受けなくなった後の月割額（未徴収税額）を一括徴収する場合は、次の欄にも記入してください。
一括徴収の理由
1. 異動が 年 12 月 31 日までで、申出があったため（ 月 日申出）
2. 異動が 年 1 月 1 日以後で、特別徴収の継続の希望がないため
徴収予定 徴収予定月日 徴収予定額 円 徴収予定額合計（上記（ウ）と同額） 円
相続人の氏名等 氏名 続柄 住所 電話
※「8. その他（特別徴収不可）」を選択した場合は、次のいずれかの理由を必ず記入してください。
1（普C） 給与が少なく税額が引けない
2（普D） 給与の支払が不定期（例：給与の支払が毎月ではない）
3（普E） 事業専従者（個人事業主のみ対象）
その他（理由 ）
◎転勤（転職）等による特別徴収届出書
新しい勤務先の特別徴収義務者指定番号（※新規事業所の場合は記入不要です。） 8888
新しい勤務先の住所（居所）又は所在地 〒105-0004 東京都港区新橋○－○－○
フリガナ サクラショウジ カブシキガイシャ
氏名又は名称 さくら商事 株式会社
代表者の職氏名 代表取締役 鈴木 宗太郎
連絡先の氏名及び所属課、係名並びに電話番号 課・係 経理 氏名 辻本 宏 電話 03-1234-5678（内線 ）
新しい勤務先では 月割額 12,500 円を 10 月分から徴収し、納入します。
新規の場合は、いずれかを○で囲んでください。 納入書 ㊀要 ・ 不要
異動者の新受給者番号
※区記入欄

※市区町村によって届出書の形式が異なるので、各市区町村の様式に従うこと
※詳しくは各市区町村の住民税課に問い合わせる

＊ 住民税手続きのフローチャート ＊

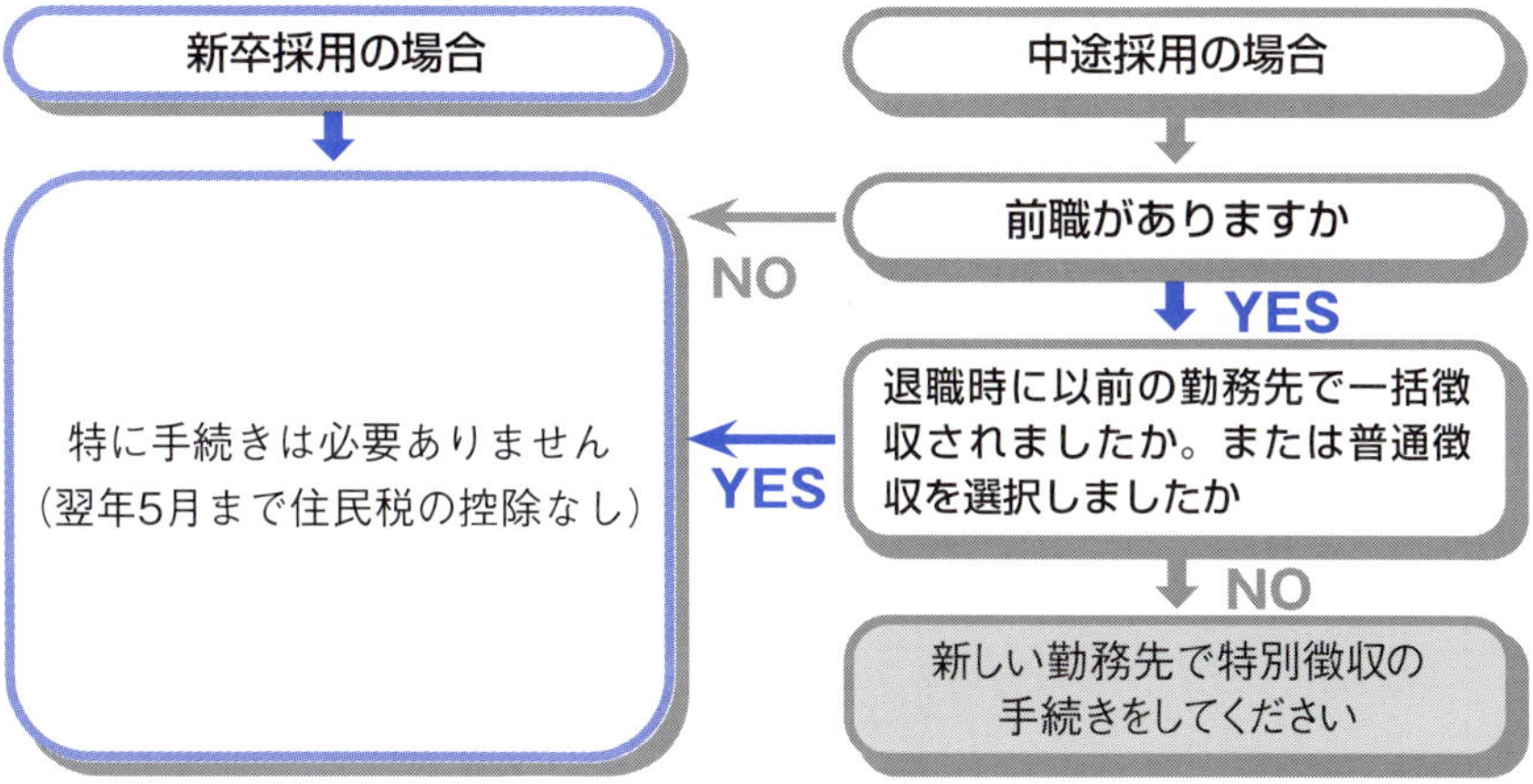

源泉徴収（天引き）：給与等を支払う前に給与の支払者（会社）があらかじめ税金や保険料などを控除すること。

5 中途採用の場合は住民税に注意する
4月 6月 7月 9月 12月

6

6月 住民税とは

住民税は毎月控除し翌月納付する

住民税は前年度所得で計算される

住民税は前年の所得に基づいて計算され、1月1日時点の住所地の市区町村に1年間納税します。所得税の確定申告書や給与支払報告書（２０１ページ）に基づいて市区町村が住民税を計算し、5～6月頃に税額を通知します。

普通徴収と特別徴収

住民税には、納税者本人が納付書で金融機関に直接納める**普通徴収**と、会社が給与支払い時に従業員の住民税を控除し、従業員に代わって納める**特別徴収**があります。給与所得者は特別徴収が原則です。

6月～翌年5月で徴収する

給与から控除する住民税の金額は、市区町村から送られる特別徴収税額通知書（⬇61ページ）に記載されています。

毎月控除する住民税額は、年税額を12か月で割っているので基本同額ですが、初回の6月は端数調整のため金額が異なるので注意が必要です。従業員から徴収した住民税は、翌月10日までに各従業員の市区町村に納付します（⬇66ページ）。

なお、給与の支払いを受ける人が常時10人未満の場合には、市区町村長の承認を得て、6～11月の半年分を12月10日、12～5月分の半年分を6月10日までに納めることも可能です。

＊ 住民税課税のしくみ ＊

●例えば、令和6年以降に給与から控除される住民税額は、前年の所得をもとに計算される。したがって、住民税は１年遅れで課税されることになる。

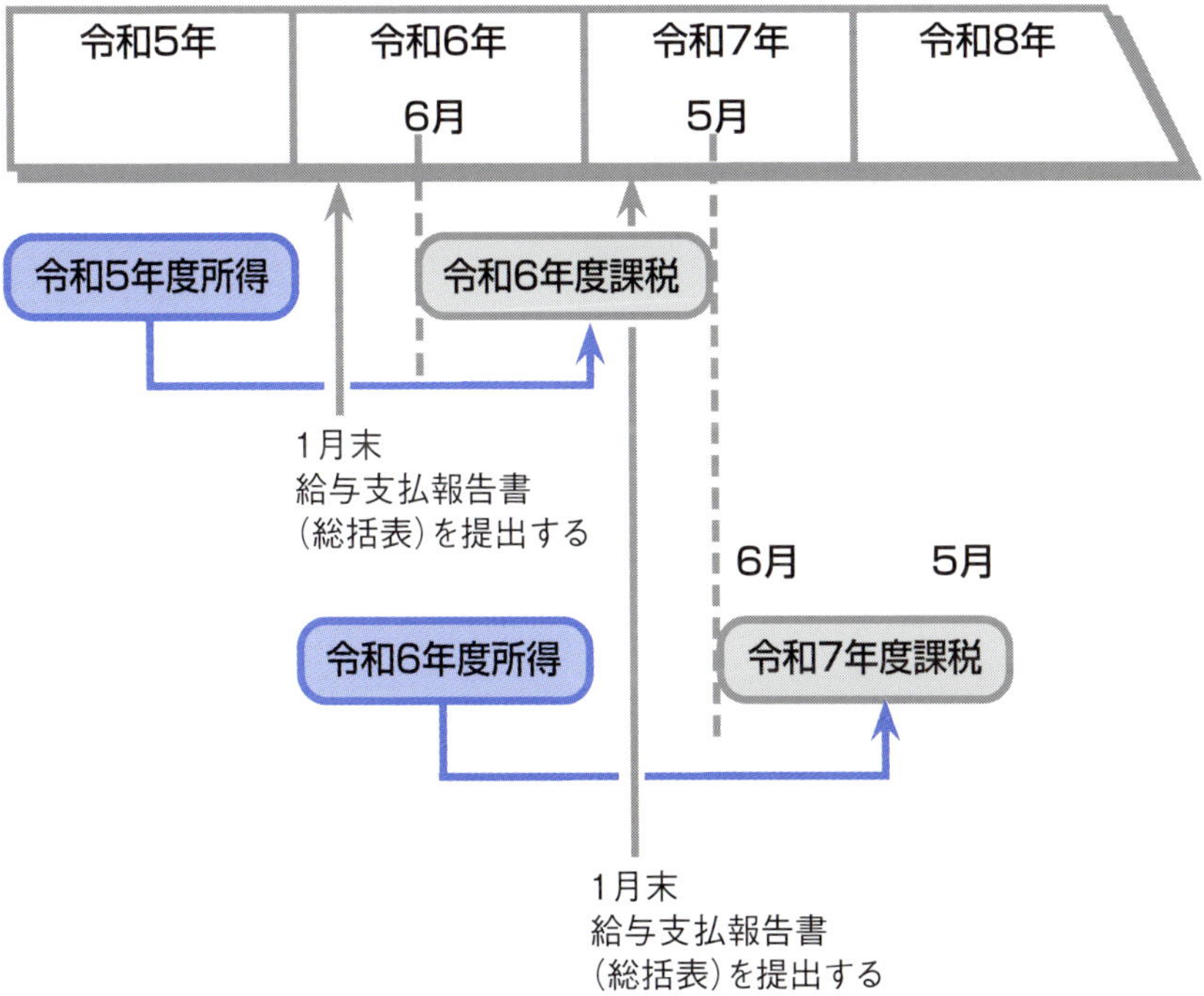

Column

新入社員の住民税はゼロ

　今まで働いたことのない新入社員の給与から住民税は控除されません。前年の所得がないからです。

　反対に会社を退職して収入がなくなっても、翌年は住民税を納めなければなりません。

　本文でも述べたように、住民税は前年の所得をもとに課税されるために、このようなことが起こるのです。

労災保険料は全額会社が負担する

労働保険は2つの保険の総称

毎年5月～6月になると、都道府県労働局から労働保険の保険料申告書が送付されてきます。労働保険の年度更新は社会保険の**定時決定**（⬇110ページ）と並んで毎年の定例事務です。早めに準備を進めておくようにしましょう。

労働保険は、**労災保険（労働者災害補償保険）**と**雇用保険**という異なる制度をまとめた総称（労働保険という保険はない）で、労災保険では従業員の仕事中の災害や通勤途中の災害時に対する補償を、雇用保険では主に失業した場合の給付等を行います。

このように異なる保険制度ですが、保険料の申告・納付事務の煩雑さを避けるために、原則としてこれらを1つにまとめて処理できるしくみになっています。そのため、労働保険や労働保険料という表現がよく使われるのです。

雇用保険料だけを控除する

雇用保険料は、会社と従業員がそれぞれ業種ごとに定められた割合に応じて負担しますが、労災保険料は全従業員（パートタイマーやアルバイトも含む。この点が雇用保険と異なる）の万が一の場合を補償するという意味合いから会社が全額負担します。

ですから、毎月の従業員の給与から控除するのは、雇用保険料の従業員負担分だけということになります（⬇52ページ）。

＊労災保険と雇用保険＊

労働保険は労災保険と
雇用保険の総称！

保険料は原則、1つにまとめて
労働保険料として申告・納付する

労災保険　　雇用保険

給付等は個別に手続きをする

●労働保険の対象

労災保険

その事業場で働く従業員は原則として全員加入

雇用保険

原則はその事業場で働く従業員全員が加入対象だが、法律で一部適用とならない者が定められている

雇用保険の対象とならない人

●短時間労働者（週の所定労働時間が20時間未満の者）
●原則として、継続して31日以上の雇用が見込まれない者
●季節的に雇用される者であって、4か月以内の期間雇用の者もしくは、週30時間未満の者
●日雇労働者（ただし雇用保険法上の日雇労働被保険者に該当しない者に限る）
●船員保険の被保険者
●国、都道府県、市町村等の事業に雇用される一定の者

（参考例）
●会社役員（従業員としての身分がある場合、兼務役員等の場合は適用）
●パートタイマー（ただし次の要件をすべて満たす人は加入対象となる）
- 1週間の所定労働時間が20時間以上
- 31日以上引き続き雇用されることが見込まれる
- 給与や労働時間等の労働条件が会社の規定などに明確に定められていること

●昼間の学生（学校の課程修了要件などによって適用となる場合がある）
●臨時内職的に雇われる者
●個人事業主の同居の親族
●国外の現地で採用された者

兼務役員：会社の役員ではあるが、一方で部長など従業員（労働者）としての業務も行っている者。

実務上迷った場合は、最寄りのハローワークに相談してから手続きを行う。

年度更新は毎年6月1日から7月10日まで

保険料は保険年度を単位に計算する

労働保険では、会社の業種によって**一元適用事業**と**二元適用事業**に、また具体的な仕事の内容によって**継続事業**と**有期事業**に分類されます。

どの事業に該当するかによって、それぞれ手続きが異なります（⇩次ページ）が、ほとんどの会社は一元適用事業・継続事業に該当するので、本書では、この手続きを中心に説明します。

労働保険の保険料は、原則として**保険年度**（4月1日から翌年3月31日の1年間）を単位とし、その年度中に支払われた給与総額（一部控除額あり）に、事業の種類ごとに定められた保険料率を乗じて計算します。

毎年必ず行う年度更新

労働保険では、毎年、その年度に支払うと思われる給与の見込総額を決めて、それをもとに概算保険料を算出して申告・納付します。

そして、その年度（翌年3月）が終了したら、確定した給与総額をもとに確定保険料を算出し、既に支払った概算保険料と確定保険料との過不足を精算します。同時に新しい年度の概算保険料を納付します。

この毎年度繰り返し行われる労働保険の申告・納付の手続きを**年度更新**といいます。

年度更新は、毎年6月1日から7月10日までの間に行わなければなりません。

＊ 事業の種類による分類 ＊

一元適用事業	二元適用事業
二元適用事業以外の事業	●都道府県および市町村の行う事業 ●都道府県に準ずるものおよび市町村に準ずるものの行う事業 ●港湾運送の行為を行う事業（6つの港湾が指定されている） ●農林水産の事業 ●建設の事業
労災保険と雇用保険の保険関係を1つの保険関係として取り扱い、保険料の申告・納付手続き事務を一元的（一緒）に行う事業	労災保険と雇用保険の保険関係を別個の保険として取り扱い、保険料の申告・納付手続きを二元的（別々）に行う事業

＊ 仕事の内容による分類 ＊

継続事業	有期事業
事業期間が予定されていない（その会社が倒産等しない限り継続する）事業	事業期間が予定されている（あらかじめ一定の事業目的を達成したら終了する）事業
一般の事務所・工場・飲食店・販売店などほとんどの会社が該当する	建設の事業や立木伐採の事業 ※いずれも事業の種類では二元適用事業になる

Column

「一般拠出金」とは？

「一般拠出金」とは、「石綿による健康被害の救済に関する法律」に基づき、平成19年4月、石綿（アスベスト）健康被害者の救済費用にあてるため創設されたもので、「労働保険　年度更新」の際に労働保険料とあわせて申告・納付することになりました。ただし、労災保険の特別加入者や雇用保険のみ適用の場合は対象外となっています。

9

7月 労働保険の年度更新3

手続き前の準備がポイント

記載内容を確認する

労働保険のしくみや年度更新の概要について理解できたら、いよいよ**年度更新の事務手続き**です。

5月下旬以降に都道府県労働局から「労働保険概算・確定保険料申告書／（石綿健康被害救済法）一般拠出金 申告書」が送付されてくるので、記載内容に誤りがないかどうかを確認します。

主なチェックポイントは次のとおりです。前回（前年度）提出した申告書の写しも手許に置きながらしっかりチェックしましょう。

- **用紙の下の部分についている領収済通知書に明記された会社の名称・住所等**
- **申告書の種類（適用事業の分類があっているか）**
- **保険料率（会社の事業の種類の保険料率と同じか）**
- **申告済概算保険料の金額**
- **その他（メリット制の適用など）**

前年分をチェックする

事前準備としては、それ以外に、昨年作成した「労働保険 確定保険料算定基礎賃金集計表」（前々年度の実績）を見ておいてください。

特に従業員の採用・退職や給与支払実績等は必ず確認しておきましょう。

従業員の多い会社では雇用保険の被保険者の資格取得や喪失の届け出の漏れがないかについても注意してください。

＊ 労災保険率表 ＊

事業種類分類	事業の種類	A
林業	林業	52
漁業	海面漁業（定置網漁業または海面魚類養殖業を除く）	18
	定置網漁業または海面魚類養殖業	37
鉱業	金属鉱業、非金属鉱業（石灰石鉱業またはドロマイト鉱業を除く）または石炭鉱業	88
	石灰石鉱業またはドロマイト鉱業	13
	原油または天然ガス鉱業	2.5
	採石業	37
	その他の鉱業	26
建設事業	水力発電施設、ずい道等新設事業	34
	道路新設事業	11
	舗装工事業	9
	鉄道または軌道新設事業	9
	建築事業（既設建築物設備工事業を除く）	9.5
	既設建築物設備工事業	12
	機械装置の組立てまたは据付けの事業	6
	その他の建設事業	15
製造業	食料品製造業	5.5
	繊維工業または繊維製品製造業	4
	木材または木製品製造業	13
	パルプまたは紙製造業	7
	印刷または製本業	3.5
	化学工業	4.5
	ガラスまたはセメント製造業	6
	コンクリート製造業	13
	陶磁器製品製造業	17
	その他の窯業または土石製品製造業	23
	金属精錬業（非鉄金属精錬業を除く）	6.5
	非鉄金属精錬業	7
	金属材料品製造業（鋳物業を除く）	5
製造業	鋳物業	16
	金属製品製造業または金属加工業（洋食器、刃物、手工具または一般金物製造業及びめっき業を除く）	9
	洋食器、刃物、手工具または一般金物製造業（めっき業を除く）	6.5
	めっき業	6.5
	機械器具製造業（電気機械器具製造業、輸送用機械器具製造業、船舶製造または修理業及び計量器、光学機械、時計等製造業を除く）	5
	電気機械器具製造業	3
	輸送用機械器具製造業（船舶製造または修理業を除く）	4
	船舶製造または修理業	23
	計量器、光学機械、時計等製造業（電気機械器具製造業を除く）	2.5
	貴金属製品、装身具、皮革製品等製造業	3.5
	その他の製造業	6
運輸業	交通運輸事業	4
	貨物取扱事業（港湾貨物取扱事業及び港湾荷役業を除く）	8.5
	港湾貨物取扱事業（港湾荷役業を除く）	9
	港湾荷役業	12
電気、ガス、水道または熱供給の事業	電気、ガス、水道または熱供給の事業	3
その他の事業	船舶所有者の事業	42
	農業または海面漁業以外の漁業	13
	清掃、火葬または と畜の事業	13
	ビルメンテナンス業	6
	倉庫業、警備業、消毒または害虫駆除の事業またはゴルフ場の事業	6.5
	通信業、放送業、新聞業または出版業	2.5
	卸売業・小売業、飲食店または宿泊業	3
	金融業、保険業または不動産業	2.5
	その他の各種事業	3

※A欄の数字に1/1,000を掛けた数字が労災保険料率となる

メリット制：個々の事業における災害防止努力の結果等に応じて、労災保険率や保険料の額を増減させる制度。

10　確定保険料算定基礎賃金集計表を作成する

書式のフォーマットは自由

「労働保険　概算・確定保険料申告書」を記載する前に「労働保険　確定保険料算定基礎賃金集計表」を作成します。

目的はあくまでも確定保険料の計算のもとになる前年度に支払った給与を把握しておくためのものなので、特に決まった書式もなく、会社独自で表計算シート等で作成してもかまいません。ただし、3年間は必要に応じ出力できるよう保存しておきましょう。

対象となる従業員と給与を把握する

「労働保険　確定保険料算定基礎賃金集計表」の記載にあたっては、対象となる従業員（➡91ページ）と、給与の中で対象となるものはどれなのか（➡次ページ）の2点を把握しておく必要があります。

労働保険の対象となる給与は「会社がその事業に使用する従業員に対して賃金、手当、賞与、その他名称のいかんを問わず労働の対償として支払うすべてのもの」と定義されています。つまり、原則は社会保険料や税金等を控除する前の給与そのものということになります。

対象となる給与は、保険年度中（4月1日から翌年の3月31日）に支払いが確定しているもの（賃金締切日がある場合はその期間内の賃金締切日のもの）です。仮に支払っていなくても保険年度内に支払いが確定したものも含まれます。

＊ 労働保険の対象となる給与とならない給与 ＊

労働保険の対象となる給与	労働保険の対象とならない給与
●基本給、超過勤務手当、休日手当、賞与 ●労働基準法上の休業手当 ●住宅手当、家族手当、勤務地手当、単身赴任手当 ●有給休暇日の給与（法定外有給休暇の買上も含む） ●通勤手当、通勤定期券 ●日直、宿直手当 ●さかのぼって昇給したことによって支払われた差額の給与 ●健康保険法に規定する傷病手当金のうち、待期期間3日間に事業主から支払われる手当 ●社会保険料、所得税等の従業員負担分を事業主が負担したもの ●一定の現物給与	●労災補償としての休業補償 ●解雇予告手当 ●退職金 ●結婚祝金、災害見舞金、死亡弔慰金 ●健康保険法に規定する傷病手当金 ●工具手当、寝具手当（実費弁償的なもの） ●事業主が支給する業務用作業着費用等 ●会社が全額負担する生命保険の保険料等 ●財産形成貯蓄のために、会社が負担する奨励金 ●チップ（事業主が支払うもの以外のもの）

Column

定期券も給与？

労働保険の対象となる給与の中には、定期券の購入代金を通勤手当として支払った場合も含まれますが、会社が代わりに購入して現物給付という形で従業員に支給した場合も給与に含まれることになるので注意が必要です。

ただし、労働保険においては、退職金・祝金・弔慰金・傷病手当等は社内規定に定めがあるなしにかかわらず対象外となります。

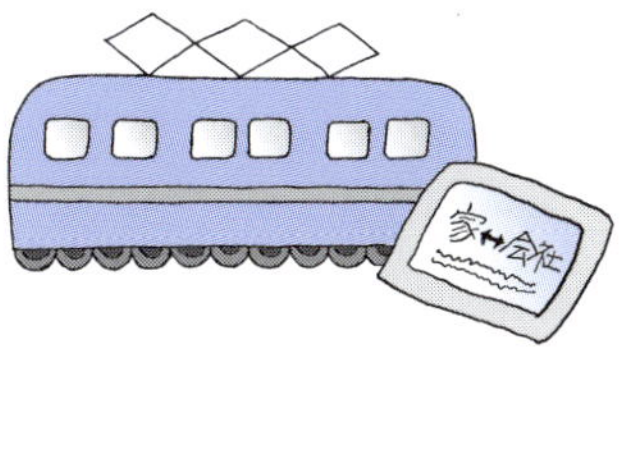

弔慰金：従業員本人あるいはその親族等が死亡した場合などに恩恵的な意味をこめて会社がその従業員や遺族に支払うもの。

10
確定保険料算定基礎賃金集計表を作成する
4月
6月
7月
9月
12月

一般《いっぱん》拠出金《きょしゅつきん》算定《さんてい》基礎《きそ》賃金《ちんぎん》集計表《しゅうけいひょう》 ＊

※概算・確定保険料・一般拠出金申告書（事業主控）と一緒に保管して

電話	03-1234-5678
郵便番号	105 － 0004

対象となる年度の4月1日において満64歳以上の一般被保険者。ただし、次の者は除く
●短期雇用特例被保険者
●日雇労働被保険者

合計（①＋②＋③）	雇用保険（対象者					
	被保険者					
	⑤常用労働者、パート、アルバイトで雇用保険の資格のある人（日雇労働被保険者に支払った賃金を含む）		⑥役員で雇用保険の資格のある人（実質的な役員報酬分を除きます）		⑦合計（⑤＋⑥）	
3,961,767 円	14 人	3,421,556 円	1 人	375,000 円	15 人	3,796,556 円
3,956,109	14	3,395,648	1	375,000	15	3,770,648
3,989,307	14	[illegible]	[illegible]	[illegible]	15	3,819,286
4,005,964	14	[illegible]	[illegible]	[illegible]	15	3,823,619
3,472,000	12	[illegible]	[illegible]	[illegible]	13	3,329,411
3,414,427	12	[illegible]	[illegible]	[illegible]	13	3,269,214
3,486,657	12	[illegible]	[illegible]	[illegible]	13	3,347,111
3,401,977	12	[illegible]	1	375,000	13	3,263,428
3,249,234	11	2,684,211	1	375,000	12	3,059,211
3,251,728	11	2,685,241	1	375,000	12	3,060,241
3,123,734	11	2,598,486	1	375,000	12	2,973,486
3,169,646	11	2,642,478	1	375,000	12	3,017,478
3,160,500		2,340,500		820,000		3,160,500
3,504,000		2,584,000		920,000		3,504,000
					ア	
49,147,050	148	40,954,189	12	6,240,000	⑪ 160	⑫ 47,194,189

雇用保険の資格のある人、役員で雇用保険の資格のある人（労災保険と同じ）それぞれの人数と給与総額を記入する

の合計を記
点以下切り捨て

雇用保険被保険者数

⑪の合計人数		申告書⑤欄へ転記
160	÷12＝	13 人

1人

した事業につ
で除してくださ

		イ
労災保険対象者分	⑩の合計額の千円未満を切り捨てた額	49,147 千円 申告書⑧欄（ロ）へ転記
雇用保険対象者分	⑫の合計額の千円未満を切り捨てた額	47,194 千円 申告書⑧欄（ホ）へ転記
一般拠出金	⑩の合計額の千円未満を切り捨てた額	49,147 千円 申告書⑧欄（へ）へ転記

※労働保険料は現金納付以外に口座振替の制度もある
※給与の総額は労災保険と雇用保険とで同額になるとは限らないので別々に記入する（単位：円）
※出所：「厚生労働省のＨＰ」より加工

＊ 労働《ろうどう》保《ほ》険《けん》 確定《かくてい》保《ほ》険料《けんりょう》・

令和✕年度　確定保険料・一般拠出金算定基礎賃金集計表
（算定期間　令和○年4月～

※

パートタイマーで雇用保険被保険者の資格のある者も含まれる（役員で労働者扱いの者は除く）

兼務役員など役員の中で被保険者である者が対象となるが、記入する金額は従業員としての給与部分のみ(給与のうち役員報酬部分を除いた額)となる

パートタイマーやアルバイトのうち雇用保険の被保険者資格のない者が対象となる

月	①常用労働者 常用労働者のほか、パート、アルバイトで雇用保険の資格のある人を含めます。		②役員で労働者扱いの人 実質的な役員報酬分を除きます。		③臨時労働者 ①②以外の全ての労働者（パート、アルバイトで雇用保険の資格のない人）を記入してください。		④合（①+②	
令和○年　4月	14　人	3,421,556　円	1　人	375,000　円	3　人	165,211　円	18 人	3,9
5月	14	3,395,648	1	375,000	3	185,461	18	3,9
6月	14	3,4			3	170,021	18	3,9
7月	14	3,			3	182,345	18	4,0
8月	12	2,			2	142,589	15	3,4
9月	12	2,			2	145,213	15	3,4
10月	12	2,972,111	1	375,000	2	139,546	15	3,4
11月	12	2,888,428	1	375,000	2	138,549	15	3,4
12月	11	2,684,211	1	375,000	3	190,023	15	
令和○年　1月	11	2,685,241	1	375,000	3	191,487	15	3,2
2月	11	2,598,486	1	375,000	2	150,248	14	3,123
3月	11	2,642,478	1	375,000	2	152,168	14	3,1
賞与　年　月		2,340,500		820,000				3,1
賞与　年　月		2,584,000		920,000				3,5
賞与　年　月								
合計	148	40,954,189	12	6,240,000	30	1,952,861	⑨ 190 ア	⑩ 49,1

常用労働者・役員で労働者扱いの者・臨時労働者それぞれの人数と給与総額を記入する

※A　次のBの事業以外の場合、各月賃金締切日等の労働者数の合計を記入し⑨の合計人数を12で除し小数点以下切り捨てた月平均人数を記入してください。

↓

B　船きょ、船舶、岸壁、波止場、停車場又は倉庫における貨物取扱の事業においては、令和×年度中の1日平均使用労働者数を記入してください。

常時使用労働者数（労災保険対象者数）

⑨の合計人数		申告書④欄に転記
190	÷12＝	15　人

（令和×年度に使用した延労働者数/令和×年度における所定労働日数）

※各月賃金締切日等の労働者数の合計を記入し⑪の合計人数を12で除し小数点以下切り捨てた月平均人数を記入してください。

切り捨てた結果、0人となる場合は1人としてください。

また、年度途中で保険関係が成立した事業については、保険関係成立以降の月数で除してください。

備考	役員で労働者扱いの詳細		
	氏名	役職	雇用保険の資格
	吉岡　大輔	取締役営業部長	(有)・無
			有・無
			有・無
			有・無
			有・無

「一般拠出金」にも使用する。ただし、別の算出方法をとる場合もある

ア「人数」合計欄には賞与分を除き、年間延べ人数を記入する。

イ 労災保険の合計・雇用保険の合計・免除対象高年齢労働者分それぞれの1年間の合計を端数処理（1,000円未満切捨て）して記入する。

確定保険料申告書を書く

確定保険料申告書の記入の流れ

98～99ページの「労働保険 確定保険料・一般拠出金算定基礎賃金集計表」をもとに「労働保険 概算・増加概算・確定保険料申告書」に記入します。

大まかな流れは以下のとおりです。

前年度の対象従業員の人数を記入する

↓

前年度の確定保険料を算出する

↓

本年度の概算保険料を記入する

↓

前年度の申告済概算保険料との精算により本年度の申告・納付（還付の場合もある）金額を算出する

7月10日までに納付する

納付は「労働保険 概算・増加概算・確定保険料申告書」の下部についている「領収済通知書」の納付額欄に金額を記入し、7月10日までに最寄りの金融機関や郵便局等で納付します。

本年度の概算保険料額が40万円以上の場合（労災保険または雇用保険の一方のみの場合は20万円以上）は、3回に分割納付できます（延納という）。延納した場合の各期の納付期限は次のとおりです。

●**第1期　7月10日（口座振替の場合、9月6日）**
●**第2期　10月31日（口座振替の場合、11月14日）**
●**第3期　1月31日（口座振替の場合、2月14日）**
※金融機関等が休みの場合は翌営業日

＊ 確定《かくてい》保険料《ほけんりょう》申告書《しんこくしょ》（全納《ぜんのう》） ＊

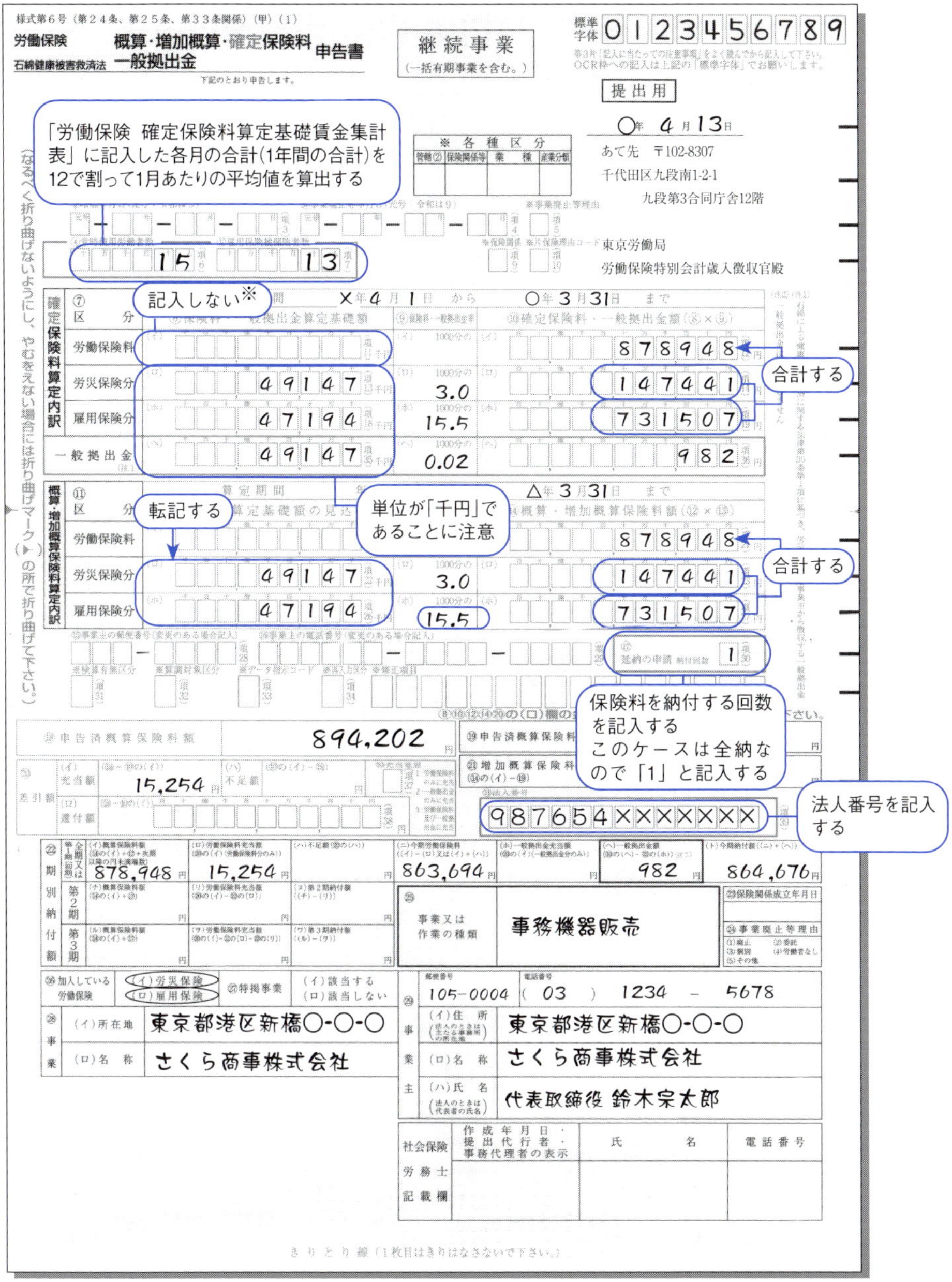

※「確定保険料算定内訳」の保険料・拠出金算定基礎額欄の「（ロ）労災保険分」と「（ホ）雇用保険分」が同額になる場合は、（ロ）～（ホ）へは記入しないで、（イ）労働保険料欄のみの記入となる（労災保険料率と雇用保険料率の合計を乗じて確定保険料を算出）。「概算・増加概算保険料算定内訳」の場合も同様

＊ 確定《かくてい》保《ほ》険《けん》料《りょう》申《しん》告《こく》書《しょ》(延納《えんのう》) ＊

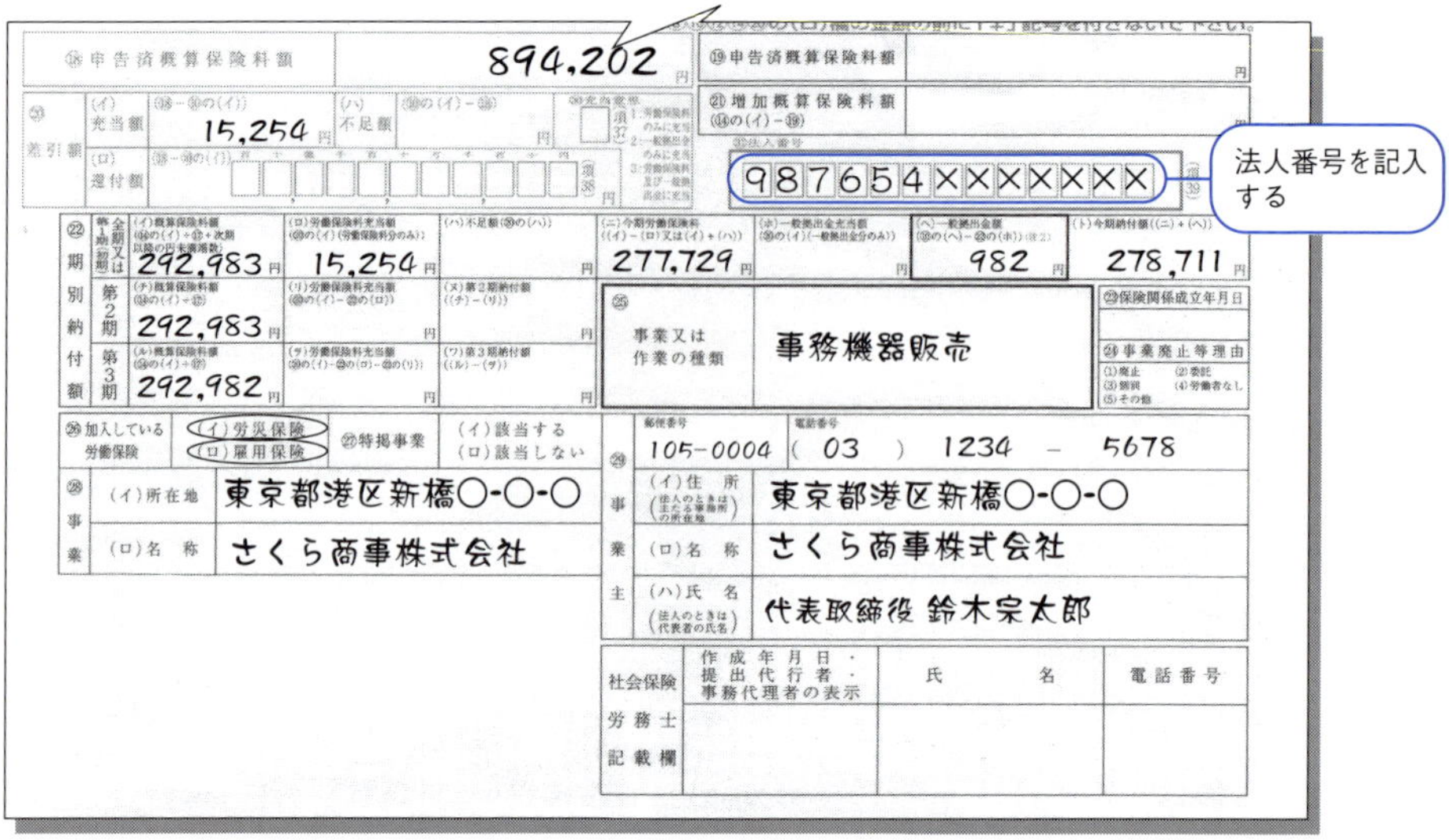
⑱申告済概算保険料額　894,202円
⑳差引額　(イ)充当額　⑱－⑩の(イ)　15,254円　(ハ)不足額　⑩の(イ)－⑱　円
(ロ)還付額　⑱－⑩の(イ)　円
⑲申告済概算保険料額　円
㉑増加概算保険料額 ⑭の(イ)－⑲　円
㉜法人番号　987654XXXXXXX
法人番号を記入する
㉒期別納付額
第1期(初期又は全期)　(イ)概算保険料額 ⑭の(イ)÷⑰＋次期以降の円未満端数　292,983円　(ロ)労働保険料充当額 ⑳の(イ)(労働保険料分のみ)　15,254円　(ハ)不足額(⑳の(ハ))　円　(ニ)今期労働保険料 ((イ)－(ロ)又は(イ)＋(ハ))　277,729円　(ホ)一般拠出金充当額 ⑳の(イ)(一般拠出金分のみ)　円　(ヘ)一般拠出金額 ⑩の(ヘ)－⑳の(ホ)　982円　(ト)今期納付額((ニ)＋(ヘ))　278,711円
第2期　(チ)概算保険料額 ⑭の(イ)÷⑰　292,983円　(リ)労働保険料充当額 ⑳の(イ)－㉒の(ロ)　円　(ヌ)第2期納付額 ((チ)－(リ))　円
第3期　(ル)概算保険料額 ⑭の(イ)÷⑰　292,982円　(ヲ)労働保険料充当額 ⑳の(イ)－㉒の(ロ)－㉒の(リ)　円　(ワ)第3期納付額 ((ル)－(ヲ))　円
㉕事業又は作業の種類　事務機器販売
㉓保険関係成立年月日
㉔事業廃止等理由　(1)廃止 (2)委託 (3)個別 (4)労働者なし (5)その他
㉖加入している労働保険　(イ)労災保険　(ロ)雇用保険
㉗特掲事業　(イ)該当する　(ロ)該当しない
㉘事業　(イ)所在地　東京都港区新橋○-○-○　(ロ)名称　さくら商事株式会社
㉙事業主　郵便番号 105-0004　電話番号 (03) 1234 - 5678
(イ)住所(法人のときは主たる事務所の所在地)　東京都港区新橋○-○-○
(ロ)名称　さくら商事株式会社
(ハ)氏名(法人のときは代表者の氏名)　代表取締役 鈴木宗太郎
社会保険労務士記載欄　作成年月日・提出代行者・事務代理者の表示　氏名　電話番号

＊ 確定保険料申告書記入上の注意 ＊

常時使用労働者数・雇用保険被保険者数

- 年度の途中から事業を開始した場合には、開始した月から翌年3月までの月数で割る
- 1人未満は切捨て(切捨てにより0人となる場合のみ1に切上げ)。ただし、有期事業や一部貨物取扱いの事業の場合、その年度の1日あたりの平均使用従業員者数を記入する

確定保険料・一般拠出金算定内訳

- 「労働保険 確定保険料・一般拠出金算定基礎賃金集計表」(➡98ページ)の労災保険分・雇用保険分の合計額(1,000円未満切捨て)を保険料算定基礎額欄の(ロ)～(ホ)へ転記する
- 労災保険分・雇用保険分それぞれの保険料算定基礎額に保険料率(⑨)を掛けて確定保険料額(⑩)を計算する
- 単に印字された数字を掛けた金額を記入すればよい(1円未満の端数は切捨て)
- 労災保険分と雇用保険分のうちの保険料算定対象者分の合計額を「確定保険料額」欄(⑩)の(イ)に記入する

概算・増加概算保険料算定内訳

- 原則として「確定保険料・一般拠出金算定内訳」をそのまま転記する
- 保険料算定基礎額の見込額が前年度のそれと比較し2倍を上回る場合または半分を下回る場合は、実際の見込額を記入し保険料額を算出する

＊ 納付額の算出手順 ＊

手順1

前年度の申告済概算保険料額⑱から前年度の確定保険料額⑩を差し引く

↓

手順2

余った場合は⑳の（イ）充当額へ記入する（還付を希望する場合は還付額へ記入するが、通常は充当額へ記入する）。不足の場合は不足額へ記入する

↓

手順3

本年度の概算保険料額を㉒の「全期又は第1期（初期）」（イ）に転記する

↓

手順4

（イ）充当額または（ハ）不足額を差し引きして（ニ）の今期労働保険料を記入する

↓

手順5

（ニ）の今期労働保険料に（ヘ）の一般拠出金額を加えて、（ト）の今期納付額を記入する

↓

これが年度更新時に実際申告・納付する金額となる

※延納の場合は、今年度の概算保険料を3で割った金額を㉒の「期別納付額」の概算保険料欄へそれぞれ記入する
※3で割り切れない場合には、余った金額（1円または2円）を第1期に加える

Column

有期事業の年度更新

本テーマでは、一般的な継続事業における年度更新の手続きを紹介しています。建設業などのような有期事業（➡93ページ）のケースは、若干取扱いが異なりますが、基本的な考えは同じです。追加する提出書類や納付期限等が異なるので、管轄の労働局から送付されてくる記載要領を見ながら作成してください。

標準報酬月額は年に一度見直す

保険料は標準報酬月額で決まる

健康保険や厚生年金保険の保険料額は、会社が各従業員に対して支払った給与をもとに算定した**標準報酬月額**に保険料率を乗じて算出します。また、これら社会保険の給付額についても標準報酬月額を使って計算しています。

標準報酬月額は、いくつかの等級に区分され、「標準報酬月額及び保険料額表」（⬇次ページ下）に給与を当てはめて従業員ごとに決定します。

健康保険……第1等級（58，000円）～**第50等級**（1，390，000円）

厚生年金保険……第1等級（88，000円）～**第32等級**（650，000円）

標準報酬月額の決定方法は5つ

採用時には**資格取得時決定**によって標準報酬月額が決められます。その後は、昇進や昇格などで給与水準が変化していくのに対応するため、年に一度一定の時期に届け出を行い、その後1年間の保険料額のもとになる標準報酬月額を決定します。これを**定時決定**といいます。

ただし、その1年の間に給与水準に大幅な変化があった場合は**随時改定**という方法により標準報酬月額の見直しを行います。また、**産前産後休業や育児休業が終了後**、前より低い給与を受けることになった場合は、定時決定や随時改定にかかわらず標準報酬月額を申し出により**改定**できます。

＊ 標準報酬月額の決定方法と適用期間 ＊

決定方法	時期	適用期間
資格取得時決定（「被保険者資格取得届」による）	被保険者になったとき	●1月～5月までの採用…その年の8月まで ●6月～12月までの採用…翌年の8月まで
定時決定（「報酬月額算定基礎届」による）	毎年7月	●9月から翌年の8月まで
随時改定（「報酬月額変更届」による）	給与のうちの固定給部分の変動によって大幅に水準が変わったとき	●1月～6月の改定…その年の8月まで ●7月～12月の改定…翌年の8月まで
育児休業等終了時改定（「育児休業等終了時報酬月額変更届」による）	育児休業等終了日に当該育児休業に係る子を養育している場合に、従来と比べ給与が下がったとき（申し出すれば）	●休業終了後2か月経過日の属する翌月が1月～6月の場合→その年の8月まで 7月～12月の場合→翌年の8月まで
産前産後休業終了時改定（「産前産後休業終了時報酬月額変更届」による）	産前産後休業終了日に当該産前産後休業に係る子を養育している場合に、従来と比べ給与が下がったとき（申し出すれば）	

＊ 標準《ひょうじゅん》報酬《ほうしゅう》月額《げつがく》及《およ》び保険《ほけん》料《りょう》額表《がくひょう》 ＊

※健康保険料は、東京都の保険料

標準報酬		報酬月額		全国健康保険協会管掌健康保険料				厚生年金保険料（厚生年金基金加入員を除く）	
				介護保険第2号被保険者に該当しない場合		介護保険第2号被保険者に該当する場合		一般、坑内員・船員	
等級	月額			9.98%		11.58%		18.300%※	
				全額	折半額	全額	折半額	全額	折半額
		円以上	円未満						
1	58,000	～	63,000	5,788.4	2,894.2	6,716.4	3,358.2		
2	68,000	63,000 ～	73,000	6,786.4	3,393.2	7,874.4	3,937.2		
3	78,000	73,000 ～	83,000	7,784.4	3,892.2	9,032.4	4,516.2		
4(1)	88,000	83,000 ～	93,000	8,782.4	4,391.2	10,190.4	5,095.2	16,104.00	8,052.00
5(2)	98,000	93,000 ～	101,000	9,780.4	4,890.2	11,348.4	5,674.2	17,934.00	8,967.00
6(3)	104,000	101,000 ～	107,000	10,379.2	5,189.6	12,043.2	6,021.6	19,032.00	9,516.00
7(4)	110,000	107,000 ～	114,000	10,978.0	5,489.0	12,738.0	6,369.0	20,130.00	10,065.00
8(5)	118,000	114,000 ～	122,000	11,776.4	5,888.2	13,664.4	6,832.2	21,594.00	10,797.00
9(6)	126,000	122,000 ～	130,000	12,574.8	6,287.4	14,590.8	7,295.4	23,058.00	11,529.00
10(7)	134,000	130,000 ～	138,000	13,373.2	6,686.6	15,517.2	7,758.6	24,522.00	12,261.00
11(8)	142,000	138,000 ～	146,000	14,171.6	7,085.8	16,443.6	8,221.8	25,986.00	12,993.00
12(9)	150,000	146,000 ～	155,000	14,970.0	7,485.0	17,370.0	8,685.0	27,450.00	13,725.00
14(11)	170,000	165,000 ～	175,000	16,966.0	8,483.0	19,686.0	9,843.0	31,110.00	15,555.00
15(12)	180,000	175,000 ～	185,000	17,964.0	8,982.0	20,844.0	10,422.0	32,940.00	16,470.00
16(13)	190,000	185,000 ～	195,000	18,962.0	9,481.0	22,002.0	11,001.0	34,770.00	17,385.00
17(14)	200,000	195,000 ～	210,000	19,960.0	9,980.0	23,160.0	11,580.0	36,600.00	18,300.00
18(15)	220,000	210,000 ～	230,000	21,956.0	10,978.0	25,476.0	12,738.0	40,260.00	20,130.00
19(16)	240,000	230,000 ～	250,000	23,952.0	11,976.0	27,792.0	13,896.0	43,920.00	21,960.00
20(17)	260,000	250,000 ～	270,000	25,948.0	12,974.0	30,108.0	15,054.0	47,580.00	23,790.00
21(18)	280,000	270,000 ～	290,000	27,944.0	13,972.0	32,424.0	16,212.0	51,240.00	25,620.00

※健康保険料率は各都道府県で異なる。上記は東京都の例。

※厚生年金保険料は 2020 年９月分（10 月納付分）より、新たに第 32 等級（65 万円）が追加されている

報酬月額の対象にならない給与がある

正確な判断が求められる

健康保険・厚生年金保険での報酬とは、通貨や現物支給を問わず、被保険者が仕事に対する見返りとして受け取るすべてのものをいいます。また、標準報酬月額決定の基礎となる給与のことを**報酬月額**といいます。

しかし、従業員に支払われる給与がすべて報酬月額に含まれるというわけではなく、法律（健康保険法・厚生年金保険法）で、給与の性質や支払方法などにより判断基準を定めています（⬇次ページ表）。

この判断を誤ると毎月の保険料や従業員が受け取る給付額に影響を及ぼす場合があるので、担当者としては、きちんと理解しておかなければなりません。

＊ 現物給付（住宅・食事）と標準価額 ＊

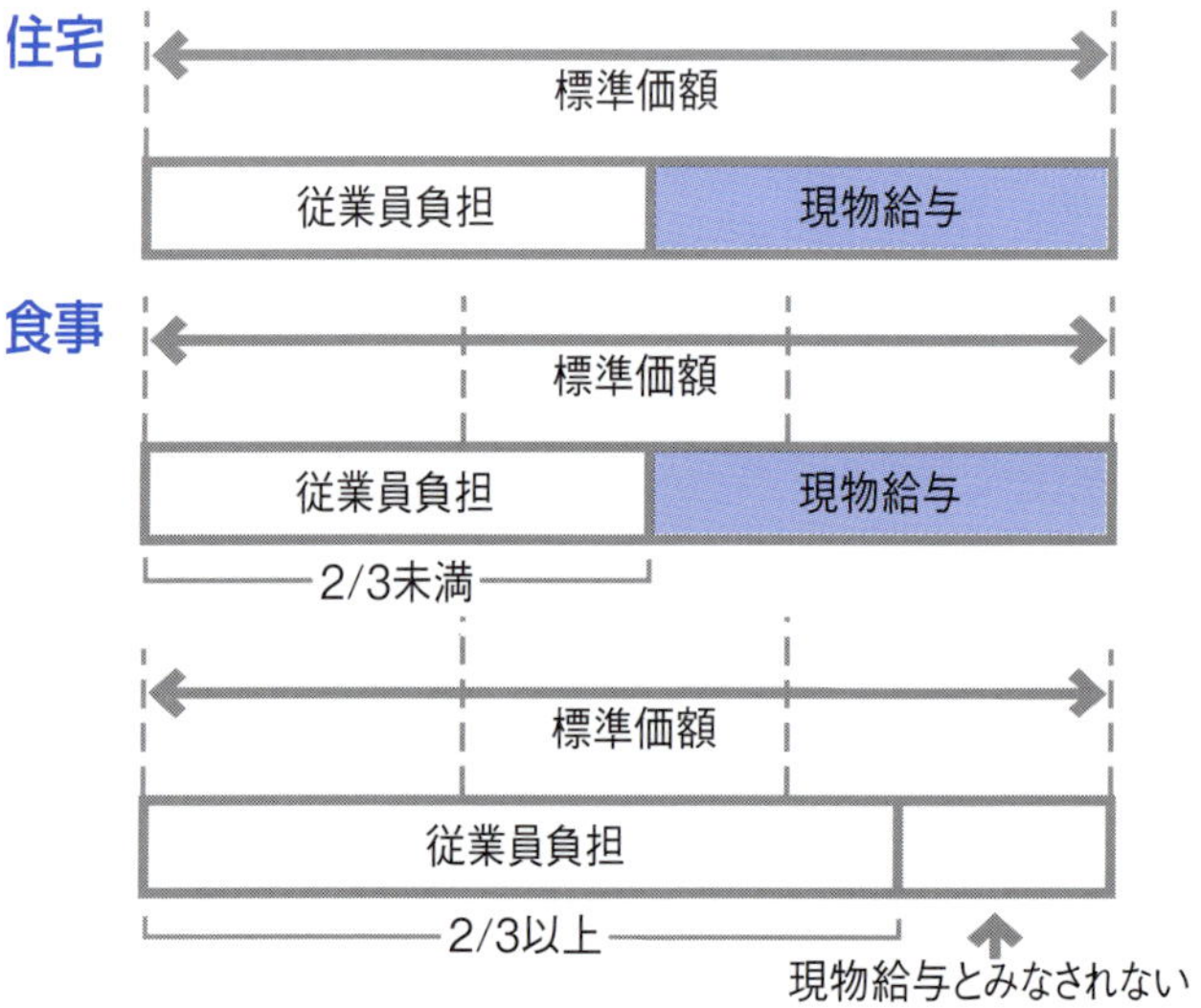

13
報酬月額の対象にならない給与がある

＊ 報酬となる支給とならない支給 ＊

	通貨による支給	現物による支給
報酬月額の対象となるもの	●基本給（月給、週給、日給など） ●家族手当、住宅手当、通勤手当、食事手当、役職手当、残業手当、皆勤手当、能率手当、休業手当、育児休業手当、日・宿直手当など ●会社から支払われる私傷病手当金 ●年4回以上支払われる賞与（ボーナス）・決算手当など 	●通勤定期券 ●給与としての自社製品の支給 ●被服（勤務服以外のもの） ●食券・食事 ●社宅・寮などの提供 
報酬月額の対象とならないもの	●大入り袋 ●見舞金、結婚祝金 ●解雇予告手当 ●年金・恩給、健康保険の傷病手当金、労災保険の休業補償給付など ●退職金 ●出張旅費 ●仕事上の交際費 ●慶弔費など ●年３回以内に支払われる賞与（ボーナス）・決算手当	●食事（➡前ページ） ●制服・作業衣 ●住宅（➡前ページ） 

※現物給付のうち食事・住宅については地方年金事務局長がその地方の物価などにあわせて標準価額を告示している

※通常会社が食費を負担した部分は報酬額に含めるが、従業員が食費（標準価額）の3分の2以上を負担している場合は会社の負担部分を報酬額に含めない

解雇予告手当：会社（使用者）が従業員を解雇する場合に少なくともその30日前には予告しなければならないが、その予告期間の代わりに使用者から従業員へ支払われるもの（➡40ページ）。

4月
6月
7月
9月
12月

支払い形態で異なる標準報酬月額決定方法

採用時に行う資格取得時決定

5つある標準報酬月額決定方法のうち、定時決定や随時改定（⬇104ページ）と異なり、**資格取得時決定**の場合、届け出の時にはまだ給与を支払っていないことが多いため、次の要領に従って標準報酬月額を決めていきます。

月給、週給などの場合

資格取得の日時点で決められた給与などの報酬総額を月あたりの額に引き直したものを適用します。

月給⬇その額に諸手当などを加えた額（月の途中から入社の場合でも月給を報酬月額とする）

週給⬇その額を7で割って30倍した額

日給、時間給、請負・出来高払などの場合

資格取得の日の前1か月間にその会社（事業所）で同様の仕事について同様の給与を受ける者がいる場合、その者の報酬額を適用します。

上記の方法で計算できない場合

資格取得の日の前1か月間にその会社（事業所）と同じ地域で同様の仕事について同様の給与を受ける者がいる場合、その者の報酬額を適用します。

なお、年4回以上の賞与（ボーナス）・決算手当など標準報酬月額の対象となるものが支給されている会社（事業所）の場合は、その会社（事業所）で同様の仕事について同様の賞与などを受ける者の1年間の賞与などの月あたりの平均額を加えます。

また、月給以外に実績で支給されるような諸手当がある場合は、その見込額を加えます。

＊ 月給制・日給制などによる計算基準 ＊

ケース　月給制の場合

月給が200,000円、諸手当の見込み額が20,000円であれば……
　報酬月額 ＝200,000円＋20,000円
　　　　　 ＝220,000円

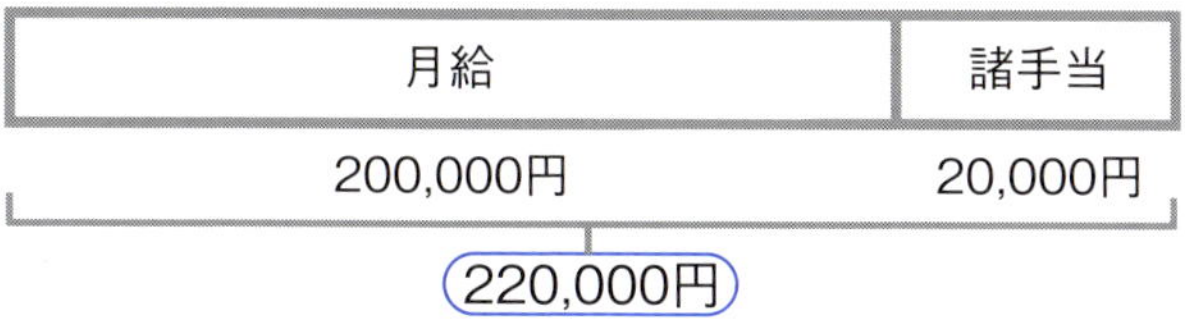

ケース　週給制の場合

週給が50,000円、諸手当の見込み額が3,000円であれば……
　報酬月額 ＝（50,000円＋3,000円）÷7×30
　　　　　 ≒227,142円

ケース　日給、時間給、請負・出来高払制の場合

資格取得の日の前1か月間にその会社（事業場）で同様の仕事について同様の給与を受ける者の報酬額の平均
Aの報酬月額：130,000円
Bの報酬月額：150,000円
Cの報酬月額：170,000円
　報酬月額 ＝（130,000円＋150,000円＋170,000円）÷3
　　　　　 ＝150,000円

15

7月　標準報酬月額の決定4

9月以降の標準報酬月額を決定する

年に1回定時決定を行う

従業員（被保険者）が実際に受ける報酬月額と標準報酬月額とに大きなズレが生じないように、毎年7月1日現在、会社（事業所）に在籍する全被保険者の報酬月額について定期的な見直しを行い、9月以降の標準報酬月額を決定する作業が**定時決定**です。

手続きは、原則として4月・5月・6月のうち、算定対象月の報酬の平均額を計算し、その額を標準報酬月額表の等級に当てはめて**標準報酬月額**を決定します。この額が決まったら「**健康保険厚生年金保険　被保険者報酬月額算定基礎届**」を年金事務所へ届け出ます（毎年7月1日から10日まで）。この手続きを一般に**算定**と呼んでいます。

＊ 標準報酬月額の決定スケジュール ＊

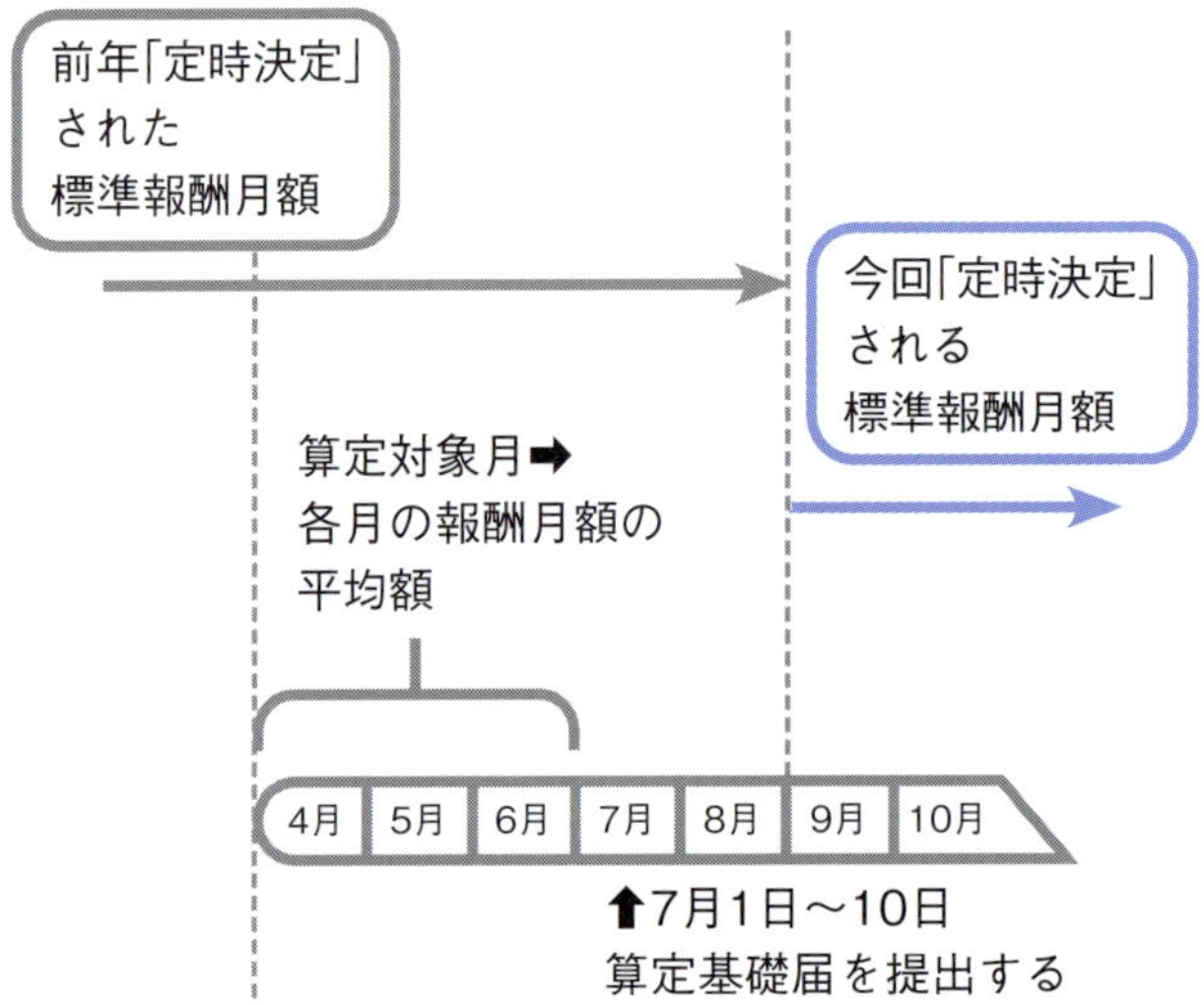

＊ 算定対象月と支払基礎日数 ＊

算定対象月

- 算定対象月（毎年4月・5月・6月）の報酬を3で割って1か月の平均報酬額を算出する

※支払基礎日数が17日に満たない月は算定対象月から除外して計算する

支払基礎日数

給与の支払形態によって数え方が異なる

- 月給の場合：対象月の暦日数（日曜・祭日など実際に出勤しない日も含めて数える）

※欠勤日がある場合は、欠勤日数を支払日数から控除するか実際の出勤日数を使う

- 日給・時給などの場合：対象月の実労働日数（実際に出勤した日数）

算定対象月と支払基礎日数の関係

	4月	5月	6月	
支払基礎日数	30日	31日	30日	➡ （4月＋5月＋6月）÷3
支払基礎日数	25日	~~16日~~	22日	➡ （4月＋6月）÷2
支払基礎日数	~~15日~~	25日	~~13日~~	➡ 5月分のみ

Column

休業手当等の取扱い

ストライキ・一時帰休などにより休業手当を受けたり、病気等により低い給与を受けたりしている従業員に対しては、次のように取り扱います。

- 6月から休業手当等を受け始めるケース……6月の休業手当等を報酬月額として使用します。
- 休業手当等を受けていたがその原因が解消され通常の給与を受け取るようになったケース……解消後の通常の給与を報酬月額として使用します。

4月通常の給与	5月通常の給与	6月休業手当等

→ 報酬月額＝休業手当等

4月休業手当等	5月通常の給与	6月通常の給与

→ 報酬月額＝（5月＋6月）÷2

ただし、9月1日の状況によっては、算定基礎届を再提出しなければならないケースがあるので注意してください。

支払基礎日数：給与を計算する際の基礎となる日数。支払形態によって数え方が異なるが有給休暇日は支払基礎日数に数える。

届け出の対象となる被保険者

7月1日現在で被保険者の資格のある者すべてが届け出の対象となります。ただし、次に該当する被保険者は除かれます。

- **6月1日以降に被保険者の資格を取得した従業員**
- **7月から9月までの間に随時改定または育児休業等を終了した際の改定が行われる従業員**

8月までに退職する予定の従業員も、7月1日時点では在籍しているため届け出の対象となることに注意してください。

標準報酬月額の決定で少し複雑なのが、4月の月中から6月にかけて採用した従業員の取り扱いです。

5月から採用した場合は5月と6月の2か月の報酬をもとに計算します。4月や5月の月の半ばで採用した場合は採用日以降の報酬と支払基礎日数を届け出ます。また、6月に採用した場合は届け出の対象外(原則として、翌年の8月まで資格取得時決定による標準報酬月額を使用する)となります。

新しい保険料は9月から適用する

算定基礎届提出後、年金事務所より「**健康保険厚生年金保険標準報酬月額決定通知書**」が送付されてきます。これをもとに原則として、その年の9月から翌年の8月までの適用となります。

実務上は、10月の給与支払分（9月の保険料は翌月の給与から控除されるため）からが新しい保険料の適用となります。詳しくは、48ページ以降の控除の項目で確認してください。

複数の会社で働いている場合

2つ以上の会社（事業所）で働いている人がいるケースでは、それぞれの会社（事業所）で支払われた報酬月額をもとにそれぞれの会社（事業所）で定時決定を行います。

保険料の負担についても、それぞれの会社（事業所）で報酬月額の割合で比例配分します。

＊ 報酬月額算定時の留意事項 ＊

ケース　月末締め、翌月10日払いの場合

- 各月の報酬月額は、支給条件にかかわらず、実際に支給した月の報酬月額とする

※3月分の給与が4月に支払われた場合でも、その給与は4月分の報酬として処理する

- 6か月分の定期代（通勤手当）をまとめて支給する場合、通勤手当を6で割り、算定対象月のそれぞれの報酬月額に加える
- 賞与（ボーナス）・決算賞与等は、年間を通じて4回以上支払われるもののみが対象となる

※その月あたりの平均額（7月1日前1年間の合計額を12で割る）を算定対象月（4月・5月・6月）にそれぞれ加算する

毎月の報酬月額

	3月	4月	5月	6月
暦日数	31日	30日	31日	30日
月末締め・翌月10日払い		25万円	27万円	24万円

	4月	5月	6月
支払基礎日数	31日	30日	31日
報酬月額	25万円	27万円	24万円

ケース　保険者算定ができる場合

※2018年から、随時改定（→114ページ）においても同様の手続きができるようになった

一定の要件を満たせば、次のように「保険者算定」と呼ばれる方法を取ることができる。

1.　前年7月～1年間の平均を使用するケース
例年4月～6月の給与が（残業の有無などで）他の月と著しく（2等級以上）異なり、それが業務の性質上例年発生する場合

2.　従来の標準報酬月額をそのまま使用するケース
①4月～6月いずれの月も支払い基礎日数が17日未満のとき
②病欠等で4月～6月の3か月間の給与が全く支払われないとき

3.　差額支給分を差引調整した額をもとに平均額を計算するケース
①昇給差額が4月～6月に支払われたとき
②給料遅配分が4月～6月に支払われたとき

16

給与が大幅に変動したら随時改定を行う

不定期に行われる随時改定

定時決定は毎年1回必ず行われ、標準報酬月額の適用期間はその年の9月から翌年の8月までであることは説明したとおりです。

しかし、その間に給与の定期昇給や人事異動による昇進・昇格や降進・降格などによって給与が大幅に変動した場合には、1年に1回の見直しでは実情にあわなくなってしまいます。

そこで、これを解消するため「**健康保険 厚生年金保険 被保険者報酬月額変更届**」を年金事務所へ届け出ることにより**随時改定**を行います。

この随時改定の手続きを一般に**月変**（げっぺん）と呼んでいます。

随時改定の前提要件は3つ

随時改定は次の3つの要件をすべて満たした場合に行われます。

①昇給等で給与の固定的部分に変動（上下）があったとき

②給与の固定的部分の変動した月以後引き続き3か月に支払った報酬の平均月額による標準報酬月額が、変動前の標準報酬月額と比較して2等級以上の差が生じたとき

③②の引き続き3か月のいずれの月も支払基礎日数が17日以上あるとき

給与の固定的部分とは、支給額や支給率が定められているものをいいます（➡次ページ）。

＊ 給与の固定的部分の変動 ＊

固定的部分の変動として以下のケースがある

- 昇給・降給、ベースアップ・ベースダウン
- 給与体系の変更（日給から月給への変更など）
- 請負・歩合給などの単価、歩合率の変更など
- 固定的な手当の追加・カットあるいは増・減額

＊ 給与の固定的部分と非固定的部分 ＊

固定的部分	非固定的部分
●基本給（月給・日給・週給） ●役職手当、家族手当、住宅手当、通勤手当など	●時間外手当、宿日直手当 ●皆勤手当、精勤手当 ●能率給など

＊ 標準報酬月額の「随時改定」＊

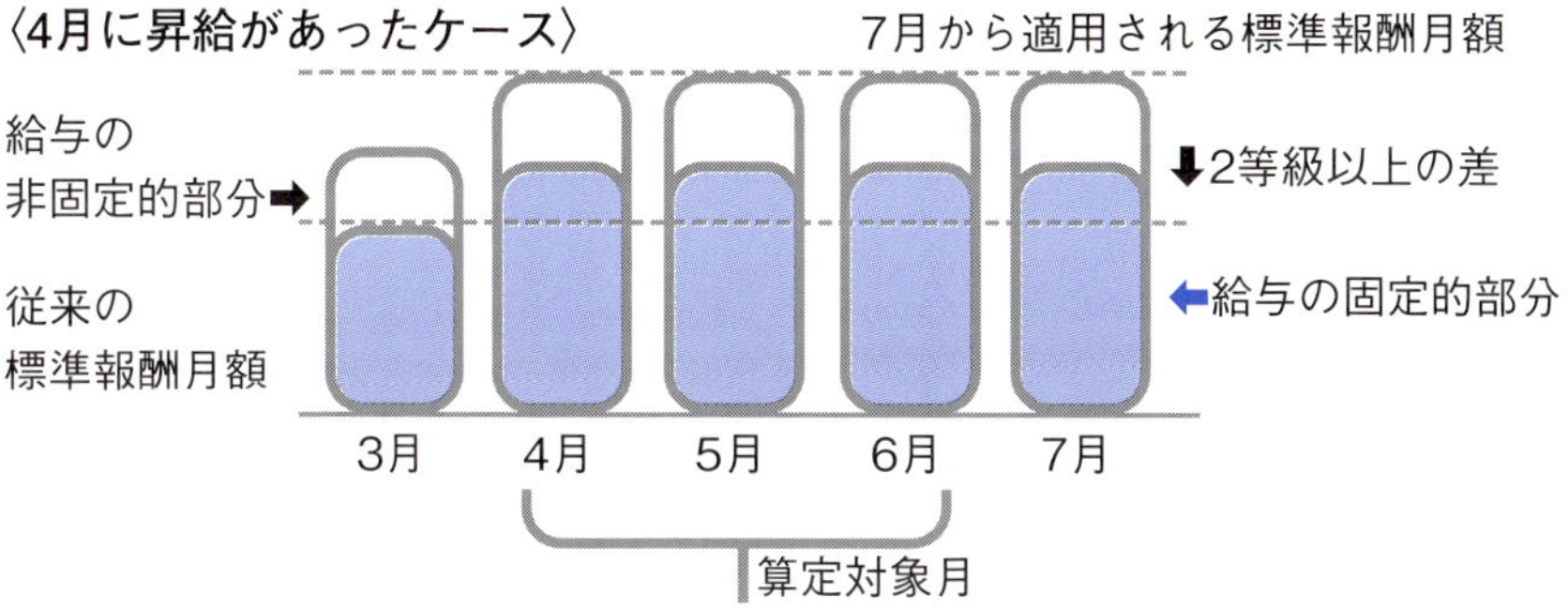

※このケースでは4月から6月の給与をもとに算定し7月から改定している

※4月昇給の人などを誤って「算定基礎届」に記入し届け出てしまった場合でも、その後に「月額変更届」を提出すれば、月額変更届の内容が優先される

昇給：個々の従業員の給与を会社で定めた上昇曲線に従って増加させていく制度。
ベースアップ：個々の従業員の給与の増加ではなく、従業員全体の給与を底上げすること。

随時改定の前提要件には例外がある

随時改定の３つある前提要件の②に「変動前の標準報酬月額と比較して２等級以上の差が生じたとき」とありますが、この２等級以上という要件には例外があります。

例をあげて説明しましょう。健康保険の標準報酬月額が49等級（１３３万円）の従業員が昇給した場合を考えてみてください。

健康保険の標準報酬月額の上限の等級が50等級なので、いくら増加しても２等級以上の差が出ることはありえません。

この場合は、例外として１等級の差しか生じていませんが随時改定を行います。

次ページで上限・下限の対象となるパターンを図表に示しているので確認しておきましょう。

上限・下限ともに、健康保険と厚生年金保険とで異なるので注意してください。

随時改定手続き上の注意

随時改定を行う際には、注意しなければならないポイントがいくつかあります。場合によっては随時改定が行われないこともあります。

継続した3か月間

給与計算の基礎となる支払基礎日数が、当該３か月のうち１か月でも17日に満たない場合は随時改定は行いません。

給与の固定的部分の変動（上下）

随時改定の前提要件となっていますが、標準報酬月額を算出する際の各月の報酬額には時間外手当などの非固定的部分も含みます。

複数回にわたる昇給・降給

１回目の昇給・降給などで随時改定の対象にならなかった場合でも、その後さらに変動があり、１回目と２回目以降をあわせた結果、当初の等級から２等級以上の差が生じた場合には、随時改定が適用されます。

＊ 標準報酬月額の上限と下限の取扱い ＊

左の標準報酬月額の給与が右の報酬月額に該当した場合に随時改定する

健康保険

現在の標準報酬月額	昇・降給	報酬月額	改定後の標準報酬月額
1,330,000円（49等級）	昇給	1,415,000円以上	1,390,000円（50等級）
58,000円（1等級）で 報酬月額53,000円未満	昇給	63,000円以上	68,000円（2等級）
1,390,000円（50等級）で 報酬月額1,415,000円以上	降給	1,355,000円未満	1,330,000円（49等級）
68,000円（2等級）	降給	53,000円未満	58,000円（1等級）

厚生年金保険

現在の標準報酬月額	昇・降給	報酬月額	改定後の標準報酬月額
620,000円（31等級）	昇給	665,000円以上	650,000円（32等級）
88,000円（1等級）で 報酬月額83,000円未満	昇給	93,000円以上	98,000円（2等級）
650,000円（32等級）で 665,000円以上	降給	635,000円未満	620,000円（31等級）
98,000円（2等級）	降給	83,000円未満	88,000円（1等級）

※上限・下限ともに健康保険と厚生年金保険とで異なることに注意

Column

育児休業等終了時改定 （→220ページ）

3歳未満の子を養育する被保険者が育児休業終了後、給与の額が以前と異なる（下がるケースが多い）ことがあります。この場合、本人の申し出があれば、その標準報酬月額の差がたとえ1等級であっても改定することができます。

この改定は産前産後休業終了時にも適用されます。

養育期間の標準報酬月額の特例（みなし措置）

3歳未満の子を養育する被保険者の標準報酬月額が以前（その子を養育することとなった月の前日）の標準報酬月額より下回った場合、本人の申し出があれば、保険料は実際の（下がった）標準報酬を適用しつつ、もらう年金は以前（高いほう）の保険料を払ったものとして計算する特例を受けることができます。

なお、「随時改定」には同様の扱いはないので注意してください。

月額算定基礎届・報酬月額変更届の記載例

さまざまなケースに対応する

その年9月以降に適用するそれぞれの従業員の標準報酬月額が決定（定時決定）したら、年金事務所に「健康保険 厚生年金保険 被保険者報酬月額算定基礎届」を提出します。

110〜112ページで紹介したような代表的なケース以外に、所定労働日数の少ないパートタイマーや、昇給額を遅れて支給した場合など、実際にはさまざまなケースが出てきますので、119〜121ページの事例を確認してみてください。

なお「算定基礎届総括表」は手続の簡易化に伴い令和3年4月より廃止されました。

改定月で変わる有効期限

随時改定が行われた場合は「健康保険 厚生年金保険 被保険者報酬月額変更届」を年金事務所に提出します。次ページと121ページの記載例を参考に、書き方を確認してください。

新しい保険料は、継続した3か月の翌月から適用となります。つまり、給与が大幅に変動した月から数えると4か月目から改定されるということです。実際には、5か月目の給与から保険料を控除することになります。

なお、有効期限は以下のとおりです。

- **改定月が1月から6月の場合、その年の8月まで**
- **改定月が7月から12月の場合、翌年の8月まで**

＊ 定時決定《ていじけってい》 被保険者《ひほけんしゃ》報酬月額《ほうしゅうげつがく》算定《さんてい》基礎《きそ》届《とどけ》 ＊

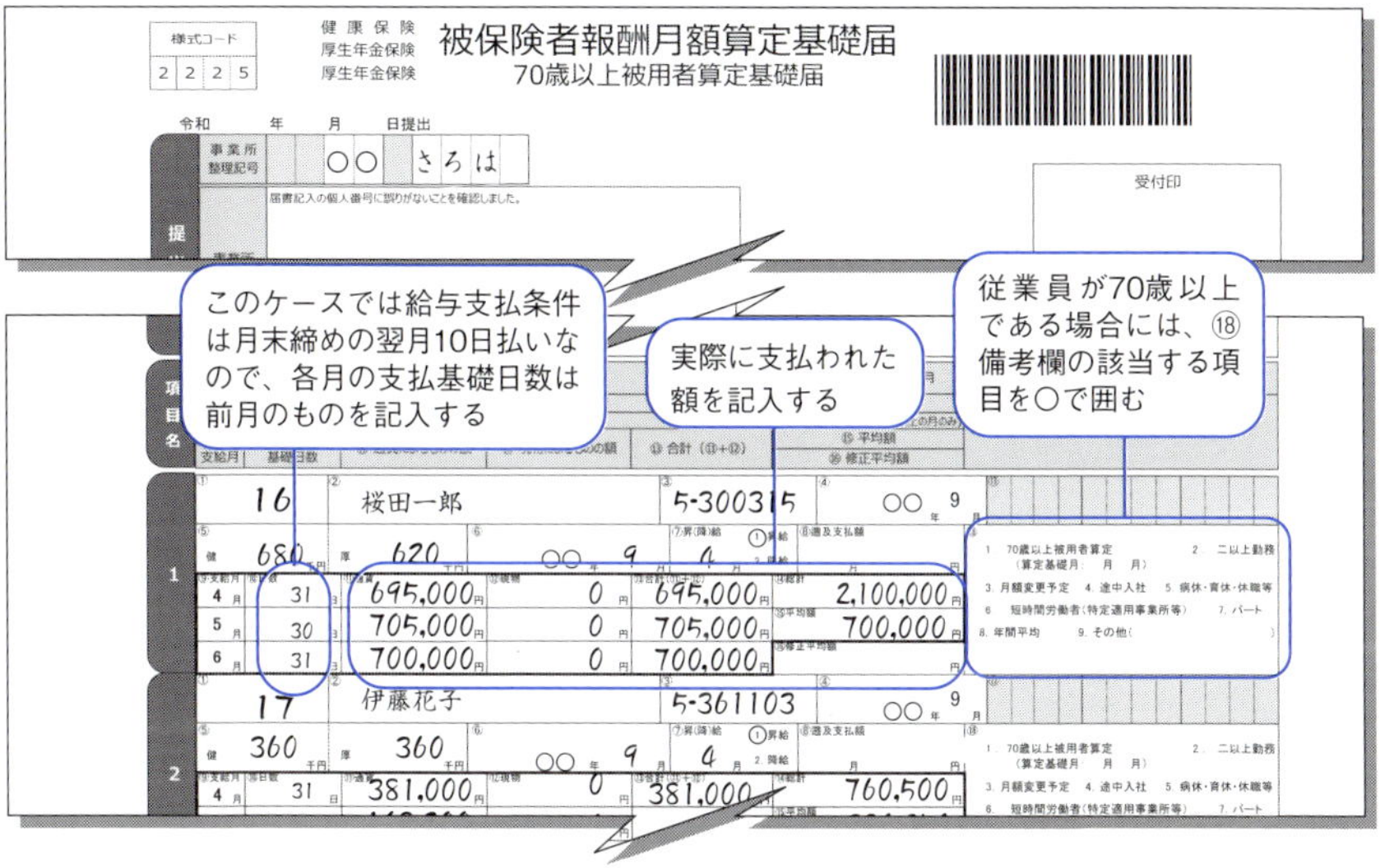

※算定対象月は4月・5月・6月の3か月間となるので、合計額を3で割って出た平均額を健康保険・厚生年金保険の「標準報酬月額・保険料額表」にあてはめ標準報酬月額を決定する

＊ 随時改定《ずいじかいてい》 被保険者《ひほけんしゃ》報酬月額《ほうしゅうげつがく》変更届《へんこうとどけ》 ＊

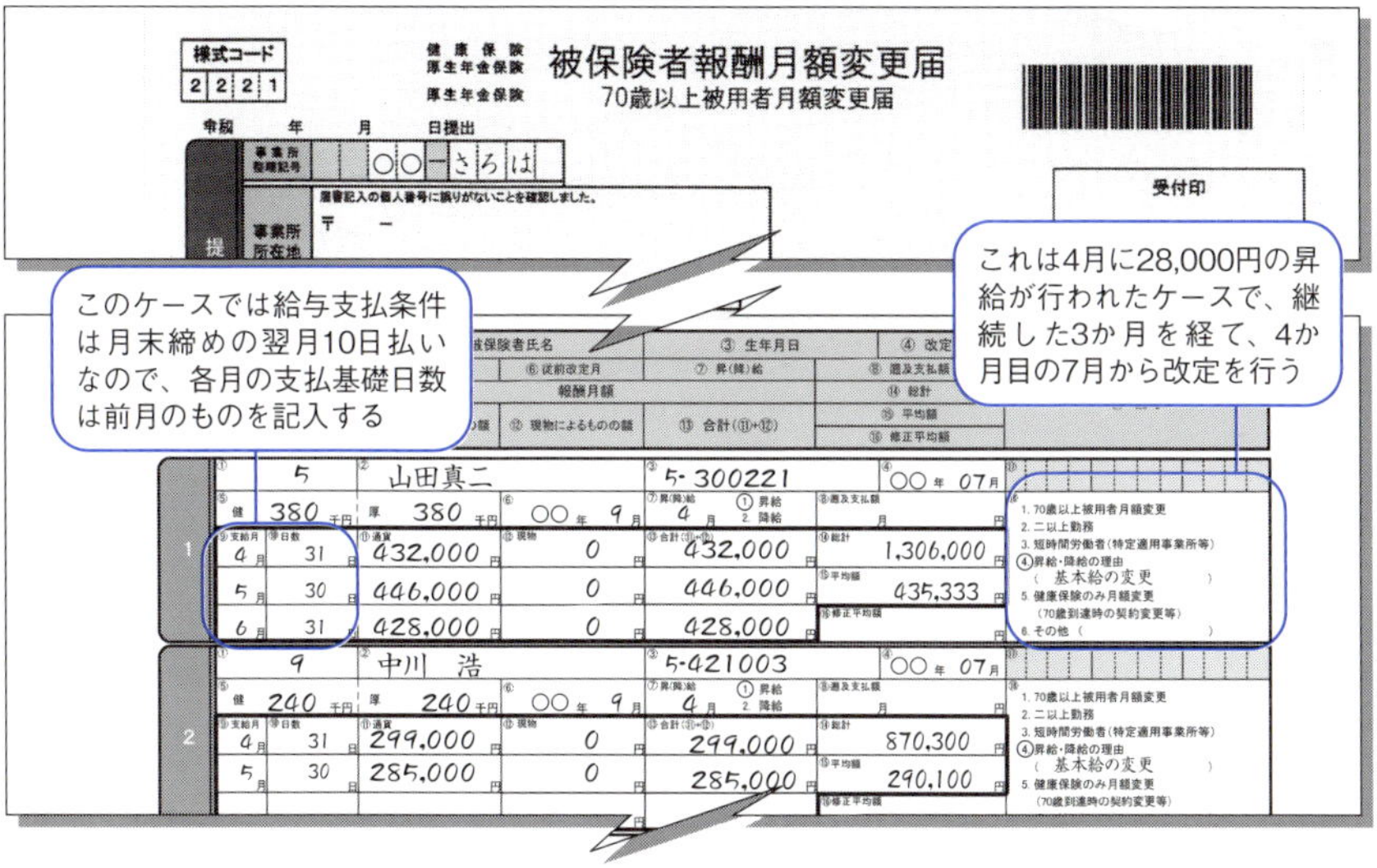

※従業員が70歳以上である場合には、⑱備考欄の該当する項目を○で囲む

＊ 定時決定《ていじけってい》 月額算定基礎届《げつがくさんていきそとどけ》の記載例 ＊

ケース1　5月分の給与の支払基礎日数が17日に満たない例

- 基本的には一般的なケースと同様の手順
- 平均額については4月・6月の2か月分のみ（5月分を除外）の給与を合計し、それを2で割る

2	①	②	③	④	⑰
	17	伊藤花子	5-361103	○○年 9月	

⑤ 健	⑤ 厚	⑥	⑦昇(降)給	⑧遡及支払額
360千円	360千円	○○年 9月	4月 (1.昇給〔○印〕 2.降給)	月 円

⑨支給月	⑩日数	⑪通貨	⑫現物	⑬合計(⑪+⑫)	⑭総計／⑮平均額／⑯修正平均額
4月	31日	381,000円	0円	381,000円	⑭総計 760,500円
5月	14日	148,200円	0円	―― 円	⑮平均額 380,250円
6月	31日	379,500円	0円	379,500円	⑯修正平均額 円

⑱ 1. 70歳以上被用者算定（算定基礎月：　月　月）　2. 二以上勤務　3. 月額変更予定　4. 途中入社　5. 病休・育休・休職等　6. 短時間労働者（特定適用事業所等）　7. パート　8. 年間平均　9. その他（　）

ケース2　3月以前の昇給差額が4月に支払われた例

- 平均額までは一般的なケースと同様の手順
- 4月に昇給差額分1万円が含まれているので、4月・5月・6月の給与の合計額から1万円を控除した額を3で割り、修正平均額に記入し、それをもとに標準報酬月額を決定する

3	①	②	③	④	⑰
	18	吉岡幸治	5-420517	○○年 9月	

⑤ 健	⑤ 厚	⑥	⑦昇(降)給	⑧遡及支払額
260千円	260千円	○○年 9月	月 (1.昇給 2.降給)	4月 10,000円

⑨支給月	⑩日数	⑪通貨	⑫現物	⑬合計(⑪+⑫)	⑭総計／⑮平均額／⑯修正平均額
4月	31日	297,500円	0円	297,500円	⑭総計 872,500円
5月	30日	287,500円	0円	287,500円	⑮平均額 290,833円
6月	31日	287,500円	0円	287,500円	⑯修正平均額 287,500円

⑱ 1. 70歳以上被用者算定（算定基礎月：　月　月）　2. 二以上勤務　3. 月額変更予定　4. 途中入社　5. 病休・育休・休職等　6. 短時間労働者（特定適用事業所等）　7. パート　8. 年間平均　9. その他（　）

ケース3　パートタイマーの例

- このケースでは4月・5月・6月いずれも支払基礎日数が17日未満だが、パートタイマーは特例的に15日以上の月を対象とするので、単純に3か月間の給与の合計額を3で割って平均額を算出し、標準報酬月額を決定する

4	①	②	③	④	⑰
	19	中村洋子	5-291008	○○年 9月	

⑤ 健	⑤ 厚	⑥	⑦昇(降)給	⑧遡及支払額
88千円	88千円	○○年 9月	月 (1.昇給 2.降給)	月 円

⑨支給月	⑩日数	⑪通貨	⑫現物	⑬合計(⑪+⑫)	⑭総計／⑮平均額／⑯修正平均額
4月	15日	84,000円	0円	84,000円	⑭総計 257,600円
5月	16日	95,200円	0円	95,200円	⑮平均額 85,866円
6月	16日	78,400円	0円	78,400円	⑯修正平均額 円

⑱ 1. 70歳以上被用者算定（算定基礎月：　月　月）　2. 二以上勤務　3. 月額変更予定　4. 途中入社　5. 病休・育休・休職等　6. 短時間労働者（特定適用事業所等）　7. パート〔○印〕　8. 年間平均　9. その他（　）

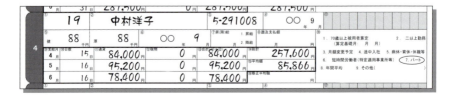

＊ 随時改定《ずいじかいてい》 月額変更届《げつがくへんこうとどけ》の記載例 ＊

ケース1　3月の昇給差額が4月に上乗せされて支給された例

● 4月にさかのぼって支払われた差額分13,000円を4月・5月・6月の3か月間の給与の合計から控除し、修正平均額を算出する

1	① 9		② 中川　浩		③ 5-421003	④ ○○年 07月	⑰
	⑤ 健 240千円		厚 240千円	⑥ ○○年 9月	⑦ 昇(降)給 4月 ①昇給 2. 降給	⑧ 遡及支払額 4月 13,000円	⑱ 1. 70歳以上被用者月額変更 2. 二以上勤務 3. 短時間労働者（特定適用事業所等） ④昇給・降給の理由 （ 基本給の変更 ） 5. 健康保険のみ月額変更 （70歳到達時の契約変更等） 6. その他（ ）
	⑨ 支給月 4月	⑩ 日数 31日	⑪ 通貨 299,000円	⑫ 現物 0円	⑬ 合計（⑪+⑫） 299,000円	⑭ 総計 870,300円	
	5月	30日	285,000円	0円	285,000円	⑮ 平均額 290,100円	
	6月	31日	286,300円	0円	286,300円	⑯ 修正平均額 285,766円	
	① 14		② 山中誠一		③ 5-280510	④ ○○年 07月	⑰

ケース2　降給の例（役員報酬を5万円下げた例）

●標準報酬月額が下がるだけで、それ以外の基本的な記入方法はケース1と同じ

2	① 14		② 山中誠一		③ 5-280510	④ ○○年 07月	⑰
	⑤ 健 500千円		厚 500千円	⑥ ○○年 9月	⑦ 昇(降)給 4月 1. 昇給 ②降給	⑧ 遡及支払額 月 円	⑱ 1. 70歳以上被用者月額変更 2. 二以上勤務 3. 短時間労働者（特定適用事業所等） ④昇給・降給の理由 （ 役員報酬の改定 ） 5. 健康保険のみ月額変更 （70歳到達時の契約変更等） 6. その他（ ）
	⑨ 支給月 4月	⑩ 日数 31日	⑪ 通貨 450,000円	⑫ 現物 0円	⑬ 合計（⑪+⑫） 450,000円	⑭ 総計 1,350,000円	
	5月	30日	450,000円	0円	450,000円	⑮ 平均額 450,000円	
	6月	31日	450,000円	0円	450,000円	⑯ 修正平均額 円	
	①		②		③	④	⑰

Column

定時決定におけるパートタイマーの取り扱い

算定においてパートタイマーの標準報酬月額を決定する場合、支払基礎日数が17日以上の月があれば、その月を算定対象月とします。また、4月、5月、6月のいずれの月も支払基礎日数が17日未満の場合は、特例的に支払基礎日数が15日以上の月を算定対象月として算出します。

すなわち、4月、5月、6月のいずれも支払基礎日数が15日以上17日未満であれば、この3か月の給与の平均額をもとに標準報酬月額を決定するのです。この場合、備考欄に必ず「パート」と明記しましょう。

ただし、パートタイマーが常態として勤務している場合の扱いであって、一時的な勤務と判断された場合は、保険者算定として従前の標準報酬月額を使用することになります。

7月 源泉所得税の納付方法

10人未満の会社に認められる納期の特例

半年に1回の納付でOK

給与や退職金などから源泉徴収した所得税は、徴収した月の翌月10日までに所轄税務署に納付する（⬇66ページ）のが原則になっています。

しかし、毎月源泉徴収する人数も少なく、税額も少額となることが多い、小さな会社や事務所に対しては特例が設けられています。

その内容は、常時使用する従業員が10人未満の会社等は、所轄税務署長に「源泉所得税の納期の特例の承認に関する申請書」を提出し、その承認を受けることによって、源泉所得税の納付を半年に1回にまとめられる**納期の特例**の適用を受けることができるというものです。

この特例の要件にあてはまるかどうかを確認し、該当するなら申請をしましょう。

なお、源泉所得税を納期限までに納付しないと不納付加算税や本来の納期限から納税時までの延滞税など、よけいな税金がかかってきます。

常時使用10人未満の意味

常時使用する従業員が10人未満というのは、平常の状態で10人に満たないということであって、忙しい時期に臨時に雇い入れた人がいる場合にはその人数はカウントしません。反対にパートタイマーやアルバイトであっても常時使用する人であれば、その人数はカウントすることになっています。

＊ 源泉所得税《げんせんしょとくぜい》の納期《のうき》の特例《とくれい》の承認《しょうにん》に関《かん》する申請書《しんせいしょ》 ＊

源泉所得税の納期の特例の承認に関する申請書

税務署受付印

		※整理番号
令和 ○ 年 4 月 7 日	住所又は本店の所在地	〒105-0004 港区新橋○-○-○ 電話 03 – 1234 – 5678
	（フリガナ）	サクラショウジカブシキガイシャ
	氏名又は名称	さくら商事株式会社
	法人番号	※個人の方は個人番号の記載は不要です。 9 8 7 6 5 4 × × × × × × ×
	（フリガナ）	スズキ　ソウタロウ
芝 税務署長殿	代表者氏名	鈴木　宗太郎

次の給与支払事務所等につき、所得税法第 216 条の規定による源泉所得税の納期の特例についての承認を申請します。

給与支払事務所等に関する事項				
給与支払事務所等の所在地 ※ 申請者の住所（居所）又は本店（主たる事務所）の所在地と給与支払事務所等の所在地とが異なる場合に記載してください。	〒 電話 – –			
申請の日前6か月間の各月末の給与の支払を受ける者の人員及び各月の支給金額 〔外書は、臨時雇用者に係るもの〕	月区分	支給人員	支給額	
	× 年 10 月	外 9 人	外 1,220,000 円	
	× 年 11 月	外 7 人	外 1,150,000 円	
	× 年 12 月	外 7 人	外 1,018,000 円	
	○ 年 1 月	外 7 人	外 1,017,000 円	
	○ 年 2 月	外 8 人	外 1,180,000 円	
	○ 年 3 月	外 8 人	外 1,130,000 円	
1 現に国税の滞納があり又は最近において著しい納付遅延の事実がある場合で、それがやむを得ない理由によるものであるときは、その理由の詳細 2 申請の日前1年以内に納期の特例の承認を取り消されたことがある場合には、その年月日				

不納付加算税：源泉所得税を支払額から天引きして納期限までに納税しないと課せられる罰金的な性格の税金。その額は納付すべき税額の10%（自主納付は5%）。

納付は7月と1月の2回

納期の特例の適用を受けた場合は、半年に一度、7月と1月の2回納付すればいいことになっています。

●**1月〜6月までに徴収した税額は7月10日までに納付する**

●**7月〜12月までに徴収した税額は翌年1月20日までに納付する**

なお、7月10日、1月20日が土日祝祭日にあたる場合はその翌日が納期限となります。

また、この特例は、給与・退職手当等または弁護士、税理士、司法書士などの報酬から徴収した源泉所得税についてのみ適用があります。

この納期の特例を受けられれば、時間的に余裕をもって納付事務に臨むことができるでしょう。

毎月納付のケース同様、納付すべき所得税額が、たとえ0円であっても納付書の提出を要します。この場合は直接税務署に提出します。

＊ 源泉所得税の特例納付 ＊

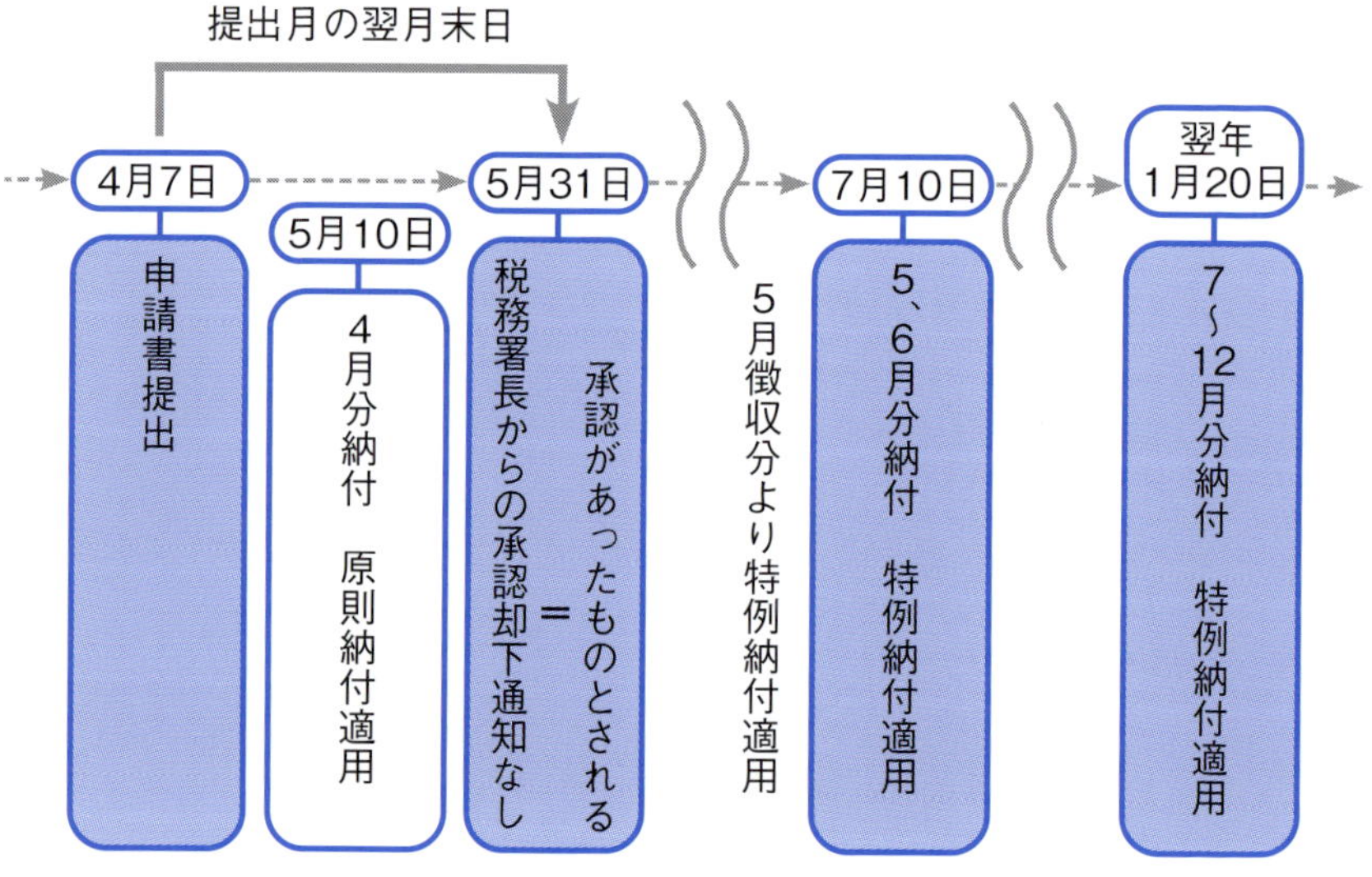

＊ 源泉所得税納《げんせんしょとくぜいのう》付《ふ》書《しょ》(特例納《とくれいのう》付《ふ》) ＊

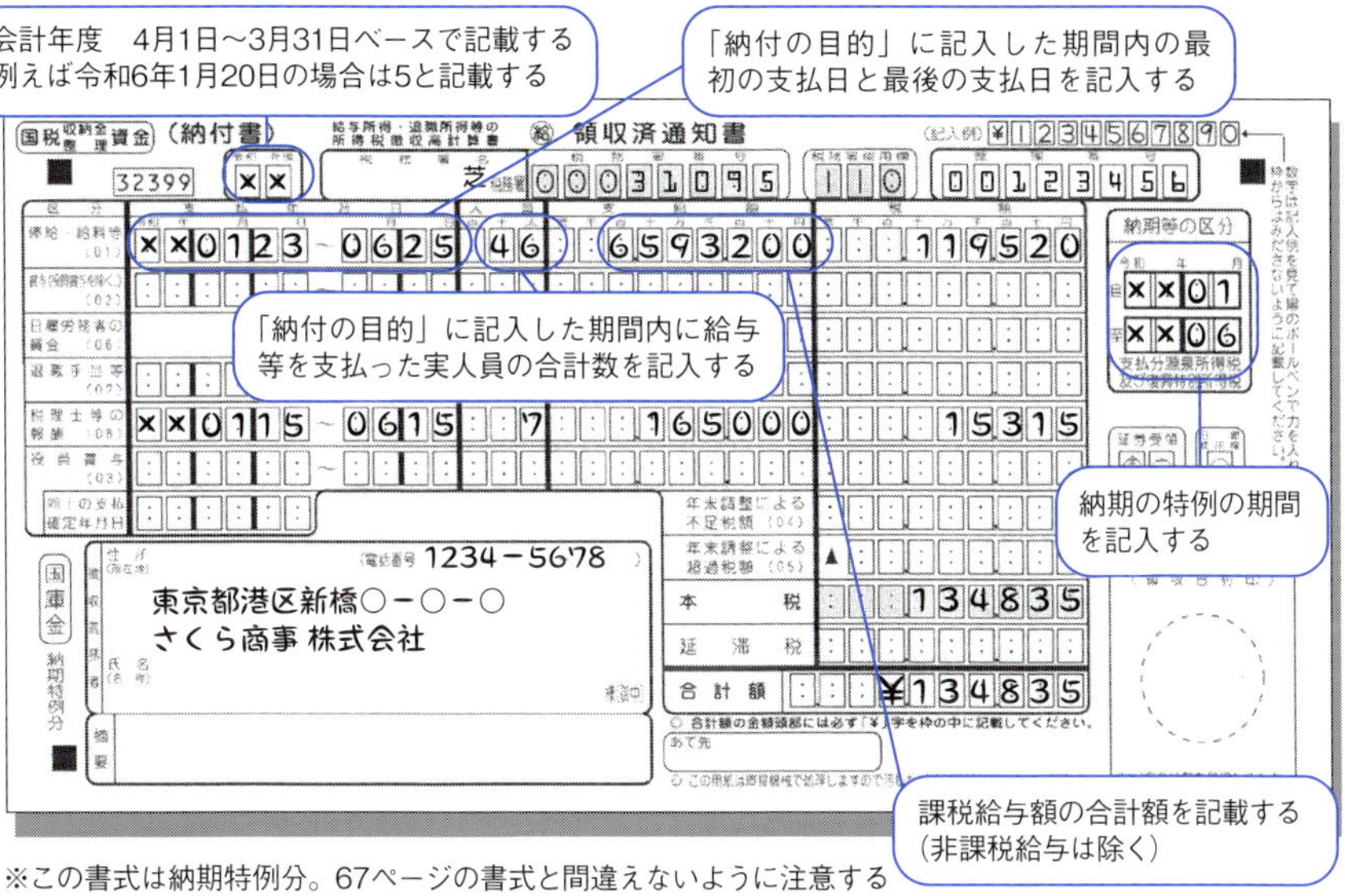

※この書式は納期特例分。67ページの書式と間違えないように注意する

Column

役員賞与に対する源泉徴収

給与等からの源泉徴収は、支払いが確定したときではなく、原則として実際に支払ったときに行います。

しかし、役員に対して支給する賞与については、上記取り扱いとは若干異なります。異なるのは、役員賞与の支払い確定日から1年を過ぎても、なお、支払いがなされていない場合です。この場合、当初の支払い確定日（例えば、×1年5月25日）から1年経過後（×2年5月25日）に支払いがなされたものとみなし、1年経過後に源泉徴収をしなければなりません。

19

7月 賞与の支払い〜支給の注意点

賞与にも労働基準法の適用がある

賞与は支払わなくてもよい?

賞与は夏と冬の年2回支給するところが多いようですが、会社が必ず支払わなければならないというものではありません。

しかし、支給について就業規則等に具体的に定めがある場合や、支払うことが慣行化しているような場合は会社に支払義務が発生することになります。また就業規則等に支給基準を明確にしている場合には、その基準に基づいて支給する義務が発生します。

したがって、就業規則等には明確な基準を設けず、会社の業績を見ながら、その利益の一部を従業員各個人の成果や会社への貢献度に応じて分配するという考え方をするとよいでしょう。

賞与も「使用者が労働者に労働の対償として支払うもの」ということから労働基準法の賃金と解され、労働基準法の「**賃金支払いの5原則**」(⬇15ページ)の適用を受けます(「毎月払いの原則」と「一定期日払いの原則」は除く)。

賞与の現物支給は原則×

賞与にも労働基準法上の「**通貨払いの原則**」が適用され、通貨で全額を支払わなければなりません。

自社製品など現物で支給するためには、労働組合と**労働協約**を締結しなければなりません。したがって、労働組合のない会社では賞与を現物支給することはできません。

＊ 賞与規程の例 ＊

第○条　賞与は、会社の業績および従業員の勤務成績等を総合的に勘案し、原則として7月と12月に支給する。但し、会社の業績の如何によっては賞与を支給しないことがある。

2.　賞与の算定対象期間は次のとおりとする。

　7月賞与　　前年11月1日から当年4月30日

　12月賞与　　当年5月1日から当年10月31日

3.　賞与の支給対象者は、算定対象期間を通じて在職し、かつ賞与支給日当日に在職している者とする。

Column

令和4年10月から育児休業給付金制度が変わった！

（関連ページ → 216 〜 219ページ）

◆育児休業の分割取得

育児休業給付金が、1歳未満の子については、原則2回まで受けられるようになります。

◆産後パパ育休

出生時育児休業（産後パパ育休）が創設され、男性社員は子どもの出生後8週間以内に、4週間まで休業すれば、出生時育児休業給付金を受けられるようになります。

◆育児休業保険料免除について

育児休業開始日が含まれる月に14日以上育児休業した場合にはその月の保険料が免除されます。

20

7月 賞与の支払い～年金事務所への届け出1

標準賞与額に各保険料率を掛ける

標準賞与額がベースになる

健康保険・介護保険・厚生年金保険の保険料については、標準賞与額に通常の給料と同じ率を掛けて計算した保険料を徴収します。

標準賞与額とは、毎回の賞与支払額から１０００円未満の端数を切り捨てた金額です。

標準賞与額には上限が定められていて、健康保険の場合、１年間（4月から翌年3月）の総支払額が５７３万円まで、厚生年金保険の場合、１か月の支払額が１５０万円までとなっています。

つまり、この上限額以上の賞与を支払ったとしても保険料は変わりません。また同じ月に複数回支払うときは合計額で決定します。

なお、雇用保険料は、毎月の給与と同様に計算します。

年4回以上支払うと賞与にならない

社会保険料の計算をするにあたって、賞与とは名称のいかんにかかわらず、労働の対価として支払われるすべてのもので、年間を通じて4回以上支払われる通常の報酬以外のものをいいます。

したがって、毎年7月1日前1年間において3回以下の回数で支払われるものを対象としているので、４回以上にわたって支給されるものは「報酬」として定時決定や随時改定の対象となり、標準報酬月額を決定するときに算入します。

＊ 賞与の保険料 ＊

保険料＝標準賞与額×保険料率

種　類	保険料率
健康保険	99.8／1,000（東京都のケース） ※保険料率は、全国健康保険協会の各都道府県の支部が個別に設定する
介護保険	16.0／1,000
厚生年金保険	183.0／1,000（一般）
子ども・子育て拠出金	3.6／1,000（令和2年4月より改定）　全額事業主負担

※上記の算式に基づいて計算した保険料を労使で折半する（子ども・子育て拠出金は全額事業主負担）

＊ 支払回数の違いによる賞与の扱い ＊

ケース1　年2回の賞与の場合

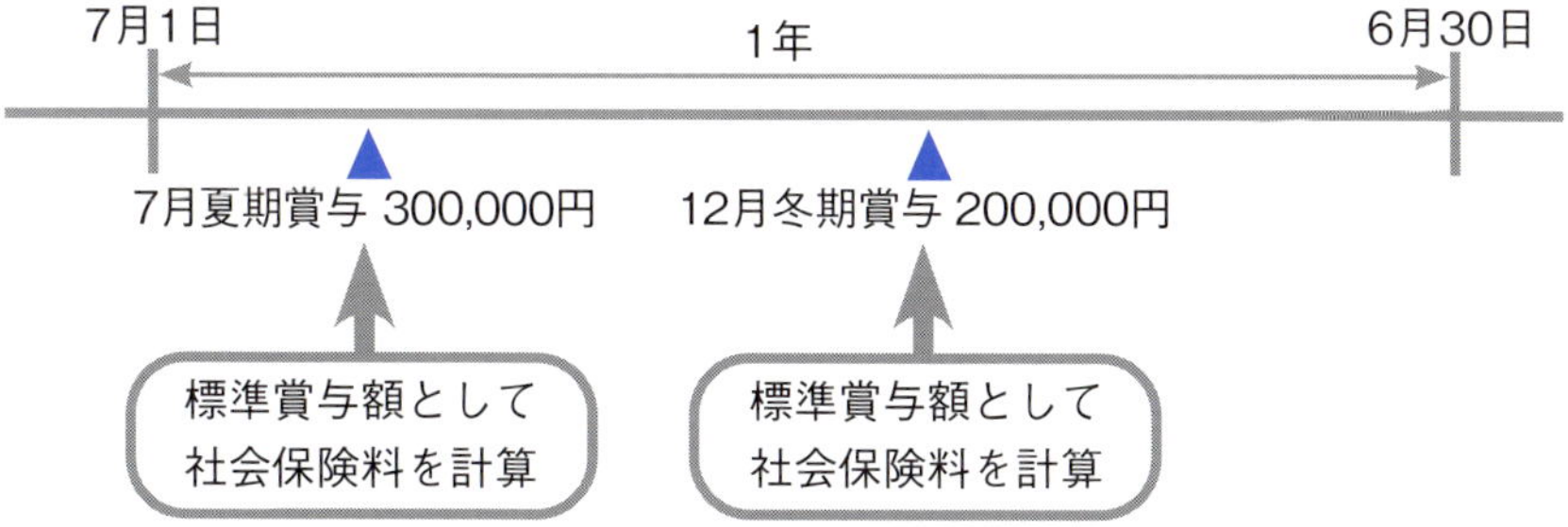

ケース2　年4回以上の賞与の場合

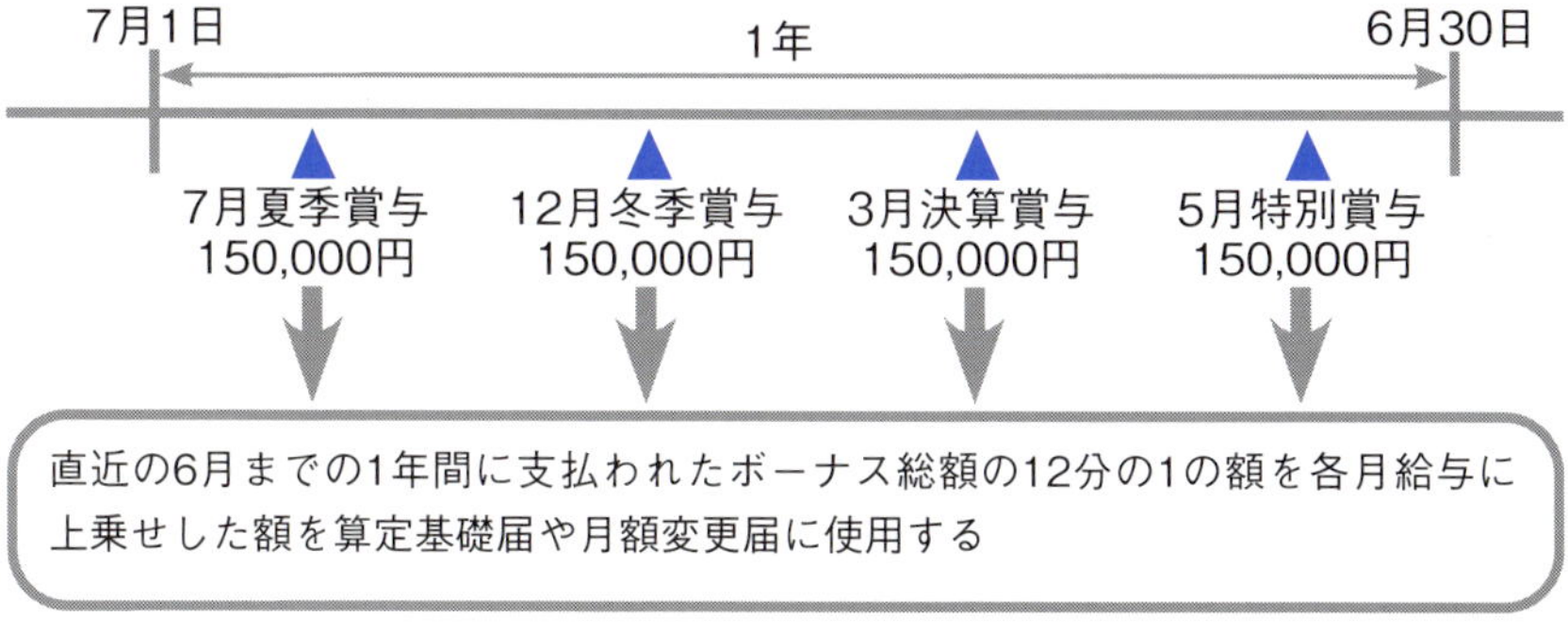

＊ 賞与からの社会保険料の控除 ＊

ケース1　資格取得月・喪失月の場合

●資格取得日前の賞与からも資格喪失月の賞与からも保険料は控除しない

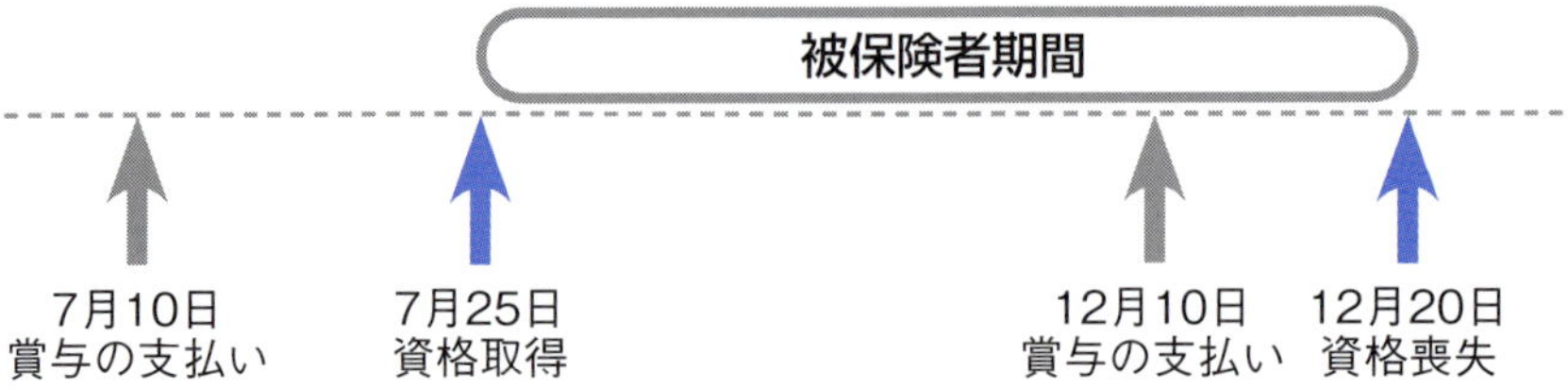

●この場合、7月10日、12月10日の賞与から保険料は控除しない

●ただし、例えば資格取得が7月1日など資格取得日後に賞与の支払いがあった場合には保険料を控除する

●また退職日が12月31日の場合(月末退職)は、12月の賞与から保険料を控除する

●また、同じ月に資格を取得し喪失した場合は、被保険者期間内に支払った賞与から保険料を控除する

Column

1日が誕生日の人に注意

法律では、その年齢に達するのは誕生日の前日ということになっています。

例えば、8月1日に誕生日の人は7月31日に40歳になる（65歳になる）と考えるので、40歳になる年の7月の賞与からは介護保険料を徴収し、65歳になる年の7月の賞与からは介護保険料を徴収しません。

1日が誕生日の人は、ケース3のような場合には注意が必要です。

ケース2　育児休業者の場合

※産前産後休業の場合にも同様の優遇を受けることができる

- 賞与保険料は、賞与を支払った月の末日を含んだ連続した1か月を超える育児休業等を取得した場合に免除される。1か月を超えるかどうかは暦日で判断し、土日等の休日も期間に含む

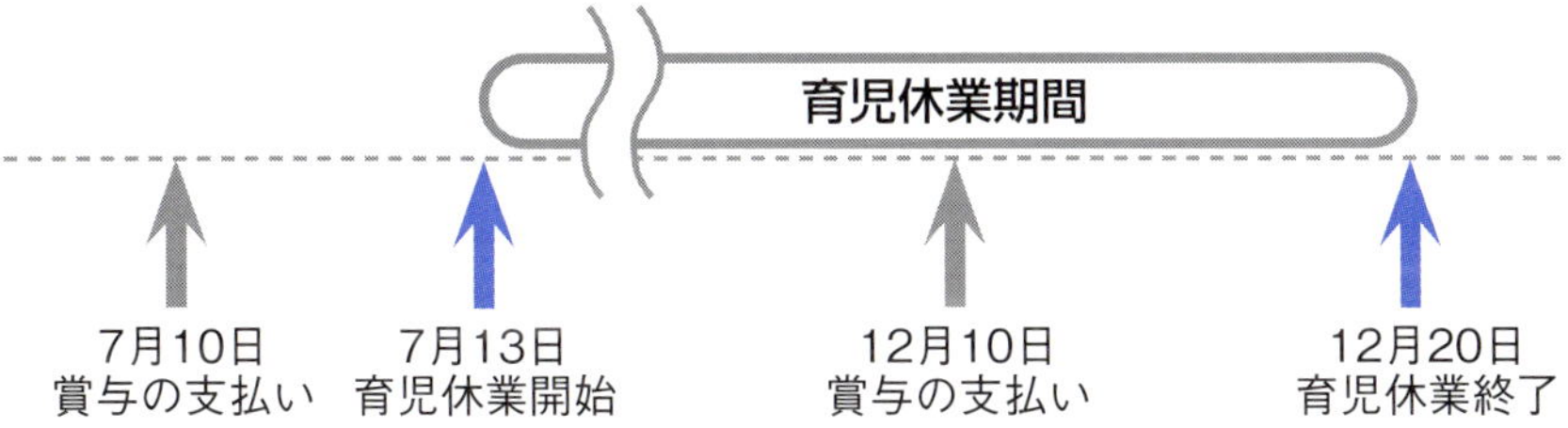

- 7月の賞与についての保険料は免除されるが、12月の賞与については、育児休業期間がその月の末日を含んでいないため、免除されない

ケース3　賞与からの介護保険料の控除

- 健康保険の被保険者が40歳以上65歳未満の場合は介護保険料も徴収しなければならない

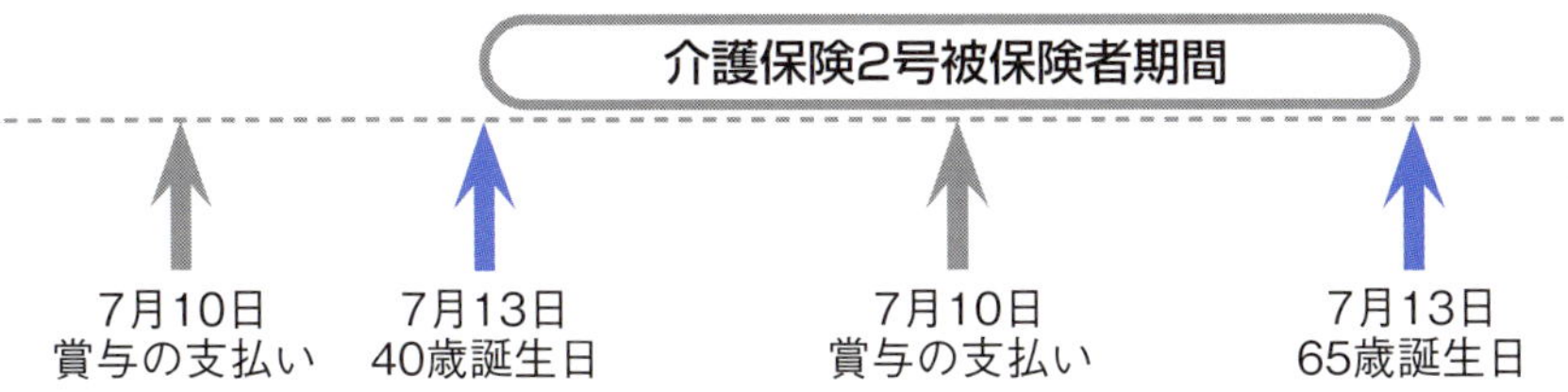

- 40歳の誕生日の前日が属する月に支給される賞与からは介護保険料を徴収する
- 65歳の誕生日の前日が属する月に支給される賞与から介護保険料は徴収しない

21 スムーズな処理を心がける

賞与の保険料も将来の年金額に反映

賞与を支払ったときには、支給日から5日以内に「**被保険者賞与支払届**」（どの従業員にも支払わなかった時は「**賞与不支給報告書**」）を所轄の年金事務所に届け出なければなりません。

「**賞与支払届**」は、賞与支払予定月の前月までに年金事務所から事業所名や被保険者氏名、生年月日などがあらかじめ印字された上で送付されてきます（送付のない場合は年金事務所に問い合わせる）。

印字の内容は、賞与支払予定月の前々月のものに基づいているので、その後変更があれば適宜変更して記入します。

「**賞与不支給報告書**」は新設された書類です。賞与支給がなかった場合に忘れずに提出するようにしましょう。

翌月末日までに保険料を納付する

届け出を提出し、年金事務所がその内容を確認した後「**保険料決定通知書**」が送付されてきます。

賞与の保険料は、原則賞与支払月の翌月末日に通常の保険料と一緒に納付します。賞与支払予定月の翌々月までに賞与の届け出のない場合は、年金事務所から「**賞与支払届督促状**」が送付されることになっています。

21

スムーズな処理を心がける

＊ 被《ひ》保《ほ》険者《けんしゃ》賞《しょう》与《よ》支《し》払届《はらいとどけ》・賞《しょう》与《よ》不《ふ》支《し》給報告書《きゅうほうこくしょ》 ＊

●被保険者賞与支払届

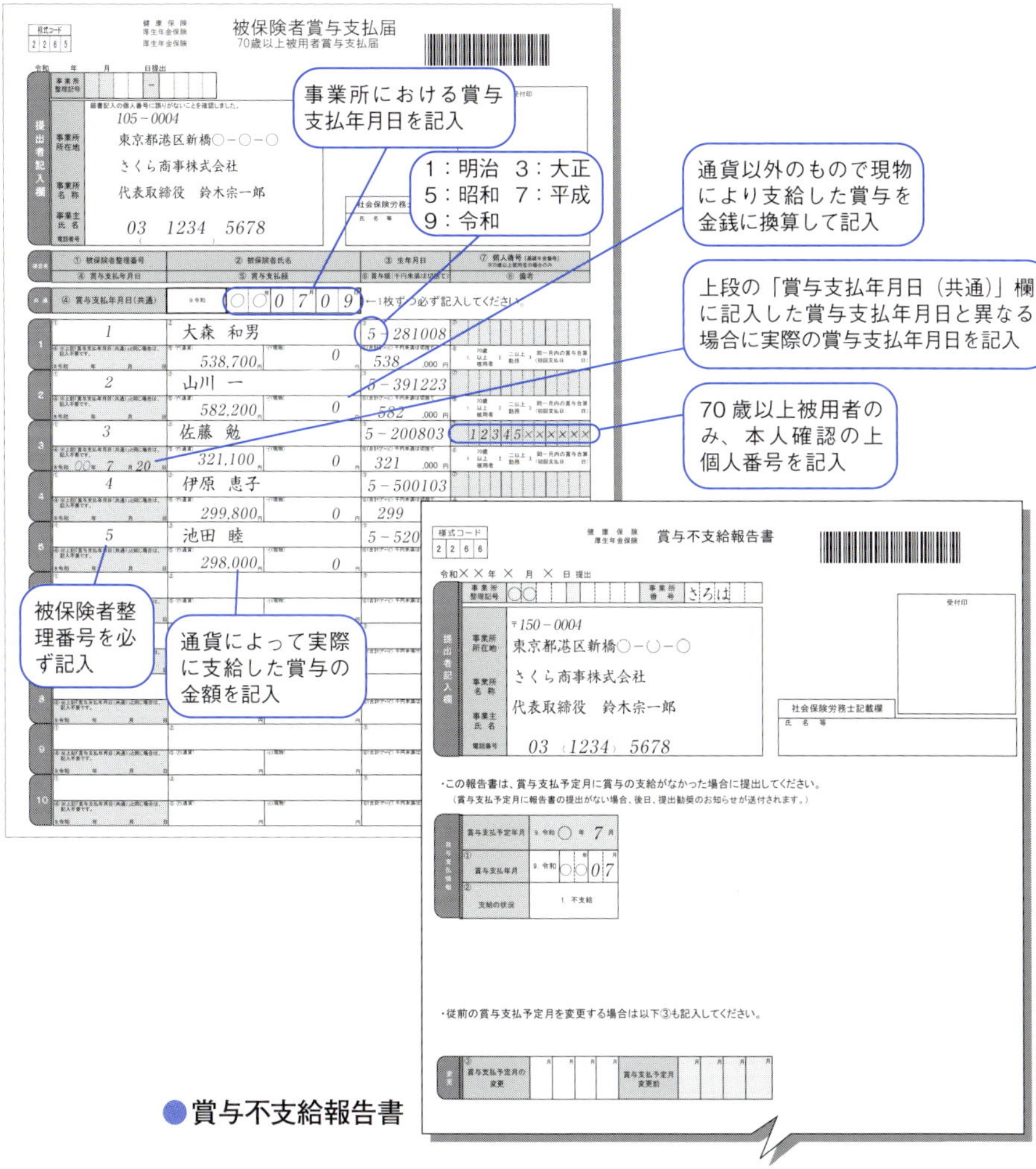

●賞与不支給報告書

※被保険者名等が印字されていない被保険者は手書きで追加する
※同じ月に2回以上賞与の支払いがあった場合にはその月の最後の支払日に合計額で届け出をすることができる
※賞与支払届を提出した後、賞与を支払った月の末日までに資格喪失した被保険者について、賞与の保険料は徴収されないが、「支払届」には記載する必要がある
※育児休業中に賞与社会保険料が免除された場合も賞与支払届には記入する

4月 6月 7月 9月 12月

ケース別　源泉徴収税額の計算例

賞与の源泉所得税

賞与に対する源泉徴収税額については、一般的には「賞与に対する源泉徴収税額の算出率の表」を使用して計算します。これは、59ページで紹介した「給与所得の源泉徴収税額表」とは異なるので注意してください。

ここでは4つのケースを紹介しています(ケース1が一般的)。

どのケースにあてはまるか下のチャートで判断し、源泉徴収を誤らないようにしましょう。

＊賞与に対する源泉徴収のフローチャート＊

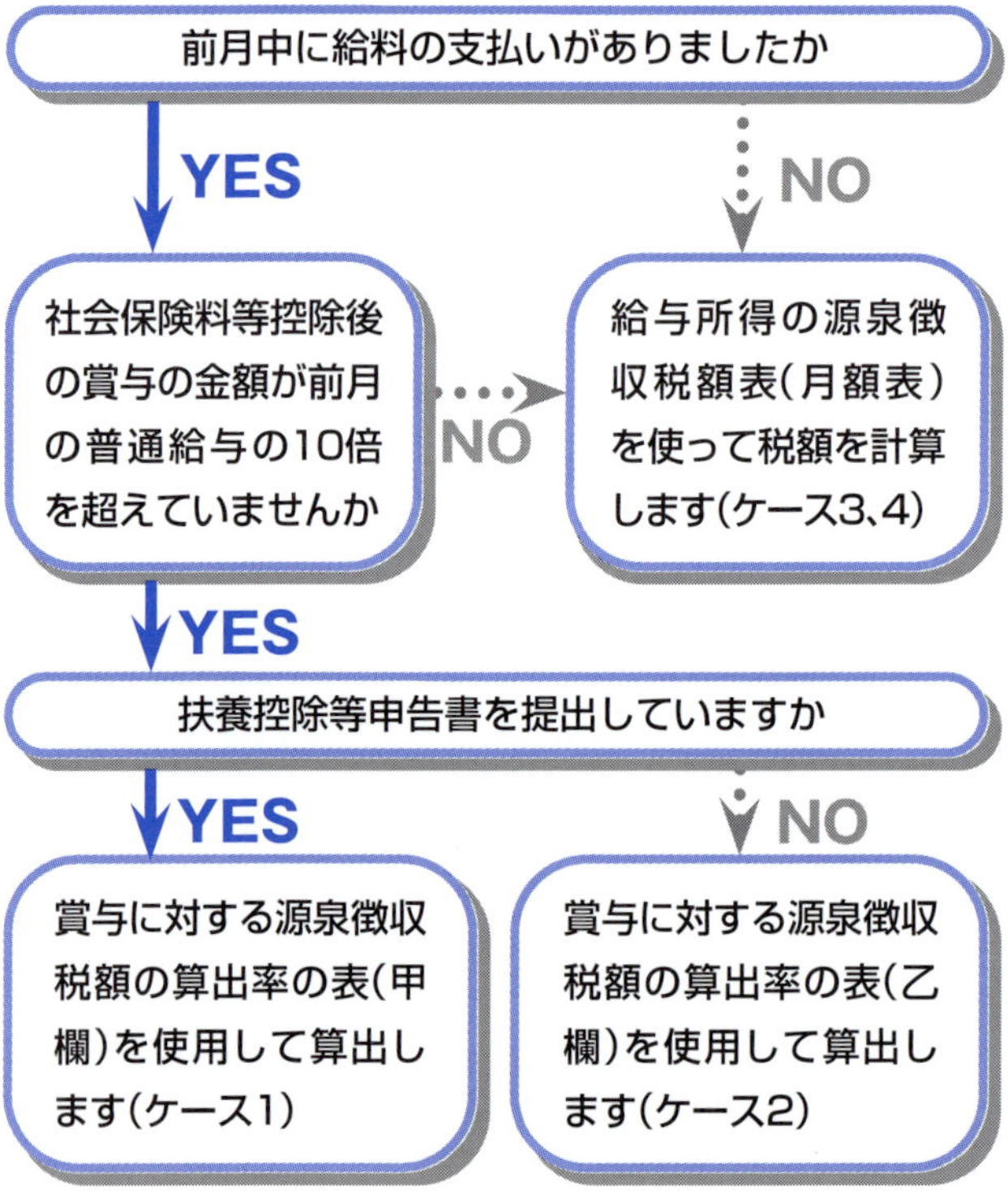
前月中に給料の支払いがありましたか
YES
NO
社会保険料等控除後の賞与の金額が前月の普通給与の10倍を超えていませんか
NO
給与所得の源泉徴収税額表(月額表)を使って税額を計算します(ケース3、4)
YES
扶養控除等申告書を提出していますか
YES
NO
賞与に対する源泉徴収税額の算出率の表(甲欄)を使用して算出します(ケース1)
賞与に対する源泉徴収税額の算出率の表(乙欄)を使用して算出します(ケース2)

＊ 賞与の源泉所得税の計算例 ＊

ケース1　賞与に対する源泉徴収税額の算出率の表（甲欄）を使用する場合

●40歳以上65歳未満●扶養親族等の数　2人（16歳未満は対象外）
●賞与の金額　534,200円●前月の社会保険料等控除後の給与　283,400円

手順1　前月分の給与から社会保険料等控除後の金額を求める（ここでは283,400円）

手順2　(1) 標準賞与額(➡128ページ)から控除する社会保険料の額を求める(東京都のケース)

標準賞与額　534,000×{ 99.8／1,000×1／2＝26,647円（健康保険料）
16.0／1,000×1／2＝ 4,272円（介護保険料）
183.0／1,000×1／2＝48,861円（厚生年金保険料）}

(2) 賞与額から控除する雇用保険料の額を求める
賞与額　534,200×6 ／ 1,000＝3,205円（雇用保険料）

(3) 社会保険料等控除後の賞与額は451,215円（534,200円−82,985円）
※控除額計算結果に端数が生じた場合は次のように処理する
端数が50銭以下･･･円未満切り捨て
端数が51銭（雇用保険料は50銭1厘）以上･･･円未満切り上げ

手順3　給与の受給者が提出している「扶養控除等申告書」に申告されている扶養親族等の数に応じて該当する欄を求める

手順4　手順1、3にあてはまる行を探し、その行を左に見て、賞与の金額に乗ずべき率を算出する（ここでは4.084％）

手順5　社会保険料等控除後の賞与の額に手順4で算出した率を乗じて税額を算出する
451,215円×4.084％＝18,427円（円未満端数切り捨て）

＊ 賞《しょう》与《よ》に対《たい》する源泉徴収税額《げんせんちょうしゅうぜいがく》の算出率《さんしゅつりつ》の表《ひょう》(甲欄《こうらん》) ＊

賞与の金額に乗ずべき率	扶養親族等 0人 前月の社会保険料等 以上	0人 未満	1人 以上	1人 未満	2人 以上	2人 未満	3人 以上	3人 未
%	千円	千円	千円	千円	千円	千円	千円	
0.000	68	千円未満	94	千円未満	133	千円未満	171	千円未満
2.042	68	79	94	243	133	269	171	
4.084	79	252	243	282	269	312	295	
6.126	252	300	282	338	312	369	345	
8.168	300	334	338	365	369	393	398	
10.210	334	363	365	394	393	420	417	
12.252	363	395	394	422	420	450	445	

※金額欄は前月の社会保険料等控除後の給与（ケース1では283,400円）で見る

ケース2 扶養控除等申告書の提出がなく乙欄を用いる場合

手順 甲欄と同様に計算する。乙欄の場合は欄が分かれていないだけで、計算の方法は同じ

ケース3 前月の給与の支払いがないとき

手順1 社会保険料等控除後の賞与の金額を、賞与の計算基礎期間に応じて6分の1または12分の1を掛ける

※賞与の計算基礎期間が6か月以内のときは6分の1、それを超えるときは12分の1

手順2 この金額を毎月の給与計算と同様の方法で給与所得の源泉徴収税額表（月額表）にあてはめる

手順3 求めた税額を6倍（または12倍）した金額が賞与から源泉徴収する金額となる

Column

役員賞与の扱い

一般の従業員の賞与は、毎月の給与と同様に法人税の計算をするにあたって特別の調整は必要なく基本的に経費計上（損金算入）が認められています。しかし、それが会社の役員に対するものとなると話は変わってきます。

役員賞与は原則として法人税法上経費計上が認められず（損金不算入）、たとえ会社が適正に支払ったものであっても法人税の課税対象となります。それ以外にも法人税の税務調査などで例えば、

- 通常では考えられないような安い値段で、役員に会社の土地を売却する
- 通常では考えられないような高い値段で、役員が自分の土地を会社に売却する

など、役員に対して特別な利益を与えていると判断されると、それらは役員賞与と認定され、法人税の追徴課税がされることもあるので注意が必要です。

ただし、役員賞与の支給額、支給時期をあらかじめ定めておき、税務署に届け出て、そのとおり支給すれば例外として損金算入が認められます(事前確定届出給与)。

役員に対する毎月の給与は、一般の従業員に対する給与と異なり、毎月任意に変動すると損金算入は認められません。額の改定は決まった時期にしかできないのが原則です（定期同額給与）。

また、家族経営をしているような、いわゆる同族会社では、役員報酬に関していろいろな問題が起こることもあるので、給与や賞与を定める場合には、税務署や税理士などに相談することをおすすめします。

ケース4　賞与の額が前月中の給与の10倍を超えるとき

社会保険料等控除後の賞与の金額	1,682,500円
賞与計算基礎期間	6か月
前月の社会保険料等控除後の給与の金額	153,300円
前月の給与153,300円に対する税額	1,500円
扶養親族等の数（扶養控除等申告書提出あり）	1人

手順1　社会保険料控除後の賞与額に6分の1または12分の1を掛ける

※賞与の計算基礎期間が6か月以内のとき6分の1、6か月超のとき12分の1

1,682,500円×1／6＝280,416円（円未満の端数切捨て）

手順2　手順1で求めた額に前月の社会保険料等控除後の給与の金額を足す

280,416円＋153,300円＝433,716円

➡この金額を毎月の給与計算と同様の方法で給与所得の源泉徴収税額表(月額表)にあてはめて税額を算出する。扶養親族等の数が1人なので15,970円になる

手順3　手順2で求めた税額から前月の社会保険料等控除後の給与に対する税額（1,500円）を控除した残額を6倍（手順1で6分の1なら6倍、12分の1なら12倍）した金額が賞与から徴収すべき税額となる

15,970円－1,500円＝14,470円

14,470円×6＝86,820円

＊ 給与《きゅう》与《よ》所得《しょとく》の源泉徴収税額表《げんせんちょうしゅうぜいがくひょう》 ＊

その月の社会保険料等控除後の給与等の金額		甲								乙
		扶養親族等の数								
		0人	1人	2人	3人	4人	5人	6人	7人	
以上	未満	税額								税額
円	円	円	円	円	円	円	円	円	円	円
290,000	293,000	8,040	6,420	4,800	3,190	1,570	0	0	0	50,900
293,000	296,000	8,140	6,520	4,910	3,290	1,670	0	0	0	52,100
296,000	299,000	8,250	6,640	5,010	[illegible]	1,790	160	0	0	52,900
413,000	416,000	17,730	14,500	11,260	8,170	6,540	4,930	3,320	1,690	98,300
416,000	419,000	17,980	14,740	11,510	8,290	6,670	5,050	3,440	1,820	100,100
419,000	422,000	18,220	14,990	11,750	8,530	6,790	5,180	3,560	1,940	101,800
422,000	425,000	18,470	15,230	12,000	8,770	6,910	5,300	3,690	2,060	103,400
425,000	428,000	18,710	15,480	12,240	9,020	7,030	5,420	3,810	2,180	105,200
428,000	431,000	18,960	15,720	12,490	9,260	7,160	5,540	3,930	2,310	106,900
431,000	434,000	19,210	15,970	12,730	9,510	7,280	5,670	4,050	2,430	108,500
434,000	437,000	19,450	16,210	12,980	9,750	7,400	5,790	4,180	2,550	110,300
437,000	440,000	19,700	16,460	13,220	10,000	7,520	5,910	4,300	2,680	112,000

退職理由によって変わる事務手続き

マニュアル化を図る

雇用関係の終了という点から見れば、**解雇**も退職に含まれます。退職・解雇の主な理由は下の表のとおりです。

注意しておかなければならないのは、退職時の事務手続きは画一的なものではなく、退職事由によって、あるいは退職後どのような進路を選択するか（再就職・独立開業など）によって異なってくるということです。

特に雇用保険の失業給付の場合、その金額が手続き次第で大きく違ってくる可能性もあります。後日のトラブルを避けるためにも、**業務のマニュアル化や引継ぎの徹底化**などを図っておきましょう。

＊ 退職と解雇の理由 ＊

種類	理由・原因
労働契約に基づく退職	定年や契約期限の到来
自己都合による退職（辞職）	会社への不満や従業員の状況によるもの（傷病・出産・育児など）
会社の都合による退職	早期退職優遇制度など
死亡退職	死亡による退職
整理解雇	会社の経営上、従業員の整理が必要な場合など
普通解雇	労働契約上の不履行があった場合（私傷病などで復職できないなど）
懲戒解雇	社内規定などに基づく懲戒事由に該当した場合

＊ 退職時の確認事項 ＊

手続き等	書類・現物等	チェック
保険関係	健康保険 厚生年金保険被保険者資格喪失届	
	雇用保険被保険者資格喪失届	
	雇用保険被保険者離職証明書	
税金関係他	給与所得の源泉徴収票	
	退職所得の受給に関する申告書	
	退職所得の源泉徴収票	
	住民税の特別徴収に係る給与所得者異動届	
	退職証明書	
従業員から回収するもの	退職届	
	健康保険被保険者証	
	身分証明書・社章・社員証・社内規定・名刺など	
	定期券・制服など会社側から支給したもの	
従業員へ渡すもの	離職票	
	雇用保険被保険者証	
	源泉徴収票	
	年金手帳	
	退職後のしおり（手続きマニュアル）	

Column

退職時の事務手続き

表で紹介したチェックのほかに、

- 退職者に住民税の徴収方法を確認する
- 貸付金や仮払金・社内預金の精算をする
- 会社で一括して加入している保険などの切替えをする
- 退職者をマスター台帳から削除する
- 解約が必要なら財形預金を解約する

などの事務手続きがあります。

早期退職優遇制度：会社があらかじめ定めた一定の年齢以下（退職前）で退職する従業員に対し退職金の上乗せ等の優遇措置をする制度。

資格喪失日に注意する

資格喪失届を提出する

退職の手続きは、原則、健康保険と厚生年金保険をいっしょに行います（健康保険組合に加入している場合には健康保険のみ健康保険組合に届け出る）。**資格喪失日**から起算して5日以内に「**健康保険　厚生年金保険　被保険者資格喪失届**」を提出します。その際、健康保険被保険者証も添付します（死亡による退職の場合は、埋葬料（費）請求書も添える）。

退職日が月末の場合の取扱い

健康保険料・厚生年金保険料は、資格を取得した月から喪失した月の前月分までを納付することになっています。

退職日が月末の場合、資格喪失日は退職日の翌日になるので、退職した月はまだ資格を喪失していないことになります。つまり、月末退職の場合は、退職月の保険料の納付が必要になってくるのです。

そこで、保険料控除の例外として、退職時に限り前月分の保険料に加えて当月分の保険料もあわせて給与から控除できることになっています。

加入年齢制限が異なる

厚生年金保険の加入期間は69歳まで（70歳未満）、健康保険のそれは74歳まで（75歳未満）と、加入可能な上限年齢が異なるので、手続き上漏れがないように注意しましょう。

＊ 健康保険《けんこうほけん》 厚生年金保険《こうせいねんきんほけん》被保険者《ひほけんしゃ》資格喪失届《しかくそうしつとどけ》 ＊

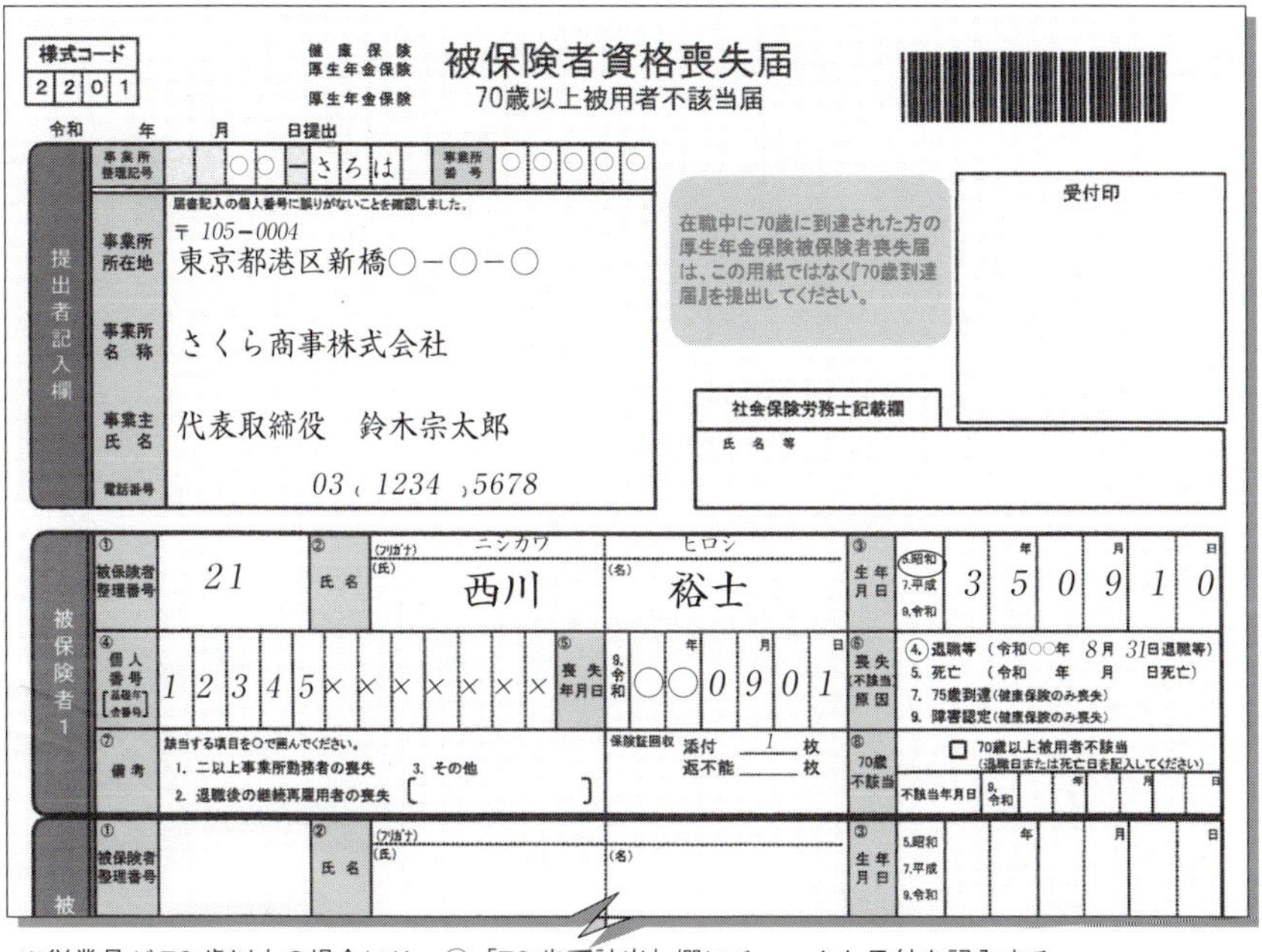

様式コード 2201
健康保険 厚生年金保険 被保険者資格喪失届
厚生年金保険 70歳以上被用者不該当届
令和　年　月　日提出

提出者記入欄
事業所整理記号：○○－さろは
事業所番号：○○○○○
届書記入の個人番号に誤りがないことを確認しました。
事業所所在地：〒105－0004 東京都港区新橋○－○－○
事業所名称：さくら商事株式会社
事業主氏名：代表取締役　鈴木宗太郎
電話番号：03（1234）5678

在職中に70歳に到達された方の厚生年金保険被保険者喪失届は、この用紙ではなく『70歳到達届』を提出してください。

受付印

社会保険労務士記載欄
氏名等

被保険者1
①被保険者整理番号：21
②氏名：(フリガナ) ニシカワ ヒロシ　(氏) 西川　(名) 裕士
③生年月日：5.昭和（○印）　7.平成　9.令和　3 5 年 0 9 月 1 0 日
④個人番号［基礎年金番号］：1 2 3 4 5 × × × × × × ×
⑤喪失年月日：9.令和 ○○年 0 9 月 0 1 日
⑥喪失（不該当）原因：4.（○印）退職等（令和○○年 8月 31日退職等）　5. 死亡（令和　年　月　日死亡）　7. 75歳到達（健康保険のみ喪失）　9. 障害認定（健康保険のみ喪失）
⑦備考：該当する項目を○で囲んでください。 1. 二以上事業所勤務者の喪失　2. 退職後の継続再雇用者の喪失　3. その他［　　］
保険証回収：添付 1 枚　返不能 ＿ 枚
⑧70歳不該当：□ 70歳以上被用者不該当（退職日または死亡日を記入してください）　不該当年月日 9.令和　年　月　日

被
①被保険者整理番号　②氏名 (フリガナ) (氏) (名)　③生年月日 5.昭和 7.平成 9.令和　年　月　日

※従業員が70歳以上の場合には、⑧「70歳不該当」欄にチェックと日付を記入する
※70歳到達により厚生年金保険の資格喪失を行う場合には、別の書類を使用する（→254ページ下段）

資格喪失とは

● 事実上の雇用関係が終了すること

※仮に休職という形式をとっていたとしても、長期間にわたり給与の支払いが止められ、将来復職の見込みがない場合は資格を喪失することになる

※逆に退職後1日の空白もなく、嘱託という立場で引き続き再雇用された場合には資格は継続する。ただし、60歳以上の従業員の定年による退職（嘱託契約の満了を含む）の場合、雇用関係がいったん終了したものとみなし資格喪失と資格取得の手続きを同時に行うことが、可能とされている（⇒254ページ）

資格喪失日とは

● 退職日（その会社の雇用関係が終了した日）の翌日
● 死亡した日の翌日
● 被保険者の適用除外者となった日の翌日
● 会社（事業所）が廃止になった日の翌日
● 厚生年金保険の場合は70歳に達した日（誕生日の前日）
● 健康保険の場合は75歳に達した日の翌日（誕生日当日）

※資格喪失日によって、給与からいつまでの保険料を控除するか、また将来従業員が受け取る年金額にも影響が出るので注意すること

従業員が退職する際に健康保険被保険者証を紛失している等、回収できない場合は、「健康保険被保険者証回収不能届」を資格喪失届に添付する。

25
9月 退職者の事務手続き～労働保険

雇用保険被保険者資格喪失届を提出する

労災保険の手続きは特になし

社会保険と同様、会社を退職すれば労働保険の資格も失います。

ただ、入社に関する事務でも説明したように、労災保険では被保険者という考え方はなく、会社自体が保険料も含め責任義務を負うことになっているので、退職のときに特別の手続きをする必要はありません。

離職証明書の扱いに注意

雇用保険の資格喪失手続きは「**雇用保険被保険者資格喪失届**」を被保険者でなくなった日の翌日から起算して10日以内に、所轄の公共職業安定所長へ提出することによって行います。

原則として、この資格喪失届に「**雇用保険被保険者離職証明書**」を添付することになっていますが、離職者（退職する従業員）が離職票を希望しない場合は、この証明書の提出を省略できます。

ただし、後日（退職後）離職者から離職票の交付を希望する旨の申し出があった場合には、会社（事業所）は速やかに証明書を作成し提出しなければなりません。

なお、離職の日において満59歳以上の退職者については、本人の離職票希望の有無に関係なく「雇用保険被保険者離職証明書」を作成し提出しなければなりません（記入例→１４５ページ）。

＊ 雇用《こよう》保険《ほけん》被《ひ》保険者《ほけんしゃ》資格《しかく》喪失《そうしつ》届《とどけ》 ＊

様式第4号（第7条関係）（第1面）

雇用保険被保険者資格喪失届

標準字体 0 1 2 3 4 5 6 7 8 9

（必ず第２面の注意事項を読んでから記載してください。）

（なるべく折り曲げないようにし、やむをえない場合には折り曲げマーク（▶）の所で折り曲げてください。）

帳票種別 15103

1. 被保険者番号 5678-654321-2
2. 事業所番号 1311-507123-4
3. 資格取得年月日 4-○○0401

4. 離職年月日（元号 4 平成 5 令和） 5-○○0930（元号 年 月 日）
5. 喪失原因 2（1 離職以外の理由　2 3以外の離職　3 事業主の都合による離職）
6. 離職票交付希望 1（1 有　2 無）
7. 1週間の所定労働時間 4000（時間 分）
8. 補充採用予定の有無 （空白 無　1 有）

9. 新氏名　フリガナ（カタカナ）

10. 個人番号 12345×××××××

※公共職業安定所記載欄　11. 喪失時被保険者種類（3 季節）　12. 国籍・地域コード（18欄に対応するコードを記入）　13. 在留資格コード（19欄に対応するコードを記入）

被保険者氏名	性別	生年月日	取得時被保険者種類	転勤年月日	管轄安定所番号	雇用形態
川村光男	男	45.7.31				

資格取得年月日現在の１週間の所定労働時間		事業所名略称	さくら商事株式会社
被保険者の住所又は居所	東京都立川市錦町○−○−○		
被保険者でなくなったことの原因及び被保険者に氏名変更があった場合は氏名変更年月日	転職のための自己都合退職		

雇用保険法施行規則第７条第１項の規定により、上記のとおり届けます。

令和○○年10月5日

事業主
住所 東京都港区新橋○-○-○
氏名 さくら商事株式会社
代表取締役 鈴木宗太郎
電話番号 03-1234-5678

品川 公共職業安定所長 殿

（この用紙は、このまま機械で処理しますので、汚さないようにしてください。）

※

所長		次長		課長		係長		係		操作者	

社会保険労務士記載欄	作成年月日・提出代行者・事務代理者の表示	氏名	電話番号

※氏名変更があった際、以前は「雇用保険被保険者氏名変更届」を速やかに所管するハローワークに届け出る必要があったが、現在は廃止されている。
※在職中の別の雇用保険関係の手続き（給付金の支給申請時など）時や、資格喪失届にて提出すればよいとされている。
※住所変更については、そもそも雇用保険では住所情報の登録がされていないため、手続きは発生しない。

公共職業安定所：職業安定法に基づいて設置される国の行政機関。職業紹介や雇用保険の失業給付等の業務を行う。一般にハローワークと呼ばれる。

担当者に望まれる慎重な対応

「雇用保険被保険者資格喪失届」作成の際に、特に注意しなければならないのが「被保険者でなくなったことの原因」の欄の記入です。

この欄にどのように記載するかによって、失業給付等の額や期間あるいは給付制限の有無などに影響が出てくるからです。

例えば、同じ退職であっても、「自己都合による退職」と表示するのと、「退職勧奨（事業主の働きかけ）による退職」と表示するのとでは、その意味合いが変わってきます。従業員本人は「会社都合による退職なので退職後すぐに失業給付を受けられる」と思っていたにもかかわらず「自己都合による退職」と表示されたために、何か月かの間失業給付を受けられないという事態になるなど、後日トラブルに発展する場合もあります。

事務担当者としての慎重な対応が望まれるところです。

Column

災害による休業であっても、休業手当は必要？

「使用者の責に帰すべき事由」により従業員を休業させた場合、労働基準法上、事業主は従業員に対し、その平均賃金の100分の60以上の休業手当を支払わなければなりません。

ただし、例外として、天災事変等の不可抗力の場合は、この「使用者の責に帰すべき事由」には該当せず、休業手当の支払義務はありません。ここでいう不可抗力とは、その原因が外部より発生した事故であり、かつ、事業主が通常の経営者として最大の注意を尽くしてもなお避けることのできない事故であることとされています。

令和2年初頭から新型コロナウィルス感染拡大が世界を震撼させることになりましたが、このようなケースでも、会社の判断で休業を決めた場合には、原則として休業手当の支払義務が発生します。

ただし、行政の要請に基づく休業等で判断が分かれる場合があります。

このような現状を踏まえ、厚生労働省のHP上で関連情報やQ&A等がアップされています。

＊ 雇用保険被保険者離職証明書《こようほけんひほけんしゃりしょくしょうめいしょ》 ＊

離職日＝退職日

様式第５号(第７条関係)

雇用保険被保険者離職証明書（安定所提出用）

① 被保険者番号	5678－654321－2	③ フリガナ	カワムラ　ミツオ	④ 離職年月日	令和 ○年 9月 30日
② 事業所番号	1311－507123－4	離職者氏名	川村　光雄		
⑤ 事業所 名称	さくら商事株式会社	⑥ 離職者の住所又は居所	〒190-0022 東京都立川市錦町○-○-○		
所在地	東京都港区新橋○-○-○		電話番号（042）123－4567		
電話番号	03-1234-5678				

この証明書の記載は、事実に相違ないことを証明します。
事業主 住所 東京都港区新橋○-○-○
さくら商事株式会社
氏名 代表取締役 鈴木宗太郎

※離職票交付 令和　年　月　日（交付番号　番）

離職の日以前の賃金支払状況等

⑧ 被保険者期間算定対象期間 Ⓐ 一般被保険者等（離職日の翌日 10月1日）	Ⓑ 短期雇用特例被保険者	⑨ ⑧の期間における賃金支払基礎日数	⑩ 賃金支払対象期間	⑪ ⑩の基礎日数	⑫ 賃金額 Ⓐ	Ⓑ	計	⑬ 備考
9月1日～離職日	離職月	30日	9月21日～離職日	10日				未計算
8月1日～8月31日	月	31日	8月21日～9月20日	31日	225,000			
7月1日～7月31日	月	31日	7月21日～8月20日	31日	225,000			
6月1日～6月30日	月	30日	6月21日～7月20日	30日	238,000			
5月1日～5月31日	月	31日	5月21日～6月20日	31日	225,000			
4月1日～4月30日	月	30日	4月21日～5月20日	30日	225,000			
3月1日～3月31日	月	31日	3月21日～4月20日	31日	225,000			
2月1日～2月28日	月	28日	月　日～　月　日	日				
1月1日～1月31日	月	31日	月　日～　月　日	日				
12月1日～12月31日	月	31日	月　日～　月　日	日				
11月1日～11月30日	月	30日	月　日～					
10月1日～10月31日	月	31日	月　日～					
9月1日～9月30日	月	30日	月　日～　月　日	日				

●給与形態が月給制、週給制等はＡ欄へ記入
●給与形態が日給制、時給制等はＢ欄へ記入

賃金の締切日ごとに各月区切る

⑭ 賃金に関する特記事項

⑮この証明書の記載内容（⑦欄を除く）は相違ないと認めます。
（離職者）

※公共職業安定所記載欄 ⑮ ⑯

喪失日の前日から各月喪失応当日までの１月ごとに遡る

添付書類
●労働者名簿
●離職前２年間の賃金台帳・出勤簿またはタイムカード
●離職理由を客観的に確認できる書類（退職届、雇用契約書、定年の場合は就業規則など）

本手続きは電子申請による申請も可能です。本手続きについて、電子申請により行う場合には、被保険者が離職証明書の内容について確認したことを証明することができるものを本離職証明書の提出と併せて送信することをもって、当該被保険者の電子署名に代えることができます。

また、本手続きについて、社会保険労務士が電子申請による本届書の提出に関する手続を事業主に代わって行う場合には、当該社会保険労務士が当該事業主の提出代行者であることを証明することができるものを本届書の提出と併せて送信することをもって、当該事業主の電子署名に代えることができます。

社会保険労務士記載欄	作成年月日・提出代行者・事務代理者の表示	氏名	電話番号

※	所長	次長	課長	係長	係

失業給付：雇用保険の被保険者が定年、倒産、自己都合等で離職し、働く意思と能力がありながら就職できない場合に、一定の要件をもとに雇用保険制度から支給される給付金。

退職時期で異なる住民税の手続き

異動届出書を市区町村に提出する

会社で住民税を**特別徴収**（⬇88ページ）していた従業員が退職等により給与の支払いを受けなくなった場合、放っておくと退職した従業員の住民税の通知がきたり、住民税を徴収するよう督促を受けたりしてしまいます。

　そのようなことのないように、従業員が退職したことを市区町村に届け出る必要があります。この届け出は退職時期によって異なります。

給与支払報告書を提出してから4月1日までに退職した場合

「給与支払報告に係る給与所得者異動届出書」を4月15日までに提出します。

4月2日以後に退職した場合

「特別徴収に係る給与所得者異動届出書」を異動のあった日の翌月10日までに提出します。受理した市区町村から「特別徴収税額変更通知書」が送付されてくるので、翌月以降はこの通知書に基づき、変更後の特別徴収税額を納付します。

住民税未納税額の徴収

未徴収の住民税の徴収方法は、次ページに示したように、退職時期によって3つのパターンに分けられます。

　退職時期によっては選択できない徴収方法もあるので注意してください。

＊ 給与《きゅうよ》支払《しはらい》報告《ほうこく》 特別《とくべつ》徴収《ちょうしゅう》に係《かか》る給与《きゅうよ》所得者《しょとくしゃ》異動《いどう》届出書《とどけでしょ》 ＊

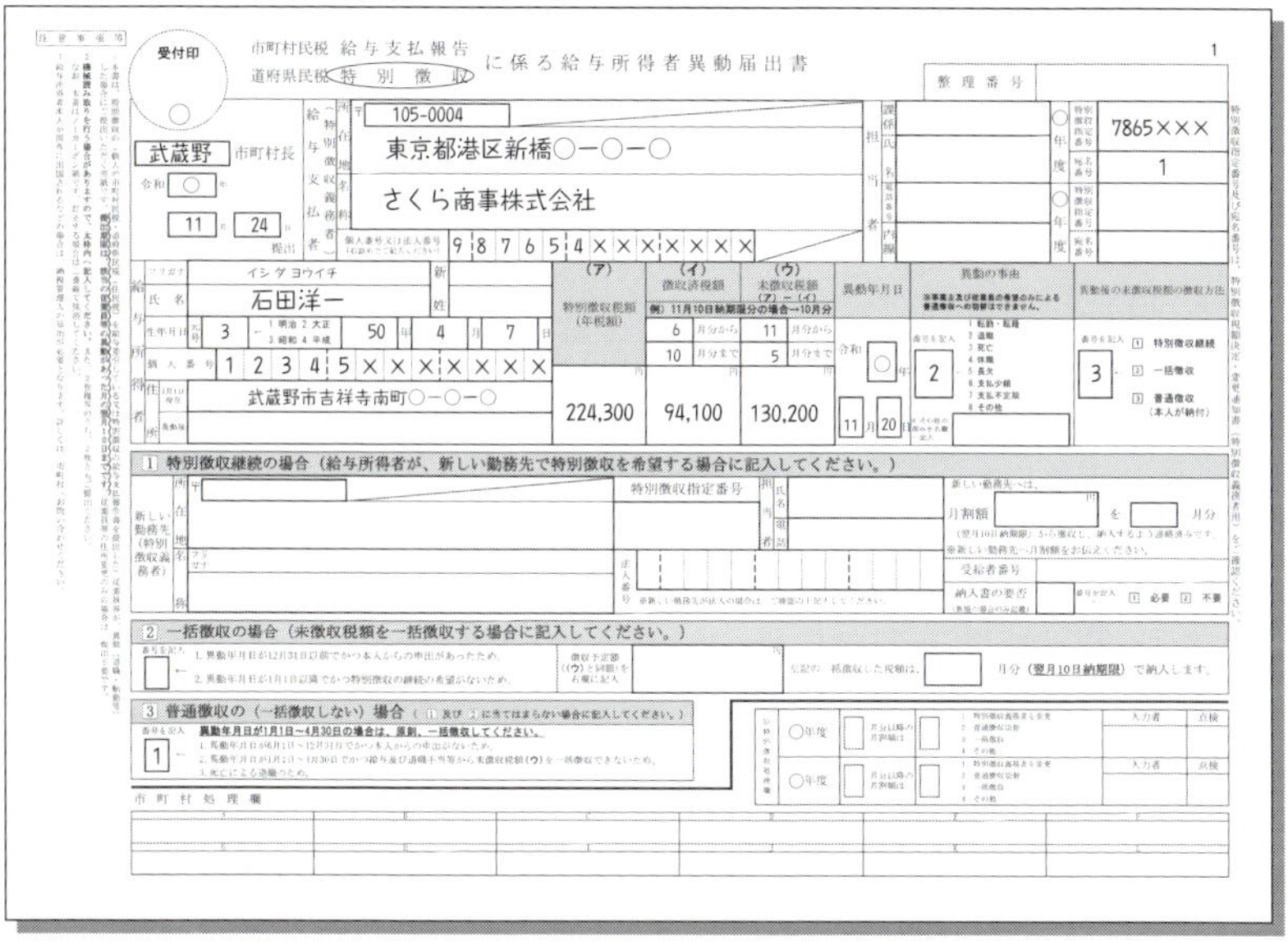
受付印
市町村民税 給与支払報告
道府県民税 特別徴収
に係る給与所得者異動届出書
1
整理番号
武蔵野 市町村長
令和 ○ 年 11 月 24 日提出
給与支払者（特別徴収義務者）
所在地 〒 105-0004 東京都港区新橋○－○－○
名称 さくら商事株式会社
個人番号又は法人番号 9 8 7 6 5 4 × × × × × × ×
担当者 課係 氏名 電話番号 内線
○年度 特別徴収指定番号 7865×××
宛名番号 1
○年度 特別徴収指定番号
宛名番号
給与所得者
フリガナ イシダ ヨウイチ
氏名 石田洋一
新姓
生年月日 元号 3 ←1 明治 2 大正 3 昭和 4 平成 50 年 4 月 7 日
個人番号 1 2 3 4 5 × × × × × × ×
住所 1月1日現在 武蔵野市吉祥寺南町○－○－○
異動後
（ア）特別徴収税額（年税額） 224,300 円
（イ）徴収済税額 6 月分から 10 月分まで 94,100 円
（ウ）未徴収税額（ア）－（イ） 11 月分から 5 月分まで 130,200 円
（例）11月10日納期限分の場合→10月分
異動年月日 令和 ○ 年 11 月 20 日
異動の事由
※事業主及び従業員の希望のみによる普通徴収への切替はできません。
番号を記入 2
1 転勤・転籍
2 退職
3 死亡
4 休職
5 長欠
6 支払少額
7 支払不定期
8 その他
異動後の未徴収税額の徴収方法
番号を記入 3
1 特別徴収継続
2 一括徴収
3 普通徴収（本人が納付）
1 特別徴収継続の場合（給与所得者が、新しい勤務先で特別徴収を希望する場合に記入してください。）
新しい勤務先（特別徴収義務者）
所在地 〒
名称 フリガナ
特別徴収指定番号
担当者 氏名 電話
法人番号
新しい勤務先へは、月割額　円を　月分（翌月10日納期限）から徴収し、納入するよう連絡済みです。
※新しい勤務先へ月割額をお伝えください。
受給者番号
納入書の要否 番号を記入 1 必要 2 不要
2 一括徴収の場合（未徴収税額を一括徴収する場合に記入してください。）
番号を記入
1. 異動年月日が12月31日以前でかつ本人からの申出があったため。
2. 異動年月日が1月1日以降でかつ特別徴収の継続の希望がないため。
徴収予定額（（ウ）と同額）を右欄に記入　円
左記の一括徴収した税額は、　月分（翌月10日納期限）で納入します。
3 普通徴収の（一括徴収しない）場合（1 及び 2 に当てはまらない場合に記入してください。）
番号を記入 1
異動年月日が1月1日～4月30日の場合は、原則、一括徴収してください。
1. 異動年月日が6月1日～12月31日でかつ本人からの申出がないため。
2. 異動年月日が1月1日～4月30日でかつ給与及び退職手当等から未徴収税額（ウ）を一括徴収できないため。
3. 死亡による退職のため。
市町村処理欄
○年度 月分以降の月割額は
○年度 月分以降の月割額は
入力者 点検

＊ 未徴収の住民税の徴収方法 ＊

1月1日から4月30日までに退職した場合

●最後の給与もしくは退職手当の支給額が未徴収の税金の金額を超えるときは、従業員からの申し出の有無にかかわらず、特別徴収義務者(会社)が強制的に給与または退職金から一括徴収し、翌月10日までに会社が納付する

5月1日から5月31日までに退職した場合

●通常どおり最後の1か月分を徴収して、会社が納付する

※住民税の特別徴収は6月から翌年の5月までで行われる

6月1日から12月31日までに退職した場合

次の3パターンに分かれる

●普通徴収に変更する
(退職者から何も申し出がない場合)

※会社は「特別徴収に係る給与所得者異動届出書」に所定事項を記入して退職月の翌月10日までに各市区町村に提出する

●一括徴収する

※最後の給与もしくは退職手当の支給額が未徴収の税金の金額を超え、かつ退職者から申し出があった場合は、住民税の未徴収税額を会社が一括徴収できる

●特別徴収を継続する

※退職者が次の勤務先で特別徴収を継続したい旨の申し出をした場合は、会社は「特別徴収に係る給与所得者異動届出書」に所定の事項を記入し、新しい勤務先に送付する

「給与支払報告に係る給与所得者異動届出書」と「特別徴収に係る給与所得者異動届出書」は同一書式。該当するほうに○をする。

27 退職金制度を採用するときのポイント

退職金制度を採用する場合の注意

従業員の退職（労働関係の終了）に伴って、会社が支払う金銭を**退職金**といいます。

一般的には一時金として支払うことが多いのですが、年金支給の形式をとる会社や一時金と年金との併用方式をとっている会社もあります。

退職金制度を設けるかどうかは会社で自由に決めることができますが、設ける場合、以下の点に注意してください。

労働条件として明示する

退職金の制度を設ける場合は、採用時に従業員に明示する義務があります（相対的明示事項）。

就業規則に記載する

適用される労働者の範囲、退職手当の決定、計算および支払方法、支払いの時期について記載します。

ただし、会社の事情や社会一般の情勢、法改正なども勘案して定期的に見直すことが必要です。

退職金の準備は怠りなく

長期勤続者の退職金は高額になります。また、退職者が一時的に集中した場合には、多額の資金が必要になります。このようなリスクを回避するために、「確定給付企業年金」といった外部積立を行ったり、「確定拠出年金」や「中退共」を導入する等、資金拠出の平準化を図る企業もあります。

＊ 退職金規程の例（就業規則）＊

第１章　総　則

（目的）

第１条　この規程は、就業規則第○○条に基づき、社員が死亡または退職した場合の退職金支給に関する事項について定めたものである。

ただし、嘱託・パートタイマーには適用しない

（受給者）

第２条　退職金の支給を受ける者は、本人またはその遺族で、会社が正当と認めた者とする。

２　前項の遺族は、労働基準法施行規則第４２条ないし第４５条の遺族の補償の順位に従って支給する。

（支給範囲）

第３条　退職金は、勤続３年以上の社員が退職した場合に支給する。

・

・

第２章　支給基準

（退職金計算の基礎）

第６条　退職金の計算を行う場合の算定基礎額は、退職時の基本給とする。

（退職金支給額）

第７条　次の各号の事由（会社都合等）により退職した場合は、「基本給×支給率（別表１）」によって算出した金額を支給する。

① 会社の都合により解雇されたとき
② 在職中に死亡したとき
③ 定年により退職したとき
④ 業務上の傷病、疾病により退職したとき

２　次の各号の事由（自己都合等）により退職した場合は、「基本給×支給率（別表２）」によって算出した金額を支給する。

① 自己都合により退職したとき
② 私傷病により、その職に耐えず退職したとき
③ 休職期間中が満了したとき
④ 懲戒処分による「諭旨」（就業規則第○○条第○号）したとき

・

・

附　　則

（施行）

第２０条　この規程は、令和○年○月○日より施行する。

＊Column＊

同一労働同一賃金は退職金にも適用される

働き方改革の一環として改正された「**短時間労働者及び有期雇用労働者の雇用管理の改善等に関する法律**」が、令和3年4月より中小企業にも適用されました。

「同一労働同一賃金ガイドライン」では、正規雇用労働者と非正規雇用労働者の間の不合理な待遇差の禁止が示されており、退職金も対象になるので注意が必要です。

相対的明示事項：労働条件の明示義務のうち、定め（ここでは退職金制度）をした場合に明示する義務のある事項。これに対し、必ず明示しなければならない事項を絶対的明示事項という。

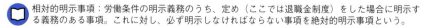

退職金に関する税金と手続き

退職金の扱いは難しい?

退職金は長年の勤労に対する報償的な意味合いから、税負担が軽くなるよう配慮されています（↓155ページ）。

所得税法上退職所得とは、退職により勤務先から受ける退職手当や一時恩給などの所得、社会保険制度などにより退職に基因して支払われる一時金、または適格退職年金契約に基づいて生命保険会社または信託会社から受ける退職一時金などをいいます。

ひと言で退職金といっても、支払い方によって税法上の扱いが異なるので注意してください。

年金形式で受け取る場合

退職所得とならず、雑所得として課税されます。

打切支給の退職金

定年後もまだ勤務は続けるが、今までの勤務に対していったん退職金を支払う、いわゆる打切支給の退職金については退職所得となります（後日退職する際には、今回の退職金の計算基礎とした勤続期間は加味しないという条件のもとで支給する）。

解雇予告手当

解雇の予告をせずに従業員を解雇した際に支払う解雇予告手当（↓40ページ）は退職所得となります。

死亡退職金

被相続人の死亡後3年以内に確定し、相続人に支払われた退職金は所得税ではなく、相続税の対象です。

＊ 退職所得の計算（所得税）＊

手順１ 退職所得金額を求める

（退職金総額－①退職所得控除額）×②1/2=退職所得金額

①退職所得控除額の計算方法

勤続年数（1年未満端数切上げ）（＝A）	退職所得控除額
20年以下	（40万円×A（最低額80万円）
20年超	800万円＋70万円×（A－20年）

※障害者となったことが直接の原因で退職した場合は、この表で計算した控除額に100万円を加算する

（注）「**短期退職手当等**」（＝勤続年数５年以下の短期勤続年数に対応する退職手当等として支払を受けるものである場合（令和４年以後）

短期退職手当等の収入金額－退職所得控除額≦300万円の場合	短期退職所得等の収入金額－退職所得控除額＞300万円の場合
（短期退職手当等の収入金額－退職所得控除額）×1/2＝退職所得金額	150万円※1＋｛短期退職手当等の収入金額－（300万＋退職所得控除額）｝※2 ＝退職所得金額 ※1：300万円以下の部分の退職所得金額 ※2：300万円を超える部分の退職所得金額

②「**特定役員退職手当等**」（＝役員等勤続年数が５年以下である者が支払を受ける役員退職金）は２分の１の計算はしない。

手順２ 下の表に当てはめて税額を算出する

税額速算表	
課税退職所得金額（A）	税額
195万円以下	〔（A）×5%〕×102.1%
195万円超　330万円以下	〔（A）×10%－97,500円〕×102.1%
330万円超　695万円以下	〔（A）×20%－427,500円〕×102.1%
695万円超　900万円以下	〔（A）×23%－636,000円〕×102.1%
900万円超　1,800万円以下	〔（A）×33%－1,536,000円〕×102.1%
1,800万円超　4,000万円以下	〔（A）×40%－2,796,000円〕×102.1%
4,000万円超	〔（A）×45%－4,796,000円〕×102.1%

※（A）の金額に1,000円未満の端数があるときは切り捨てる
※計算例は155ページ

退職金支給から納付までの手続き

退職金支給に関する事務手続き

退職金を支給する際には、以下を控除します。

- 前ページの計算式に基づいて計算した所得税
- 155ページの計算例に基づいて計算した住民税

ただし、この控除だけですませるためには「**退職所得の受給に関する申告書**」を退職者に記入してもらい、退職金の支払時までに提出してもらわなければなりません。

この申告書の提出を受け、上記の税金を控除して支払えば、基本的には退職金に関する税金の課税関係は終了（退職者は確定申告不要）となります。申告書は、特に提出を求められた場合以外は、会社で保管しておきます。

しかし、この申告書の提出がない場合は退職金総額の一律20・42％の所得税を源泉徴収して、退職後に退職者自身で確定申告してもらうことになります。

なお、申告書の提出がない場合においても住民税の関係においては、申告書の提出があったものと同様に行うこととなっています。

納付は翌月10日まで

退職金支給の際に源泉徴収した所得税は、通常の給与から徴収した源泉所得税と同様に徴収した月の翌月10日までに納付します。

源泉所得税の**納期の特例**の承認を受けている場合については7月10日または1月20日までに納付

＊ 退職所得《たいしょくしょとく》の受給《じゅきゅう》に関《かん》する申告書《しんこくしょ》 ＊

○ 年 11 月 24 日 芝 税務署長 殿 ／ 江東区 市町村長 殿	年分　退職所得の受給に関する申告書　兼　退職所得申告書

退職手当の支払者の			あなたの		
	所在地（住所）	〒105-0004 東京都港区新橋○-○-○		現住所	〒136-0076 東京都江東区南砂○-○-○
	名称（氏名）	さくら商事 株式会社		氏名	大川 守男
	法人番号（個人番号）	※提出を受けた退職手当の支払者が記載してください。 987654×××××××		個人番号	12345×××××××
				その年1月1日現在の住所	

A　このA欄には、全ての人が、記載してください。（あなたが、前に退職手当等の支払を受けたことがない場合には、下のB以下の各欄には記載する必要がありません。）

項目	内容
① 退職手当等の支払を受けることとなった年月日	○ 年 11 月 20 日
② 退職の区分等	＜一般・障害の区分＞ （一般）・障害［　　］ ＜生活扶助の有無＞ 有・（無）

③ この申告書の提出先から受ける退職手当等についての勤続期間	有無	期間	年
③ この申告書の提出先から受ける退職手当等についての勤続期間		自 平成○ 年 10 月 1 日 至 令和○ 年 11 月 20 日	22 年
うち 特定役員等勤続期間	有・無	自 年 月 日 至 年 月 日	年
うち 一般勤続期間との重複勤続期間	有・無	自 年 月 日 至 年 月 日	年
うち 短期勤続期間との重複勤続期間	有・無	自 年 月 日 至 年 月 日	年
うち 短期勤続期間	有・無	自 年 月 日 至 年 月 日	年

勤続年数は1年未満の端数切上げ

B　あなたが本年中に他にも退職手当等の支払を受けたことがある場合には、このB欄に記載してください。

項目	有無	期間	年
④ 本年中に支払を受けた他の退職手当等についての勤続期間		自 年 月 日 至 年 月 日	
うち 特定役員等勤続期間	有・無	自 年 月 日 至 年 月 日	年
うち 短期勤続期間	有・無	自 年 月 日 至 年 月 日	年
⑤ ③と④の通算勤続期間		自 年 月 日 至 年 月 日	年
うち 特定役員等勤続期間	有・無	自 年 月 日 至 年 月 日	年
うち 一般勤続期間との重複勤続期間	有・無	自 年 月 日 至 年 月 日	年
うち 短期勤続期間との重複勤続期間	有・無	自 年 月 日 至 年 月 日	年
うち 全重複勤続期間	有・無	自 年 月 日 至 年 月 日	年
うち 短期勤続期間	有・無	自 年 月 日 至 年 月 日	年
うち 一般勤続期間との重複勤続期間	有・無	自 年 月 日 至 年 月 日	年

C　あなたが前年以前4年内（その年に確定拠出年金法に基づく老齢給付金として支給される一時金の支払を受ける場合には、19年内）に退職手当等の支払を受けたことがある場合には、このC欄に記載してください。

項目	有無	期間	年
⑥ 前年以前4年内（その年に確定拠出年金法に基づく老齢給付金として支給される一時金の支払を受ける場合には、19年内）の退職手当等についての勤続期間		自 年 月 日 至 年 月 日	
⑦ ③又は⑤の勤続期間のうち、⑥の勤続期間と重複している期間		自 年 月 日 至 年 月 日	年
㋑ うち 特定役員等勤続期間との重複勤続期間	有・無	自 年 月 日 至 年 月 日	年
㋺ うち 短期勤続期間との重複勤続期間	有・無	自 年 月 日 至 年 月 日	年

D　A又はBの退職手当等についての勤続期間のうちに、前に支払を受けた退職手当等についての勤続期間の全部又は一部が通算されている場合には、その通算された勤続期間等について、このD欄に記載してください。

項目	有無	期間	年
⑧ Aの退職手当等についての勤続期間(③)に通算された前の退職手当等についての勤続期間		自 年 月 日 至 年 月 日	年
うち 特定役員等勤続期間	有・無	自 年 月 日 至 年 月 日	年
うち 短期勤続期間	有・無	自 年 月 日 至 年 月 日	年
⑨ Bの退職手当等についての勤続期間(④)に通算された前の退職手当等についての勤続期間		自 年 月 日 至 年 月 日	年
うち 特定役員等勤続期間	有・無	自 年 月 日 至 年 月 日	年
うち 短期勤続期間	有・無	自 年 月 日 至 年 月 日	年
⑩ ③又は⑤の勤続期間のうち、⑧又は⑨の勤続期間だけからなる部分の期間		自 年 月 日 至 年 月 日	年
㋩ うち 特定役員等勤続期間	有・無	自 年 月 日 至 年 月 日	年
㊁ うち 短期勤続期間	有・無	自 年 月 日 至 年 月 日	年
⑪ ⑦と⑩の通算期間		自 年 月 日 至 年 月 日	年
㋭ うち ㋑と㋩の通算期間		自 年 月 日 至 年 月 日	年
㋬ うち ㋺と㊁の通算期間		自 年 月 日 至 年 月 日	年

E　B又はCの退職手当等がある場合には、このE欄にも記載してください。

区分		退職手当等の支払を受けることとなった年月日	収入金額（円）	源泉徴収税額（円）	特別徴収税額 市町村民税（円）	特別徴収税額 道府県民税（円）	支払を受けた年月日	退職の区分	支払者の所在地（住所）・名称（氏名）
B	一般	・　・					・　・	一般 障害	
B	特定役員	・　・					・　・	一般 障害	
B	短期	・　・					・　・	一般 障害	
C		・　・					・　・	一般 障害	

03.12 改正　　（規格A4）

することになります。

退職金支給の際に特別徴収した住民税については、退職者が退職手当等の支払いを受けるべき日（通常は退職日）の属する1月1日現在における退職者の住所が所在する市区町村に、翌月10日までに納付することになっています。

退職者に源泉徴収票を渡す

「退職所得の源泉徴収票」を作成し退職者に交付します。会社その他の法人の役員に対する源泉徴収票は税務署および市区町村に提出します。

税務署への提出期限は退職後1か月以内となっていますが、1年分をまとめて翌年1月31日までに提出してもかまいません。

市区町村への提出については、退職した年の1月1日現在の退職者の住所地の市区町村に退職後1か月以内に提出します。

＊ 源泉徴収票《げんせんちょうしゅうひょう》 ＊

●給与所得の源泉徴収票

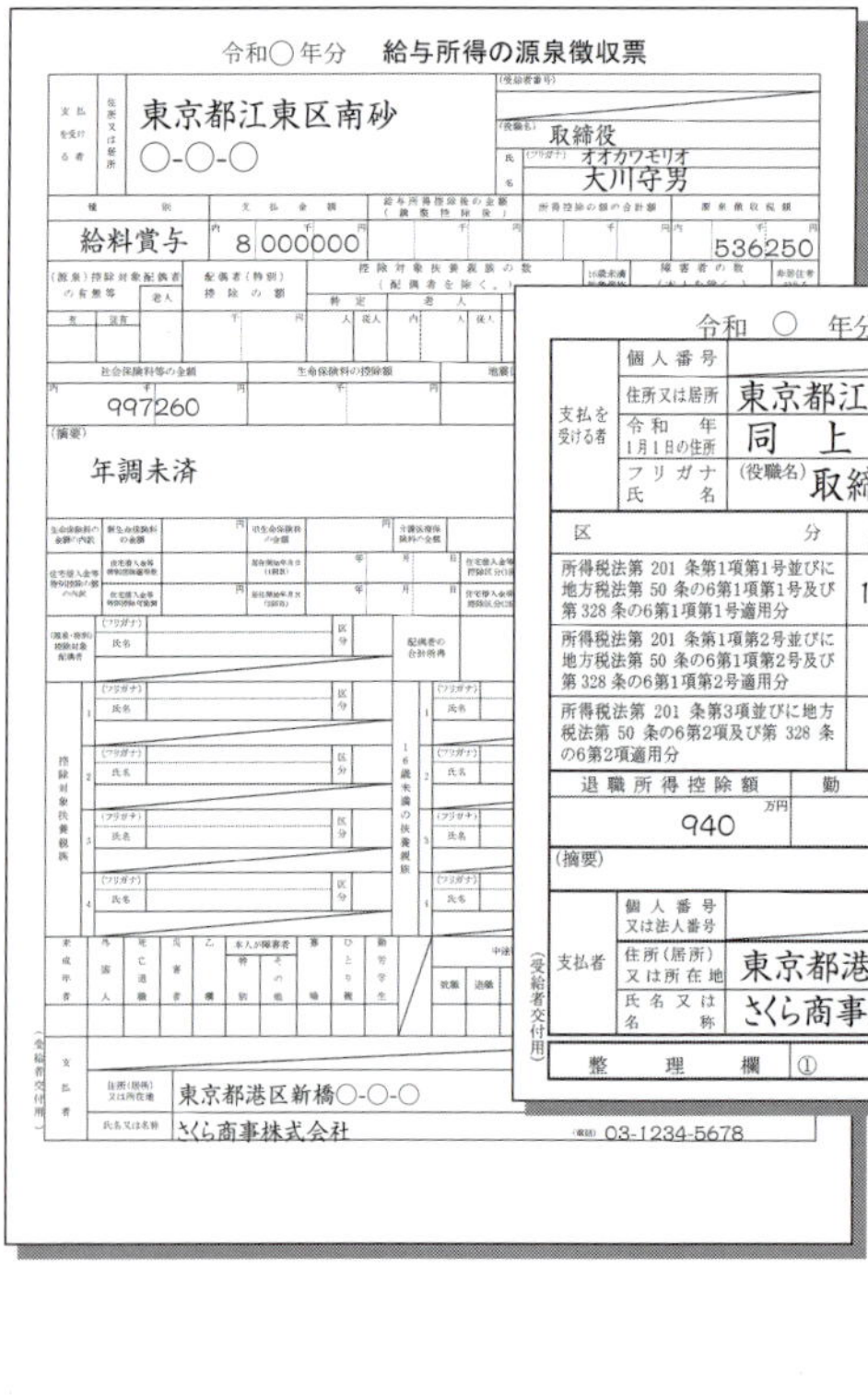

令和○年分　給与所得の源泉徴収票

項目	記載内容
支払を受ける者　住所又は居所	東京都江東区南砂○-○-○
(役職名)	取締役
氏名 (フリガナ)	オオカワモリオ
氏名	大川守男
種別	給料賞与
支払金額	8 000000
源泉徴収税額	536250
社会保険料等の金額	997260
(摘要)	年調未済
支払者　住所(居所)又は所在地	東京都港区新橋○-○-○
氏名又は名称	さくら商事株式会社　(電話) 03-1234-5678

●退職所得の源泉徴収票

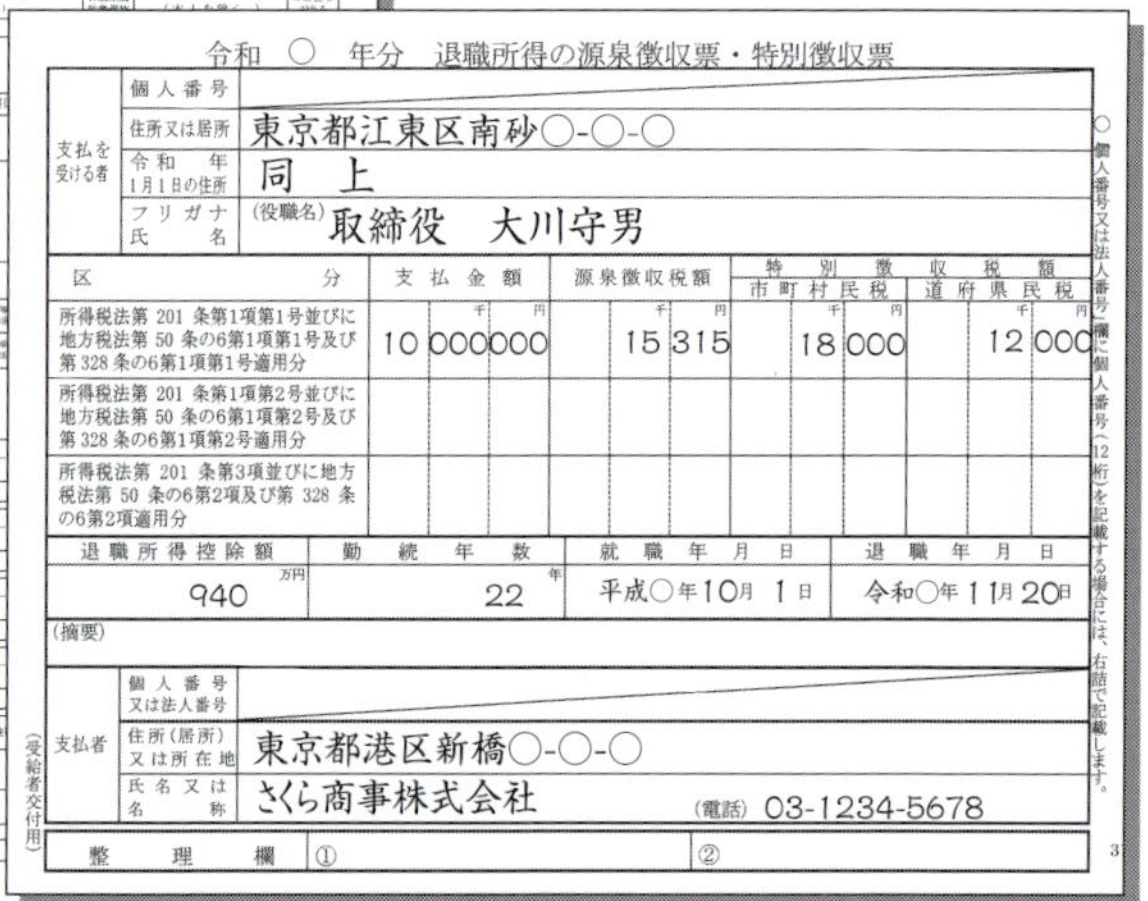

令和　○　年分　退職所得の源泉徴収票・特別徴収票

支払を受ける者		
	個人番号	
	住所又は居所	東京都江東区南砂○-○-○
	令和　年1月1日の住所	同　上
	フリガナ 氏名	(役職名) 取締役　大川守男

区分	支払金額	源泉徴収税額	特別徴収税額 市町村民税	特別徴収税額 道府県民税
所得税法第 201 条第1項第1号並びに地方税法第 50 条の6第1項第1号及び第 328 条の6第1項第1号適用分	10 000000	15 315	18 000	12 000
所得税法第 201 条第1項第2号並びに地方税法第 50 条の6第1項第2号及び第 328 条の6第1項第2号適用分				
所得税法第 201 条第3項並びに地方税法第 50 条の6第2項及び第 328 条の6第2項適用分				

退職所得控除額	勤続年数	就職年月日	退職年月日
940万円	22年	平成○年10月1日	令和○年11月20日

(摘要)

支払者		
	個人番号又は法人番号	
	住所(居所)又は所在地	東京都港区新橋○-○-○
	氏名又は名称	さくら商事株式会社　(電話) 03-1234-5678

整理欄　①　②

(受給者交付用)

○「個人番号又は法人番号」欄に個人番号(12桁)を記載する場合には、右詰で記載します。

※源泉徴収票には「税務署提出用」と「受給者交付用」があり、マイナンバーの記載の有無について違いがあるので注意する

＊ 退職所得の計算（住民税）＊

手順1 退職所得金額を求める（151ページ手順1と同じ）

手順2 ①市町村税　　課税退職所得金額×6％

②都道府県民税　課税退職所得金額×4％

＊ 退職所得の税金の計算例 ＊

ケース 勤続年数21年2か月　　退職金支給総額　1,000万円

①退職所得金額を求める

（1,000万円－940万円※）×1/2＝**30万円**（千円未満端数切捨て）

※退職所得控除額（151ページ表より）

800万円＋70万円×（22年－20年）＝940万円

（22年 → 勤続年数21年2か月 →1年未満端数切上げ）

②所得税の計算

30万円×5％×102.1％＝15,315円（1円未満端数切捨て）

▼

これを源泉徴収し、翌月10日まで（納期の特例の場合は7月10日か1月20日まで）に税務署に納付する。

③住民税の計算

（市町村民税）　**30万円**×6％＝18,000円

（都道府県民税）**30万円**×4％＝12,000円

▼

これを源泉徴収し、翌月10日までに1月1日現在の退職者の市区町村に納付する。

30

12月 年末調整の意味

年末調整は会社が代わって行う確定申告

年末調整は給与計算事務の決算

会社が毎月の給与や賞与から源泉徴収している源泉所得税（⬇54ページ）は、概算で差し引いてきたものです。

所得税は暦年（1月1日～12月31日）で計算します。1年間の給与支払総額が確定した時点で、正確な所得税額を算定し、これまで源泉徴収してきた所得税額の合計額と比較して、差額を**追加徴収**または**還付**します。この手続きを年末調整といいます。

年末調整は給与計算事務の決算ともいえ、ほとんどの従業員は確定申告をすることなく、年末調整で所得税の納税を完了します。

年末調整は年末に近い給与・賞与で行う

年末調整は正確な年間の所得税額の算出を目的とするため、1月から12月までの年間給与支給総額が確定した時点で行います。

例えば、12月10日に賞与、25日に給与を支払う場合は、25日に支払う給与の額を見積り計算して10日の賞与で年末調整を行ってもかまいませんが、後日25日に支払う給与が見積額と異なることになった場合には、年末調整をやり直す必要があります。

このような面倒を避けるためには、年末に最も近い支払日の給与・賞与で年末調整を行うのがよいでしょう。ただ、例外として12月以外に年末調整を行うケースもあります（⬇次ページ）。

＊ 年末調整とは ＊

いつ	（原則として）12月の給与または賞与で
だれが	会社が
なにを	国税である所得税を
どのように	1年間の確定した給与総額に基づき算出された税額と毎月の源泉徴収税額との差額を従業員などから徴収または還付する

＊ 毎月の源泉徴収税額と正確な年税額とが異なる主な原因 ＊

年の途中で扶養親族の数に変更があった

各種保険料控除・住宅ローン控除がある

など

年末調整の対象となる給与等

- 基本給や残業代、各種手当など、所得税が課税されるすべての給与・賞与

年末調整の対象とならない給与等

- 非課税扱いとなる一定の通勤手当など（➡45ページ）
- 退職金

＊ 12月以外に行う年末調整 ＊

退職時に行う年末調整

- 年の途中で死亡退職した人
- 著しい心身の障害※のため年の途中で退職した人
- 12月に給与をもらって退職した人
- 年の途中で退職したパートタイマーで本年中の給与総額が103万円以下であり、その後その年に他の勤務先から給与を受ける見込みがない人

※本年中に再就職できないと認められる人に限る

非居住者となったときに行う年末調整

- 年の途中で海外の支店に転勤になるなどの理由で非居住者になった人

国税：国（実務的には税務署）に納める税金のこと。所得税のほか、法人税、消費税などがある。

31

12月 年末調整事務の流れ

年末調整の準備は11月から始める

従業員の協力が必要

年末調整は、給与計算事務の決算です。54ページでも述べたように、会社が毎月の給与から天引きしている**源泉徴収税額**は、あくまで暫定的な金額ですから、正確な所得税額を計算し直さなければなりません。

この所得税額は、扶養親族数や保険加入の有無など諸条件によって変わってきます。

年末調整は、従業員に、これらについて各種申告書を正確に記載・提出してもらい、給与計算事務担当者はこれに基づき手続きを進めていきます。

このように年末調整は、従業員の協力が必要となる手続きです。

事前準備が大事

年末調整事務を効率的に行うためにも十分な準備が必要です。会社の年末調整の準備と事務手続きは、おおむね次ページに紹介した表の流れで行います（日付は参考例）。

ベテランの担当者なら年末調整の事務手続きが頭に入っていますが、はじめての人は、昨年提出された各種申告書や源泉徴収簿などの年末調整資料を前もって確認し、数字を追いかけながら年末調整事務をイメージしておきます。

12月は、給与計算事務担当者にとって非常に忙しい月になります。事前準備を怠らないよう心がけましょう。

＊ 年末調整の準備と業務フロー ＊

例：毎月15日締め、25日払い・12月10日 賞与の場合

11月中旬

税務署から年末調整関係書類一式が送られてくる

●税務署から送られてくる案内に従って、国税庁ホームページから必要な案内や書類をダウンロードする

11月下旬

従業員など年末調整対象者に、

「給与所得者の扶養控除等（異動）申告書」（➡55ページ）

「給与所得者の保険料控除申告書」

（➡181ページ）

「給与所得者の基礎控除申告書 兼 給与所得者の配偶者控除等申告書 兼 所得金額調整控除申告書」

（➡173ページ）を配付する

また、住宅ローン控除を受ける人には、

「給与所得者の住宅借入金等特別控除申告書」（➡188ページ）

の提出を依頼する

●従業員から申告書を順次回収し、記入内容をチェックする

●年末調整をスピーディーに行うために、各種申告書の回収は早めに行う

●給与計算事務担当者への提出期限を区切ることが大切

12月5日

従業員から各種申告書をすべて回収しチェックする

12月10日

冬季賞与の支給

●12月25日支払いの給与を見積もることにより、冬季賞与で年末調整を行うことも可能だが、見積もりと実際支給が違うと年末調整をやり直さなければならなくなるので、通常は最後に支給される給与で年末調整を行う（➡156ページ）

12月15日

12月支払い分給与締日→12月分の給与確定

●この日までに年末調整の計算はほぼ終わらせ、最終的に締日15日に確定した段階で12月分給与を記入しさえすれば年末調整が完成するようにしておく

12月25日

今年最後の給与を支払う

●できれば、今年最後の給与で年末調整結果の還付または徴収を行い、源泉徴収票（受給者交付用）を従業員等に交付する

（源泉所得税の）還付：毎月の給与から天引きした源泉所得税の一部を（取り過ぎた場合に）従業員に返すこと。

32

12月　年末調整の必要がない人

年末調整をする人としない人がいる

年末調整をする人

年末調整は、会社に「給与所得者の扶養控除等（異動）申告書」を提出している人全員について行います。

社長であってもパートタイマーであっても外国人の従業員（注）であっても同じ取り扱いとなります。

（注）外国人労働者で以下の要件を満たす人は日本人労働者と同じ扱い（すなわち、原則として年末調整が必要）になるので注意してください。
●国内に住所を有している人　または、
●引き続いて日本国内に1年以上居所を有することにより居住者になる人

年最初の給与支給までに、甲欄で源泉所得税を計算する人は、「給与所得者の扶養控除等（異動）申告書」は提出してもらっていると思いますが、明らかに1か所のみから給与をもらっている人でこの申告書を未提出の人がいる場合は速やかに提出してもらうよう督促してください。

年末調整の対象とならない人

左ページの表に該当する人は、年末調整の対象となりません。

ただし、その年に他の会社で勤務をしていたが転職し、今の会社に中途入社して年末まで勤務している人は、前職の源泉徴収票の提出があれば、前職と今の会社の給料・賞与を合算して年末調整をすることができます。

前職がある人には、前の職場の源泉徴収票を提出してもらうようにしましょう。

＊年末調整の対象となる人、ならない人＊

年末調整の対象となる人	年末調整の対象とならない人
●1年を通じて勤務している人 ●年の中途で就職し、年末まで勤務している人（前職がある人は前職の源泉徴収票が必要） ●死亡により退職した人など、年末以外に行う年末調整に該当する人（➡157ページ）	●その年の主たる給与の収入金額が2,000万円を超える人 ●2か所以上から給与の支払いを受けている人で、別の会社に「給与所得者の扶養控除等（異動）申告書」を提出している人 ●年末調整を行うときまでに「給与所得者の扶養控除等（異動）申告書」を提出していない人 ●12月の給与をもらわず年の途中で退職した人（ただし年の途中で年末調整をした人は除く） ●非居住者 ●日雇労働者 ●災害により被害を受けて、法律の定めで源泉所得税の徴収猶予または還付を受けた人

＊Column＊

年末調整手続の電子化

従来は扶養控除等申告書などの申告書類、保険料控除証明等はすべて紙で会社に提出することになっていましたが、手続の電子化が進められてきています。

令和3年4月から扶養控除等申告書などの申告書類は電磁的方法による提供を行うための要件として税務署長の承認が不要となるなど、徐々に要件も緩和され使いやすい制度となってきています。

また、令和4年10月から控除証明等の電子データの提出も生命保険料・地震保険料控除などだけでなく、社会保険料控除や小規模企業等掛金控除にも拡大されました。

国はe-Taxの利用やキャッシュレス納付を推奨しており、税務行政のデジタル・トランスフォーメーションはますます進展する方向です。

居住者：国内に住所があり、または現在まで引き続いて１年以上居所（きょしょ）がある人。
居所：居住する場所のこと。

所得税計算のプロセスを理解する

所得税の計算期間は1年

年末調整は会社が従業員に代わって確定申告をしてあげることです。年末調整をするにあたって、まず前提となる基本的な所得税計算のプロセスを理解しましょう。

所得税は個人の1年間の所得に対して課税される国の税金です。その計算期間は暦年（1月1日～12月31日）で、所得が多い人ほど税率が高くなるという超過累進課税となっています。

所得は10種類に分類される

所得税の計算にあたっては所得を10種類に分類します。例えば、自営業者の収入は事業所得、不動産の賃貸収入は不動産所得です。会社からもらう給与や賞与は給与所得に分類され、この給与所得について所得税を計算し精算する手続きが年末調整です。

年末調整も確定申告も所得の計算プロセスは左ページの図のように基本同じです。

控除には所得控除と税額控除がある

年末調整で年税額を計算するためには控除額を計算する必要があります。控除には「**所得控除**」と「**税額控除**」があり、それぞれ年末調整で適用できるものとできないものがあります。

年末調整で適用できない控除を使うには確定申告が必要です。

＊ 所得税計算のプロセス＊

	自営業者	給与所得者	該当ページ
所得の計算	事業収入18,100,000 －必要経費12,000,000 ＝事業所得6,100,000円	給与収入8,000,000 －給与所得控除1,900,000 ＝給与所得6,100,000円 （実際には算出表より計算）	195ページ
所得控除額の計算	社会保険料控除、生命保険料控除、障害者控除、配偶者控除、扶養控除、基礎控除など 合計額2,575,000円		166 ～ 185ページ
課税所得金額の計算	所得金額6,100,000－所得控除額2,575,000 ＝3,525,000円（千円未満端数切捨て）		
税額の計算	税額速算表より税額を算出する 3,525,000×20％－427,500＝277,500円		195ページ
税額控除額の計算	住宅借入金等特別控除など　100,000円		186 ～ 191ページ
差引税額	277,500－100,000＝177,500円		
前払いした税金	予定納税額　200,000円	源泉徴収税額　200,000円	
納税額または還付税額	177,500－200,000＝△22,500円（還付）		

※わかりやすくするために、復興特別所得税の計算は省略している

＊ 年末調整の対象となる控除、ならない控除＊

		所得控除11種類	書類、該当ページ
所得控除	年末調整でできるもの（11種類）	●社会保険料控除 ●小規模企業共済等掛金控除 ●生命保険料控除 ●地震保険料控除	「保険料控除申告書」（➡181ページ）
		●障害者控除 ●寡婦控除・ひとり親控除 ●勤労学生控除 ●扶養控除	「扶養控除等（異動）申告書」（➡55ページ）
		●配偶者控除 ●配偶者特別控除	「配偶者控除等申告書」（➡173ページ）
		●基礎控除	「基礎控除申告書」（➡169ページ）
	年末調整でできないもの（3種類）	●雑損控除 ●医療費控除 ●寄附金控除	
税額控除	年末調整でできるもの（1種類）	●2年目以降の（特定増改築等）住宅借入金等特別控除	「（特定増改築等）住宅借入金等特別控除申告書」（➡188ページ）
	年末調整でできないもの（主なもの）	●1年目の（特定増改築等）住宅借入金等特別控除 ●配当控除 ●政党等寄附金特別控除	

34
12月 年末調整に必要な書類

年末調整に必要な書類を確認する

必要な書類は全部で5種類

年末調整の計算には次ページの表の書類が必要です。「住宅借入金等特別控除申告書」以外の4つの書類は毎年11月ごろ、税務署から会社宛てに年末調整の案内が送られてくるので、その案内に同封の書類をコピーしたり、国税庁ホームページから必要なものを印刷したりして使用します。「住宅借入金等特別控除申告書」は確定申告をした年の年末までに税務署から本人宛てに送付または電子交付されます。

これらの書類は従業員本人に記載してもらうこととなります。事務担当者が記入するのは源泉徴収簿だけで、他の書式については記入漏れ等のチェックをするなどフォロー的なものとなります。

これらの書類はすべて税務署長宛てとなっていますが、会社で保管し、税務調査等の際にはきちんと示せるようにしておきます。

扶養控除等（異動）申告書を確認する

その年の最初の給与の支払いまでに扶養控除等申告書は従業員に記入してもらっていますが、年末調整時にはその申告書を改めて従業員に渡して再度内容を確認してもらいます。

年初に記載してもらったとき所得は見積額で記載してもらっているため、確定した所得で再度要件にあてはまるかの再確認もしてもらいます。同時に来年度の申告書も渡して記載してもらうのも1つの方法です。

＊ 年末調整に必要な書類 ＊

書類名	該当ページ
●源泉徴収簿	165ページ
●扶養控除等（異動）申告書	55ページ
●給与所得者の基礎控除申告書 兼 給与所得者の配偶者控除等申告書 兼 所得金額調整控除申告書	173ページ
●保険料控除申告書	181ページ
●住宅借入金等特別控除申告書	188ページ

＊ 源泉徴収簿と各種申告書の関係 ＊

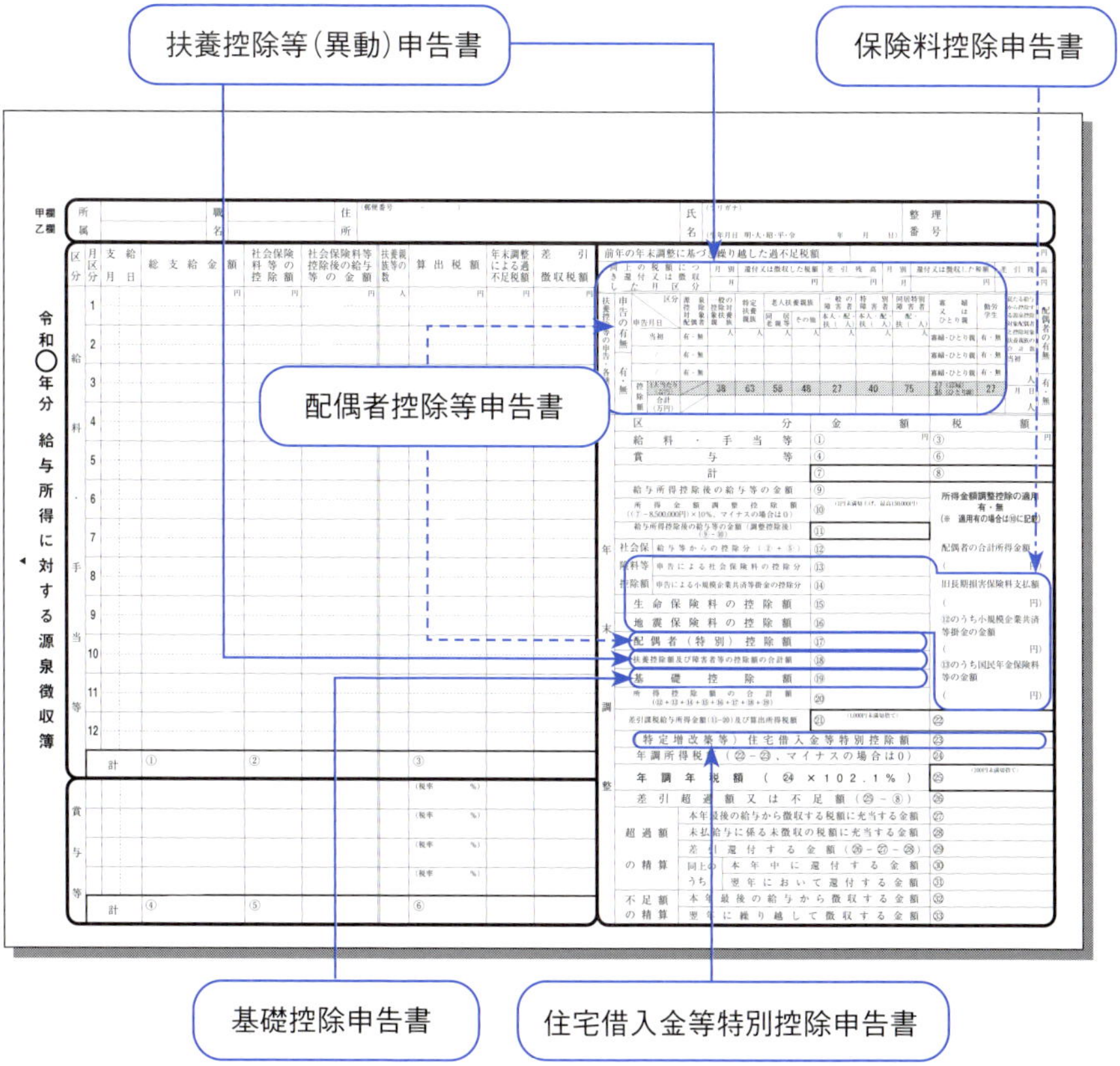

扶養控除等（異動）申告書から計算する

扶養控除などを計算する

従業員から提出された扶養控除等（異動）申告書から該当する控除額を算出します（チェックポイント⬇171ページ、控除額⬇168ページ）。

例えば17歳の子供を扶養しているのなら一般扶養親族として38万円、70歳の親と同居し扶養しているのなら同居老親等として58万円というように扶養控除額を計算します。このときの年齢は、原則としてその年12月31日現在の年齢で判定します。本人や扶養者などが障害者に該当する場合は障害者控除が適用されます。

なお、令和2年より寡婦（夫）控除が寡婦控除・ひとり親控除として改組されました（次ページ参照）。この改正によって、寡婦・ひとり親控除とも合計所得金額が500万円以下で、事実上婚姻関係と同様の事情にあると認められる人がいないことが要件となりました。

このように各要件を確認しながらそれぞれの適用額を人的控除額早見表（⬇168ページ）で該当する控除額を計算していきます。

基礎控除は一律38万円でしたが、令和2年より所得金額に応じて控除額が異なることとなりました（⬇169ページ）。合計所得金額が2400万円以下の人は48万円と控除額が以前より10万円引き上げられていますが、給与所得控除額（⬇195ページ）が10万円引き下げられているため、税負担には変更はないことになります。

＊寡婦・ひとり親控除＊

これまでの制度		令和2年から
同じひとり親でも婚姻歴の有無や男女の間で扱いが異なっていた	→	すべてのひとり親家庭に対して公平な税制支援を行うという観点から改正

◆控除額

配偶関係			死別・生死不明		離別		未婚	
性別			男性	女性	男性	女性	男性	女性
扶養親族	あり	子	35万円	35万円	35万円	35万円	35万円	35万円
		子以外	―	27万円	―	27万円	―	―
	なし		―	27万円	―	―	―	―

※青文字がひとり親控除、それ以外が寡婦控除
※本人の合計所得金額が500万円以下であり、その人と事実上婚姻関係と同様の事情にあると認められる人がいないことが要件

＊Column＊

所得金額調整控除（給与収入850万円超が対象）

令和2年から給与所得控除の上限額が220万円から195万円に引き下げられたことにより、給与収入が850万円を超える人は税負担が増えることになります。そこで、同一世帯内に特別障害者や23歳未満の扶養親族などがいる人については負担増とならないよう、所得金額調整控除が創設されました。この控除を適用するためには、「基礎控除等申告書…」の最下段にある「所得金額調整控除申告書」への記載が必要となります。

●調整額

（給与等の収入金額－850万円）×10％＝給与所得の金額から控除する

└→1,000万円を超える場合は1,000万円

◆給与所得者の基礎控除申告書 兼 給与所得者の配偶者控除等申告書 兼 所得金額調整控除申告書（抜粋）

◆ 所得金額調整控除申告書 ◆ あなたの本年中の年末調整の対象となる給与の収入金額が850万円以下の場合は、記載する必要はありません。

○ 年末調整において所得金額調整控除の適用を受けようとする場合は、「要件」欄の該当する項目にチェックを付け、その項目に応じて「☆扶養親族等」欄及び「★特別障害者」欄にその該当する者について記載してください（該当者が複数人いる場合は、いずれか1名を記載することで差し支えありません。）。
なお、「要件」欄の2以上の項目に該当する場合は、いずれか1つの要件について、チェックを付け記載をすることで差し支えありません。
○ 年末調整における所得金額調整控除の額については給与の支払者が計算しますので、この申告書に所得金額調整控除の額を記載する欄はありません。

要件
□あなた自身が特別障害者 （右の★欄のみを記載）
□同一生計配偶者（注）が特別障害者 （右の☆欄及び★欄を記載）
□扶養親族が特別障害者 （右の☆欄及び★欄を記載）
☑扶養親族が年齢23歳未満（平〇1.2以後生） （右の☆欄のみを記載）

☆扶養親族
（フリガナ）同一生計配偶者又は扶養親族の氏名：コバヤシ　タクミ　小林　巧
左記の者の個人番号：1234××××××××
左記の者の生年月日：明・大・昭・㊥・令 28年 5月20日
あなたと左記の者の住所又は居所が異なる場合の左記の者の住所又は居所
左記の者のあなたとの続柄：子
左記の者の合計所得金額（見積額）：〇円

★特別障害者
特別障害者に該当する事実（裏面「3－2(4)」を参照）
□扶養控除等申告書のとおり

（注）「同一生計配偶者」とは、あなたと生計を一にする配偶者（青色事業専従者として給与の支払を受ける人及び白色事業専従者を除きます。）で、本年中の合計所得金額の見積額が48万円以下（給与所得だけの場合は、給与の収入金額が103万円以下）の人をいいます。

要件を確認

◆源泉徴収簿（抜粋）

区分		金額	税額
給料・手当等		① 円	③ 円
賞与等		④	⑥
計		⑦	⑧
給与所得控除後の給与等の金額		⑨	所得金額調整控除の適用 有・無 （※ 適用有の場合は⑩に記載）
所得金額調整控除額（（⑦－8,500,000円）×10％、マイナスの場合は0）		⑩ （1円未満切上げ、最高150,000円）	
給与所得控除後の給与等の金額（調整控除後）（⑨－⑩）		⑪	
社会保険料等	給与等からの控除分（②＋⑤）	⑫	配偶者の合計所得金額
	申告による社会保険料の控除分	⑬	（　　円）

基礎控除申告書を書く

基礎控除申告書の記載が必要

令和2年から基礎控除が大きく変わりました。**合計所得金額が2500万円までの人が対象となり、控除金額も3段階**となりました。適用を受けるためには基礎控除申告書の記載が必要です。

記載方法は、左のページを参照してください。給与以外の所得がある人はその他の所得についても記載が必要です。合計所得金額から、あてはまる基礎控除額を判定します。

なお、年末調整時はあくまで見積もりの年収によって所得金額を計算しているため、見積もりと実際の所得金額が異なることとなる場合は、再度年末調整をやり直す必要があります。

＊ 人的控除額早見表 ＊

《本人に関する控除》

区分	控除額
寡婦	27万円
ひとり親	35万円
勤労学生	27万円

《扶養控除》

区分			控除額
(一般) 扶養親族	16歳以上18歳以下		38万円
特定扶養親族	19歳以上23歳未満		63万円
(一般) 扶養親族	23歳以上69歳以下		38万円
老人扶養親族	70歳以上		48万円
		同居老親等	58万円

《障害者控除》 本人、同一生計配偶者※、扶養親族が障害者にあてはまるとき

区分	控除額
障害者	27万円
特別障害者	40万円
同居特別障害者	75万円

※同一生計配偶者とは、生計を一にする配偶者のうち合計所得金額が48万円以下である者をいう (→58ページ)

＊ 基礎控除申告書 ＊

記載例：給与収入 900 万円、不動産所得 30 万円の場合

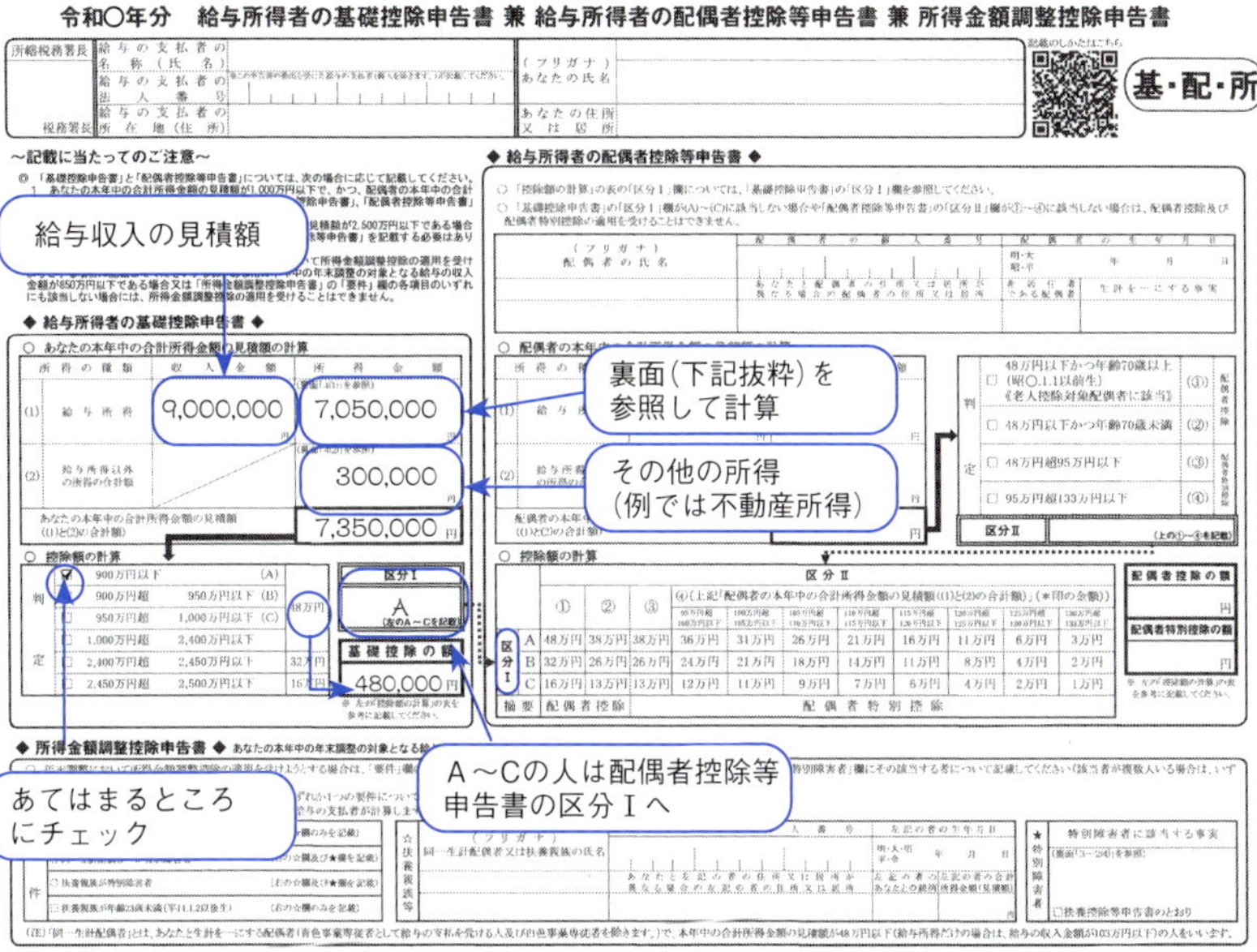

◆裏面抜粋

【給与所得の金額の計算方法】

給与所得の金額は、給与の収入金額から給与所得控除額を控除した残額とされており、次の表により求めた金額となります。

給与の収入金額(ⓐ)	給与所得の金額
1円以上　550,999円以下	0円＝所得金額
551,000円以上　1,618,999円以下	(ⓐ)－550,000円＝所得金額
1,619,000円以上　1,619,999円以下	1,069,000円＝所得金額
1,620,000円以上　1,621,999円以下	1,070,000円＝所得金額
1,622,000円以上　1,623,999円以下	1,072,000円＝所得金額
1,624,000円以上　1,627,999円以下	1,074,000円＝所得金額
1,628,000円以上　1,799,999円以下	①：(ⓐ)÷4（千円未満切捨て）＝(ⓑ)　⇒　②：(ⓑ)×2.4＋100,000円＝所得金額
1,800,000円以上　3,599,999円以下	①：(ⓐ)÷4（千円未満切捨て）＝(ⓑ)　⇒　②：(ⓑ)×2.8－ 80,000円＝所得金額
3,600,000円以上　6,599,999円以下	①：(ⓐ)÷4（千円未満切捨て）＝(ⓑ)　⇒　②：(ⓑ)×3.2－440,000円＝所得金額
6,600,000円以上　8,499,999円以下	(ⓐ)×90%－1,100,000円＝所得金額
8,500,000円以上	(ⓐ)－1,950,000円＝所得金額

※上記は給与所得の抜粋。年金（雑所得）や事業・不動産所得など、それぞれ記載の計算方法に従う。

＊ 基礎控除額 ＊

合計所得金額	控除額
2,400万円以下	48万円
2,400万円超　2,450万円以下	32万円
2,450万円超　2,500万円以下	16万円
2,500万円超	適用なし

＊ 山口さんのケース ＊

（本人がひとり親、16歳未満の扶養親族あり）

令和◯年分　給与所得者の扶養控除等（異動）申告書

（扶）

所轄税務署長等 / 税務署長 / 市区町村長	給与の支払者の名称（氏名）	（フリガナ）あなたの氏名	あなたの生年月日　明・大・昭・平・令　年　月　日
	給与の支払者の法人（個人）番号	あなたの個人番号	世帯主の氏名 / あなたとの続柄
	給与の支払者の所在地（住所）	あなたの住所又は居所（郵便番号　－　）	配偶者の有無　有・無

従たる給与についての扶養控除等申告書の提出

あなたに源泉控除対象配偶者、障害者に該当する同一生計配偶者及び扶養親族がなく、かつ、あなた自身が障害者、寡婦、ひとり親又は勤労学生のいずれにも該当しない場合には、以下の各欄に記入する必要はありません。

区分等	（フリガナ）氏名	個人番号 / あなたとの続柄	生年月日	老人扶養親族（令◯1.1以前生）/ 特定扶養親族（平◯12.1～平◯11.1生）	令和◯年中の所得の見積額	非居住者である親族 / 生計を一にする事実	住所又は居所	異動月日及び事由
A 源泉控除対象配偶者（注1）			明・大・昭・平		円	16歳以上30歳未満又は70歳以上 / 留学		
B 控除を受ける扶養親族等			明・大・昭・平	□同居老親等 □その他 □特定扶養親族	円	16歳以上30歳未満又は70歳以上 / 留学 / 障害者 / 38万円以上の支払		

C 障害者、寡婦、ひとり親又は勤労学生	□障害者	区分（一般の障害者 / 特別障害者 / 同居特別障害者）	本人	同一生計配偶者	扶養親族	□寡婦 / ☑ひとり親 / □勤労学生	障害者又は勤労学生の内容	異動月日及び事由

（注）1　源泉控除対象配偶者とは、所得者（令和◯年中の所得の見積額が900万円以下の人に限ります。）と生計を一にする配偶者（青色事業専従者として給与の支払を受ける人及び白色事業専従者を除きます。）で、令和◯年中の所得の見積額が95万円以下の人をいいます。
2　同一生計配偶者とは、所得者と生計を一にする配偶者（青色事業専従者として給与の支払を受ける人及び白色事業専従者を除きます。）で、令和◯年中の所得の見積額が48万円以下の人をいいます。

D 他の所得者が控除を受ける扶養親族等	氏名	あなたとの続柄	生年月日	住所又は居所	控除を受ける他の所得者（氏名 / あなたとの続柄 / 住所又は居所）	異動月日及び事由

○住民税に関する事項（この欄は、地方税法第45条の3の2及び第317条の3の2に基づき、給与の支払者を経由して市区町村長に提出する給与所得者の扶養親族申告書の記載欄を兼ねています。）

	（フリガナ）氏名	個人番号	あなたとの続柄	生年月日	住所又は居所	控除対象外国外扶養親族	令和◯年中の所得の見積額	異動月日及び事由
16歳未満の扶養親族（平◯.1.2以後生） 1	ヤマグチノゾム 山口 望	12345××××××××	子	平28・11・26	東京都港区高輪○-○-○		0円	
2				平・令			円	

退職手当等を有する配偶者・扶養親族	（フリガナ）氏名	個人番号	あなたとの続柄	生年月日	住所又は居所	非居住者である親族	令和◯年中の所得の見積額	配偶者の区分	異動月日及び事由

令和◯年分　給与所得者の基礎控除申告書 兼 給与所得者の配偶者控除等申告書 兼 所得金額調整控除申告書

（基・配・所）

所轄税務署長 / 税務署長	給与の支払者の名称（氏名）/ 給与の支払者の法人番号 / 給与の支払者の所在地（住所）	（フリガナ）あなたの氏名 / あなたの住所又は居所

～記載に当たってのご注意～

◆ 給与所得者の基礎控除申告書 ◆

○ あなたの本年中の合計所得金額の見積額の計算

	所得の種類	収入金額	所得金額
(1)	給与所得	4,000,000	2,760,000
(2)	給与所得以外の所得の合計額		0
	あなたの本年中の合計所得金額の見積額（(1)と(2)の合計額）		2,760,000円

○ 控除額の計算

判定			区分Ⅰ
☑	900万円以下	(A)	A
□	900万円超 950万円以下	(B)	
□	950万円超 1,000万円以下	(C)	
□	1,000万円超 2,400万円以下	48万円	
□	2,400万円超 2,450万円以下	32万円	基礎控除の額
□	2,450万円超 2,500万円以下	16万円	480,000円

◆ 給与所得者の配偶者控除等申告書 ◆

○ 配偶者の本年中の合計所得金額の見積額の計算

	所得の種類	収入金額	所得金額
(1)	給与所得		
(2)	給与所得以外の所得の合計額		
	配偶者の本年中の合計所得金額の見積額（(1)と(2)の合計額）		

判定		
□	48万円以下かつ年齢70歳以上	(①)
□	48万円以下かつ年齢70歳未満	(②)
□	48万円超95万円以下	(③)
□	95万円超133万円以下	(④)

○ 控除額の計算

区分Ⅰ	①	②	③	95万円超100万円以下	100万円超105万円以下	105万円超110万円以下	110万円超115万円以下	115万円超120万円以下	120万円超125万円以下	125万円超130万円以下	130万円超133万円以下
A	48万円	38万円	38万円	36万円	31万円	26万円	21万円	16万円	11万円	6万円	3万円
B	32万円	26万円	26万円	24万円	21万円	18万円	14万円	11万円	8万円	4万円	2万円
C	16万円	13万円	13万円	12万円	11万円	9万円	7万円	6万円	4万円	2万円	1万円
摘要	配偶者控除			配偶者特別控除							

配偶者控除の額　円 / 配偶者特別控除の額　円

令和◯年分　給与所得に対する源泉徴収簿

区分	月区分	支給月日	総支給金額	社会保険料等の控除額	社会保険料等控除後の給与等の金額	扶養親族等の数	算出税額	年末調整による過不足税額	差引徴収税額
給料・手当等	1								
	2								
	3								
	4								
	5								
	6								
	7								
	8								
	9								
	10								
	11								
	12								

扶養控除等の申告（有）…… 寡婦・ひとり親（ひとり親に○）　人的控除の合計額：35（万円）

年末調整	区分	金額	税額
	給料・手当等	①	③
	賞与等	④	⑥
	計	⑦	⑧
	給与所得控除後の給与等の金額	⑨	
	所得金額調整控除額	⑩	
	給与所得控除後の給与等の金額（調整控除後）	⑪	
	社会保険料等控除額　給与等からの控除分	⑫	
	申告による社会保険料の控除分	⑬	
	申告による小規模企業共済等掛金の控除分	⑭	
	生命保険料の控除額	⑮	
	地震保険料の控除額	⑯	
	配偶者（特別）控除額	⑰	
	扶養控除額及び障害者等の控除額の合計額	⑱ 350,000	
	基礎控除額	⑲ 480,000	
	所得控除額の合計額	⑳	
	差引課税給与所得金額及び算出所得税額	㉑	㉒
	（特定増改築等）住宅借入金等特別控除額		㉓

「人的控除額早見表」より
ひとり親　350,000円

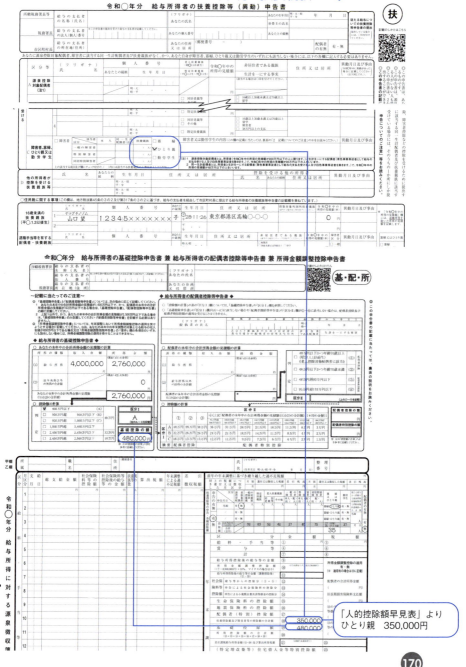

＊ 控除対象となる人のチェックポイント（配偶者以外）＊

区分	内容	チェックポイント
扶養親族	合計所得金額が48万円（給与収入103万円以下）の生計を一にする親族	●扶養控除等（異動）申告書に記載された続柄により親族に該当するか確認する ●親族にはいわゆる里子や養護老人を含む
控除対象扶養親族	扶養親族のうち16歳以上の人	●扶養控除等（異動）申告書に記載された続柄・生年月日により確認する
特定扶養親族	控除対象扶養親族のうち19歳以上23歳未満の人	
老人	控除対象扶養親族のうち70歳以上の人	
同居老親等	老人扶養親族のうち本人または配偶者の直系尊属（父母や祖父母など）で同居を常況としている人	●扶養控除等（異動）申告書に記載された住所やチェック欄で確認する
同居特別障害者	同一生計配偶者または扶養親族のうち同居を常況としている特別障害者	●特別障害者に該当するか、同居しているかを扶養控除等（異動）申告書の記載内容により確認する
障害者	本人、同一生計配偶者又は扶養親族で障害者手帳を持っているなど一定の要件を満たす人	●扶養控除等（異動）申告書に記載された障害者等の内容の記載により確認する
特別障害者	障害者のうち特に障害の程度が高い人で一定の要件を満たす人	
寡婦	・夫と離婚した後婚姻していない人で、扶養親族を有するなど一定の要件を満たす人 ・夫と死別した後婚姻をしていない人、または夫の生死が不明の人 ※いずれも合計所得金額が500万円以下で、事実上婚姻関係と同様の事情にあると認められる人がいないこと	●合計所得金額が500万円以下か確認する
ひとり親	現に婚姻をしていない人または配偶者の生死が不明の人で生計一の子（所得金額が48万円以下）を有する人 ※合計所得金額が500万円以下で、事実上婚姻関係と同様の事情にあると認められる人がいないこと	
勤労学生	大学生、高校生、専修学校生などで、合計所得金額が75万円（給与収入130万円）以下などの一定の要件を満たす人	●専修学校生、訓練生などの場合、学校などが発行した証明書の添付が必要

※年齢等は原則年末現在の現況で判断する
※扶養親族等が外国に居住している場合は「親族関係書類」「送金関係書類」が必要

37

配偶者控除等申告書を書く

配偶者（特別）控除を受けるために必要

年末調整で配偶者（特別）控除を受けるには「配偶者控除等申告書」が必要です。この控除を受けるには、まず給与の支払いを受ける本人の所得が１０００万円（給与収入だけの場合は年収１１９５万円）以下である必要があります。

給与の支払いを受ける従業員本人の所得と配偶者の所得金額によって、配偶者（特別）控除の金額が変わります。

配偶者控除等申告書の記載方法

この用紙には３つの申告書がありますが、配偶者（特別）控除で必要な箇所は、給与の支払いを受ける本人のことを記載する「基礎控除申告書❶」と配偶者のことを記載する「配偶者控除等申告書❷」です。まず、❶の部分を記載し、本人の所得金額に応じて区分Ⅰを判定します。配偶者（特別）控除を受けるためには合計所得金額１０００万円以下が要件ですから、区分Ⅰが（A）～（C）に該当することが必要となります。

収入と所得は違う（⬇57ページ）ので計算には注意が必要ですが、裏面にそれぞれの所得金額の算出方法について記載されています。手順に従って記載すれば適用される控除と控除額が算出されます。控除できる金額は１７５ページのとおりです。

なお、配偶者の年齢が70歳以上の場合は老人控除対象配偶者として控除金額が加算されます。

＊ 給与所得者の基礎控除申告書 兼 給与所得者の配偶者控除等申告書 兼 所得金額調整控除申告書 ＊

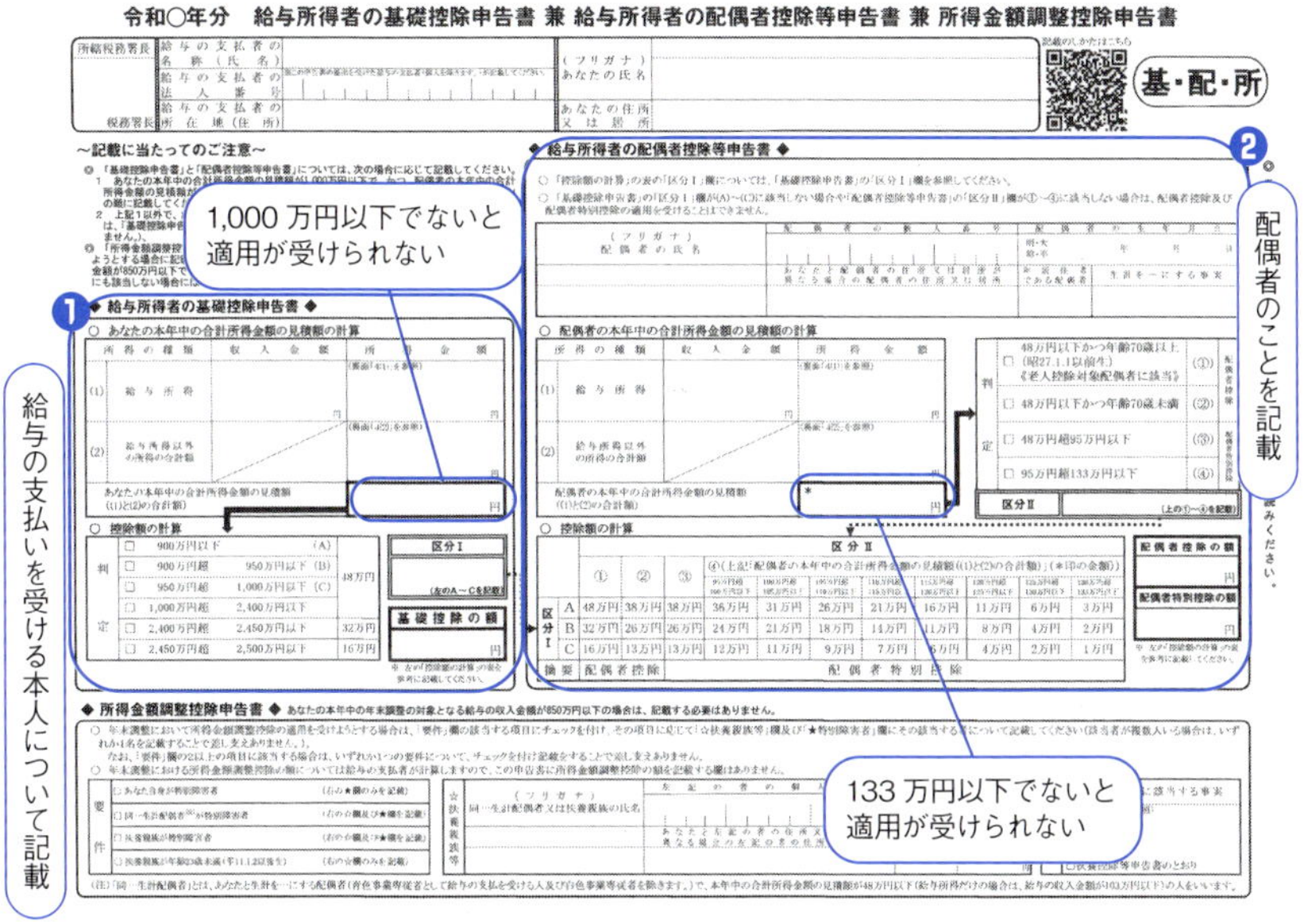

＊ 給与所得者の配偶者控除等申告書 ＊

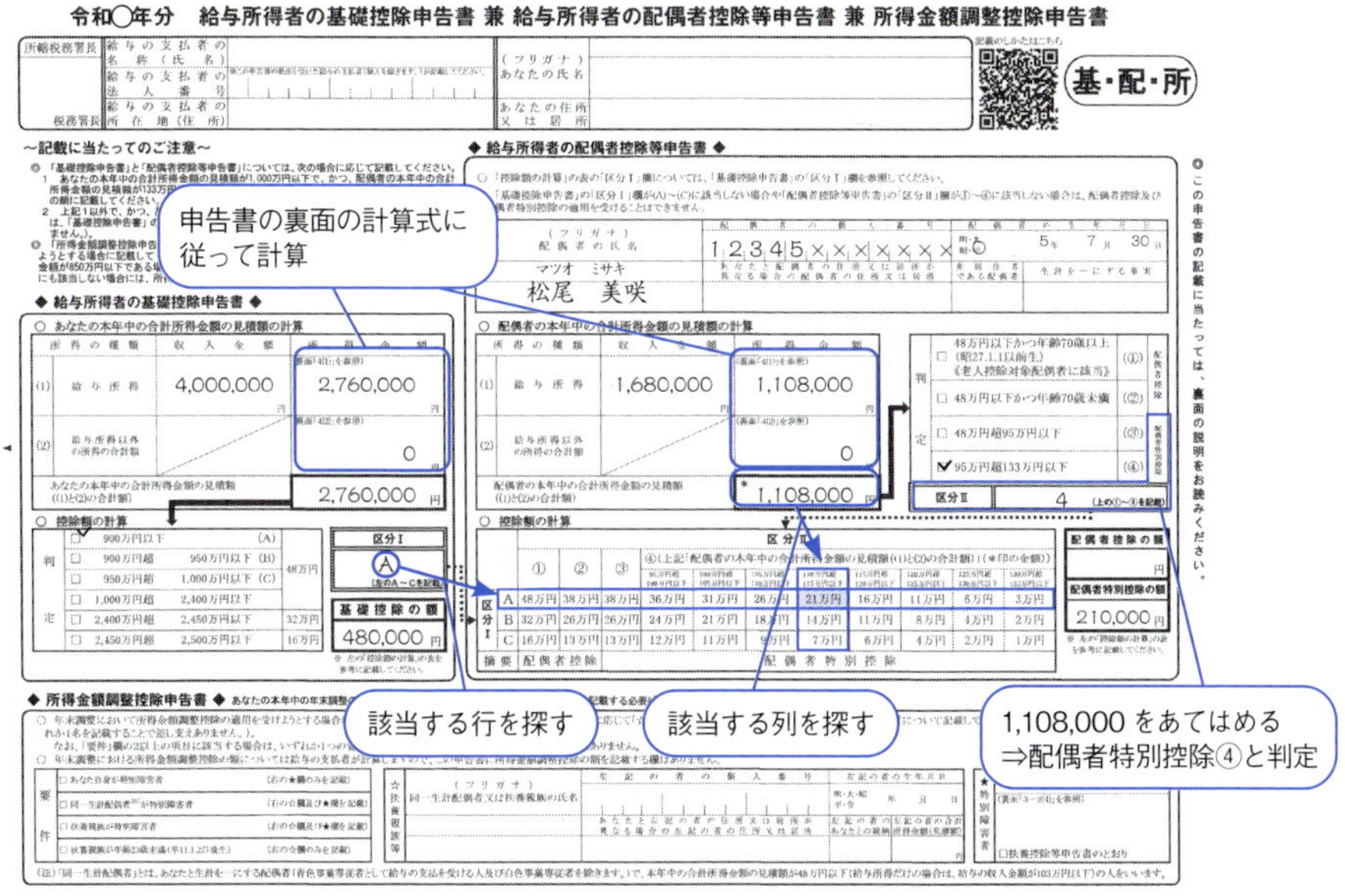

障害者に該当する場合には注意

配偶者控除・配偶者特別控除は給与の支払いを受ける本人の所得が１０００万円以下でないと適用することができません。

よく誤りやすいケースとして配偶者が障害者であるときに障害者控除の適用が漏れることがあります。

配偶者が障害者である場合、まず配偶者の合計所得金額をチェックします。その金額が48万円（給与収入のみの場合年収１０３万円）以下なら、給与の支払いを受ける本人の所得が１０００万円を超えていても障害者控除は受けられます。

一方、配偶者の所得が48万円超であれば、源泉控除対象配偶者となっていても、障害者控除は受けることはできません。

下表に配偶者の取り扱いについて再度まとめましたので確認してください。

＊ 配偶者まとめ ＊

	給与所得者本人の合計所得金額	配偶者の合計所得金額	取り扱い
「同一生計配偶者」	制限なし	48万円以下	障害者であるときには障害者控除を適用
「控除対象配偶者」	1,000万円以下	48万円以下	配偶者控除を適用
配偶者特別控除の対象者	1,000万円以下	48万円超 133万円以下	配偶者特別控除を適用
（参考） 源泉控除対象配偶者	900万円以下※	95万円以下	給与支払時に扶養親族等の数を1人追加する（➡58ページ）

※本人の合計所得金額が900万円を超えると、給与計算時の源泉徴収税額には反映されないが、1,000万円以下であれば年末調整で配偶者控除・配偶者特別控除が適用できる

＊ 配偶者控除・配偶者特別控除の控除額 ＊

	配偶者の合計所得金額（下段は給与収入の場合）	本人の合計所得金額（下段は給与収入の場合）		
		900万円以下（1,095万円以下）	900万円超950万円以下（1,095万円超1,145万円以下）	950万円超1,000万円以下（1,145万円超1,195万円以下）
配偶者控除	48万円以下（1,030,000円以下）	38万円	26万円	13万円
配偶者控除	老人控除対象配偶者	48万円	32万円	16万円
配偶者特別控除	48万円超95万円以下（1,030,000円超1,500,000円以下）	38万円	26万円	13万円
配偶者特別控除	95万円超100万円以下（1,500,000円超1,550,000円以下）	36万円	24万円	12万円
配偶者特別控除	100万円超105万円以下（1,550,000円超1,600,000円以下）	31万円	21万円	11万円
配偶者特別控除	105万円超110万円以下（1,600,000円超1,667,999円以下）	26万円	18万円	9万円
配偶者特別控除	110万円超115万円以下（1,667,999円超1,751,999円以下）	21万円	14万円	7万円
配偶者特別控除	115万円超120万円以下（1,751,999円超1,831,999円以下）	16万円	11万円	6万円
配偶者特別控除	120万円超125万円以下（1,831,999円超1,903,999円以下）	11万円	8万円	4万円
配偶者特別控除	125万円超130万円以下（1,903,999円超1,971,999円以下）	6万円	4万円	2万円
配偶者特別控除	130万円超133万円以下（1,971,999円超2,015,999円以下）	3万円	2万円	1万円
配偶者特別控除	133万円超（2,015,999円超）	0円	0円	0円

※内縁関係の人は含まない

Column

令和２年の大改正

令和２年、給与所得控除額と基礎控除などが改正されました。

給与所得控除額は一律10万円引き下げられました（最低額も65万円から55万円へ変更）。また、年収が850万円超の場合の上限は195万円となりました。

基礎控除は一律38万円でしたが、所得金額に応じて４段階となりました（→169ページ）。年収850万円以下の人は、給与所得控除額が10万円減額される分、基礎控除が10万円増額されるので税負担に影響はありませんが、高額所得者は増税となります。

合計所得金額：以下の所得の合計額をいう。
●総所得（事業、給与、不動産所得など）金額（純損失と雑損失の繰越控除の規定を適用しないで計算）●分離短期譲渡所得金額（特別控除前）●分離長期譲渡所得金額（特別控除前）●株式等にかかる譲渡所得等の金額（ただし、特定口座で源泉徴収ありを選択し、確定申告を省略する場合は除く）●山林所得金額（特別控除後）●退職所得金額（２分の１後）

＊ 竹中さんのケース ＊

（配偶者控除あり、一般扶養親族あり、16歳未満の扶養親族あり）

令和○年分　給与所得者の基礎控除申告書 兼 給与所得者の配偶者控除等申告書 兼 所得金額調整控除申告書

所轄税務署長　芝　税務署長	給与の支払者の名称（氏名）	さくら商事株式会社	（フリガナ）	タケナカイチロウ
	給与の支払者の法人番号	987654×××××××	あなたの氏名	竹中一郎
	給与の支払者の所在地（住所）	東京都港区新橋○-○-○	あなたの住所又は居所	東京都中野区中野○-○-○

（基・配・所）

〜記載に当たってのご注意〜

竹中一郎本人の年収見積

申告書裏面の計算式に従って計算

竹中さゆりの年収見積

◆ 給与所得者の基礎控除申告書 ◆

○ あなたの本年中の合計所得金額の見積額の計算

所得の種類	収入金額	所得金額
(1) 給与所得	5,000,000円	3,560,000円
(2) 給与所得以外の所得の合計額		0円
あなたの本年中の合計所得金額の見積額（(1)と(2)の合計額）		3,560,000円

○ 控除額の計算

判定			区分Ⅰ
☑ 900万円以下 (A)		48万円	A
□ 900万円超 950万円以下 (B)			基礎控除の額
□ 950万円超 1,000万円以下 (C)			480,000円
□ 1,000万円超 2,400万円以下			
□ 2,400万円超 2,450万円以下		32万円	
□ 2,450万円超 2,500万円以下		16万円	

◆ 給与所得者の配偶者控除等申告書 ◆

（フリガナ）	タケナカサユリ
配偶者の氏名	竹中さゆり
配偶者の個人番号	12345×××××××
配偶者の生年月日	昭　50年 5月 10日

○ 配偶者の本年中の合計所得金額の見積額の計算

所得の種類	収入金額	所得金額
(1) 給与所得	950,000円	400,000円
(2) 給与所得以外の所得の合計額		円
配偶者の本年中の合計所得金額の見積額（(1)と(2)の合計額）		＊ 400,000円

判定	
《老人控除対象配偶者に該当》	(①)
☑ 48万円以下かつ年齢70歳未満	(②)
□ 48万円超95万円以下	(③)
□ 95万円超133万円以下	(④)
区分Ⅱ	（上の①〜④を記載）

○ 控除額の計算

区分Ⅰ	①	②	④ 95万円超100万円以下	100万円超105万円以下	105万円超110万円以下	110万円超115万円以下	115万円超120万円以下	120万円超125万円以下	125万円超130万円以下	130万円超133万円以下
A	48万円	38万円	38万円	36万円	31万円	26万円	21万円	16万円	11万円	6万円	3万円
B	32万円	26万円	26万円	24万円	21万円	18万円	14万円	11万円	8万円	4万円	2万円
C	16万円	13万円	13万円	12万円	11万円	9万円	7万円	6万円	4万円	2万円	1万円
摘要	配偶者控除		配偶者特別控除								

配偶者控除の額　380,000円

配偶者特別控除の額　円

◆ 所得金額調整控除申告書 ◆ あなたの本年中の年末調整の対象となる給与の収入金額が850万円以下の場合は、記載する必要はありません。

令和○年分　給与所得に対する源泉徴収簿

扶養控除等の申告	源泉控除対象配偶者	一般の控除対象扶養親族	特定扶養親族	老人扶養親族 同居老親等	その他	一般の障害者	特別障害者	同居特別障害者	寡婦又はひとり親	勤労学生
当初	㊒・無	1人	人	人	人	人	人	人	寡婦・ひとり親	有・無
控除額 1人当たり（万円）		38	63	58	48	27	40	75	27（寡婦）35（ひとり親）	27
合計（万円）		38								

配偶者の有無　㊒・無

区分	金額	税額
給料・手当等	①	③
賞与等	④	⑥
計	⑦	⑧
給与所得控除後の給与等の金額	⑨	
所得金額調整控除額	⑩	
給与所得控除後の給与等の金額（調整控除後）	⑪	
社会保険料等控除額 給与等からの控除分	⑫	
申告による社会保険料の控除分	⑬	
申告による小規模企業共済等掛金の控除分	⑭	
生命保険料の控除額	⑮	
地震保険料の控除額	⑯	
配偶者（特別）控除額	⑰ 380,000	
扶養控除額及び障害者等の控除額の合計額	⑱ 380,000	
基礎控除額	⑲ 480,000	
所得控除額の合計額	⑳	
差引課税給与所得金額及び算出所得税額	㉑	㉒
（特定増改築等）住宅借入金等特別控除額		㉓
年調所得税額		㉔
年調年税額（㉔×102.1％）		㉕
差引超過額又は不足額（㉕−⑧）		㉖

配偶者の合計所得金額（400,000円）

＊ 竹中さんのケース（続き）＊

令和◯年分　給与所得者の扶養控除等（異動）申告書

扶

所轄税務署長等	給与の支払者の名称（氏名）	さくら商事株式会社	（フリガナ）あなたの氏名	タケナカイチロウ 竹中一郎	あなたの生年月日 明・大・昭・平・令 50年 1月 8日
芝 税務署長	給与の支払者の法人（個人）番号 ※この申告書の提出を受けた給与の支払者が記載してください。	987654×××××××	あなたの個人番号	12345×××××××	世帯主の氏名 竹中一郎 / あなたとの続柄 本人
市区町村長	給与の支払者の所在地（住所）	東京都港区新橋〇-〇-〇	あなたの住所又は居所	（郵便番号164－0001）東京都中野区中野〇-〇-〇	配偶者の有無 有・無

従たる給与についての扶養控除等申告書の提出（提出している場合には、○印を付けてください。）

記載のしかたはこちら

あなたに源泉控除対象配偶者、障害者に該当する同一生計配偶者及び扶養親族がなく、かつ、あなた自身が障害者、寡婦、ひとり親又は勤労学生のいずれにも該当しない場合には、以下の各欄に記入する必要はありません。

主たる給与から控除を受ける

区分等	（フリガナ）氏名	個人番号 / あなたとの続柄	生年月日	老人扶養親族（昭〇.1.1以前生）/ 特定扶養親族（平〇.1.2生～平〇.1.1生）	令和〇年中の所得の見積額	非居住者である親族 / 生計を一にする事実	住所又は居所	異動月日及び事由（令和5年中に異動があった場合に記載してください（以下同じです。））
A 源泉控除対象配偶者（注1）	タケナカサユリ 竹中さゆり	12345×××××××	明・大・昭・平 55・5・10		400,000円	（該当する場合は○印を付けてください。）	東京都中野区中野〇-〇-〇	
B 控除対象扶養親族（16歳以上）（平〇.1.1以前生） 1	タケナカカズト 竹中和人	12345××××××× / 子	明・大・昭・平 19・4・15	□同居老親等 □その他 □特定扶養親族	0円	□16歳以上30歳未満又は70歳以上 □留学 □障害者 □38万円以上の支払	同上	
2			明・大・昭・平 ・ ・	□同居老親等 □その他 □特定扶養親族	円	□16歳以上30歳未満又は70歳以上 □留学 □障害者 □38万円以上の支払		
3			明・大・昭・平 ・ ・	□同居老親等 □その他 □特定扶養親族	円	□16歳以上30歳未満又は70歳以上 □留学 □障害者 □38万円以上の支払		
4			明・大・昭・平 ・ ・	□同居老親等 □その他 □特定扶養親族	円	□16歳以上30歳未満又は70歳以上 □留学 □障害者 □38万円以上の支払		

C 障害者、寡婦、ひとり親又は勤労学生

□障害者 区分／該当者	本人	同一生計配偶者（注2）	扶養親族
一般の障害者			（ 人）
特別障害者			（ 人）
同居特別障害者			（ 人）

□寡婦　□ひとり親　□勤労学生

上の該当する項目及び欄にチェックを付け、（ ）内には該当する扶養親族の人数を記入してください。

障害者又は勤労学生の内容（この欄の記載に当たっては、裏面の「2　記載についてのご注意」の8をお読みください。）　異動月日及び事由

（注）1　源泉控除対象配偶者とは、所得者（令和〇年中の所得の見積額が900万円以下の人に限ります。）と生計を一にする配偶者（青色事業専従者として給与の支払を受ける人及び白色事業専従者を除きます。）で、令和〇年中の所得の見積額が95万円以下の人をいいます。
2　同一生計配偶者とは、所得者と生計を一にする配偶者（青色事業専従者として給与の支払を受ける人及び白色事業専従者を除きます。）で、令和〇年中の所得の見積額が48万円以下の人をいいます。

D 他の所得者が控除を受ける扶養親族等	氏名	あなたとの続柄	生年月日	住所又は居所	控除を受ける他の所得者 氏名	あなたとの続柄	住所又は居所	異動月日及び事由
			明・大・昭・平・令 ・ ・					
			明・大・昭・平・令 ・ ・					

○住民税に関する事項（この欄は、地方税法第45条の3の2及び第317条の3の2に基づき、給与の支払者を経由して市区町村長に提出する給与所得者の扶養親族等申告書の記載欄を兼ねています。）

16歳未満の扶養親族（平〇.1.2以後生）	（フリガナ）氏名	個人番号	あなたとの続柄	生年月日	住所又は居所	控除対象外国外扶養親族	令和〇年中の所得の見積額（※）	異動月日及び事由
1	タケナカマユ 竹中真由	12345×××××××	子	平・令 26・8・25	同上		0円	
2				平・令 ・ ・			円	

※「令和〇年中の所得の見積額」欄には、退職所得を除いた所得の見積額を記載します。

退職手当等を有する配偶者・扶養親族	（フリガナ）氏名	個人番号	あなたとの続柄	生年月日	住所又は居所	非居住者である親族	令和5年中の所得の見積額（※）	障害者区分	異動月日及び事由	寡婦又はひとり親
				明・大・昭・平・令 ・ ・		□配偶者 □30歳未満又は70歳以上 □留学 □障害者 □38万円以上の支払	円	□一般 □特別		□寡婦 □ひとり親

◎この申告書は、あなたの給与について扶養控除、障害者控除などの控除を受けるために提出するものです。
◎この申告書は、源泉控除対象配偶者、障害者に該当する同一生計配偶者及び扶養親族に該当する人がいない人も提出する必要があります。
◎この申告書は、2か所以上から給与の支払を受けている場合には、そのうちの1か所にしか提出することができません。
◎**この申告書の記載に当たっては、裏面の「1　申告についてのご注意」等をお読みください。**

令和◯年分　給与所得に対する源泉徴収簿

甲欄 乙欄	所属	職名	住所（郵便番号 －）	氏名（フリガナ）（生年月日 明・大・昭・平・令 年 月 日）	整理番号

区分	月区分	支給月日	総支給金額	社会保険料等の控除額	社会保険料等控除後の給与等の金額	扶養親族等の数	算出税額	年末調整による過不足税額	差引徴収税額
給料・手当等	1		円	円	円	人	円	円	円
	2								
	3								
	4								
	5								
	6								
	7								
	8								
	9								
	10								
	11								
	12								
	計		①	②			③		
賞与等							（税率 %）		
							（税率 %）		
							（税率 %）		
							（税率 %）		
	計		④	⑤			⑥		

前年の年末調整に基づき繰り越した過不足税額　円

同上の税額につき還付又は徴収した月区分	月別	還付又は徴収した税額	差引残高	月別	還付又は徴収した税額	差引残高
	月	円	円	月	円	円

扶養控除等の申告・各種控除額　申告の有無：有・無

申告月日／区分	源泉控除対象配偶者	一般の控除対象扶養親族	特定扶養親族	老人扶養親族 同居老親等	老人扶養親族 その他	一般の障害者 本人・配・扶（ 人）	特別障害者 本人・配・扶（ 人）	同居特別障害者 配・扶（ 人）	寡婦又はひとり親	勤労学生	従たる給与から控除する源泉控除対象配偶者と控除対象扶養親族の合計数
当初	有・無	1人	人	人	人	人	人	人	寡婦・ひとり親	有・無	当初 人
／	有・無								寡婦・ひとり親	有・無	
／	有・無								寡婦・ひとり親	有・無	月 日 人
控除額 1人当たり（万円）		38	63	58	48	27	40	75	27（寡婦） 35（ひとり親）	27	
控除額 合計（万円）		38									

配偶者の有無：有・無

年末調整

区分	金額	税額
給料・手当等	① 円	③ 円
賞与等	④	⑥
計	⑦	⑧
給与所得控除後の給与等の金額	⑨	
所得金額調整控除額（（⑦－8,500,000円）×10%、マイナスの場合は0）	⑩（1円未満切上げ、最高150,000円）	
給与所得控除後の給与等の金額（調整控除後）（⑨－⑩）	⑪	
社会保険料等控除額 給与等からの控除分（②＋⑤）	⑫	
社会保険料等控除額 申告による社会保険料の控除分	⑬	
社会保険料等控除額 申告による小規模企業共済等掛金の控除分	⑭	
生命保険料の控除額	⑮	
地震保険料の控除額	⑯	
配偶者（特別）控除額	⑰ 380,000	
扶養控除額及び障害者等の控除額の合計額	⑱ 380,000	
基礎控除額	⑲ 480,000	
所得控除額の合計額（⑫＋⑬＋⑭＋⑮＋⑯＋⑰＋⑱＋⑲）	⑳	
差引課税給与所得金額（⑪－⑳）及び算出所得税額	㉑（1,000円未満切捨て）	㉒
（特定増改築等）住宅借入金等特別控除額		㉓
年調所得税額（㉒－㉓、マイナスの場合は0）		㉔
年調年税額（㉔×102.1%）		㉕（100円未満切捨て）
差引超過額又は不足額（㉕－⑧）		㉖
超過額の精算 本年最後の給与から徴収する税額に充当する金額		㉗
超過額の精算 未払給与に係る未徴収の税額に充当する金額		㉘
超過額の精算 差引還付する金額（㉖－㉗－㉘）		㉙
超過額の精算 同上のうち 本年中に還付する金額		㉚
超過額の精算 同上のうち 翌年において還付する金額		㉛
不足額の精算 本年最後の給与から徴収する金額		㉜
不足額の精算 翌年に繰り越して徴収する金額		㉝

所得金額調整控除の適用 有・無（※ 適用有の場合は⑩に記載）

配偶者の合計所得金額（ 円）

旧長期損害保険料支払額（ 円）

⑫のうち小規模企業共済等掛金の金額（ 円）

⑬のうち国民年金保険料等の金額（ 円）

「人的控除額早見表」より
（一般）扶養親族380,000円

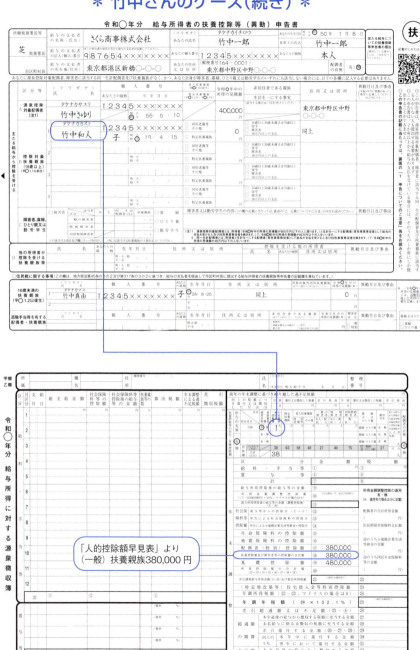

＊ 田中さんのケース ＊

（配偶者控除あり、所得金額調整控除あり、同居老親が特別障害者）

令和○年分　給与所得者の基礎控除申告書 兼 給与所得者の配偶者控除等申告書 兼 所得金額調整控除申告書

基・配・所

◆ 給与所得者の基礎控除申告書 ◆

あなたの本年中の合計所得金額の見積額の計算

所得の種類	収入金額	所得金額
(1) 給与所得	9,000,000	7,050,000
(2) 給与所得以外の所得の合計額		0
あなたの本年中の合計所得金額の見積額 ((1)と(2)の合計額)		7,050,000

控除額の計算

☑ 900万円以下 (A)

区分Ⅰ：A

基礎控除の額：480,000円

◆ 給与所得者の配偶者控除等申告書 ◆

配偶者の氏名：タナカケイコ　田中恵子

個人番号：1 2 3 4 5 × × × × × × ×

生年月日：昭 48年 9月 11日

☑ 48万円以下かつ年齢70歳未満 (②)

区分Ⅱ：②

配偶者控除の額：380,000円

◆ 所得金額調整控除申告書 ◆

☑ 特別障害者である同一生計配偶者又は扶養親族

同一生計配偶者又は扶養親族の氏名：タナカヤスコ　田中康子

個人番号：1 2 3 4 5 × × × × × × ×

生年月日：明・大・昭・平・令 20年 8月 8日

あなたとの続柄：母　所得の見積額：0円

特別障害者に該当する事実：扶養控除等申告書のとおり

令和○年分　給与所得者の扶養控除等（異動）申告書

扶

区分等	氏名	個人番号	生年月日	住所又は居所
A 源泉控除対象配偶者	タナカケイコ　田中恵子	1 2 3 4 5 × × × × × × ×	昭 45・7・11	東京都目黒区中町○-○-○
B 控除対象扶養親族 1	タナカヤスコ　田中康子（母）	1 2 3 4 5 × × × × × × ×	昭 12・8・8	〃

☑ 同居老親等

C 障害者、寡婦、ひとり親又は勤労学生：☑障害者　特別障害者 ✓（人）

障害者又は勤労学生の内容：田中康子　両眼の視力の和が0.04である（障害等級1級）

障害者の要件に該当するか確認する

令和○年分　給与所得に対する源泉徴収簿

扶養控除等の申告：配偶者の有無 有

特別障害者 同居 1

老人扶養親族 同居老親等 1

区分	金額
給料・手当等 ⑦	9,000,000
給与所得控除後の給与等の金額 ⑨	7,050,000
所得金額調整控除額 ⑩	50,000
給与所得控除後の給与等の金額（調整控除後） ⑪	7,000,000
配偶者（特別）控除額 ⑰	380,000
扶養控除額及び障害者等の控除額の合計額 ⑱	1,330,000
基礎控除額 ⑲	480,000

「人的控除額早見表」より
同居老親　580,000円
同居特別障害者　750,000円
計　1,330,000円

計算式に従って計算する

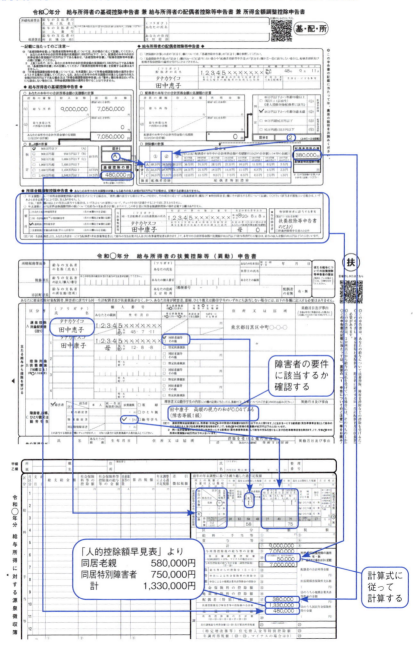

＊ 松田さんのケース ＊

（配偶者特別控除あり、特定扶養親族あり、老人扶養親族あり）

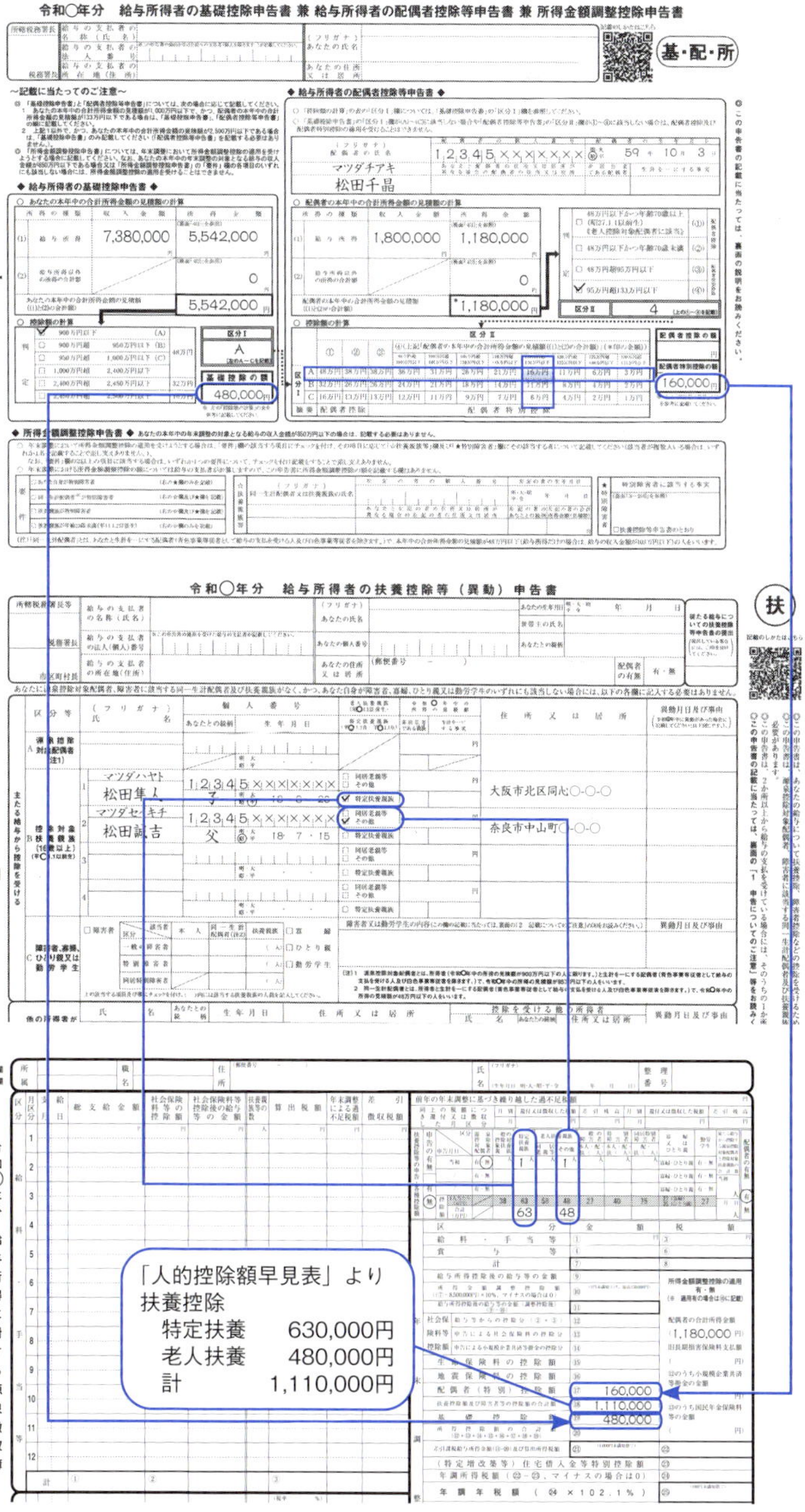

38

12月 保険料控除の種類と特徴

保険料控除申告書を書く

保険料は控除ができる

保険料控除は、年末調整対象者本人が本年中に支払った保険料などの支払額のうち、全額または一定限度額までの金額を給与所得から控除できるという制度です。保険料控除は、大きく以下の4つに区分され、それぞれ控除額が計算されます。

- **生命保険料控除**
- **地震保険料控除**
- **社会保険料控除**
- **小規模企業共済等掛金控除**

種類別に計算する生命保険料控除

生命保険料控除は、主に生命保険会社などに支払った保険料や掛金などが対象となります。それぞれ種類に分け区分ごとに控除額を計算しますが、保険契約日により計算が異なります。

平成23年12月31日以前に締結した保険契約は、一般の生命保険料、**個人年金保険料**の2つに、平成24年1月1日以後に締結した保険契約は、一般、個人年金、介護医療保険料の3つに区分されます。

一般の控除対象となる保険料は、保険金の受取人が本人または配偶者やその他の親族となっているものです。個人年金とは老後の年金の受取りを目的とした契約で、年金の受取人が本人または配偶者であること、保険料の支払期間が10年以上であることなどが要件となります。

いずれも、どの区分に該当する保険料なのかを控除証明でしっかり確認する必要があります。

＊ 給与《きゅうよ》所得者《しょとくしゃ》の保険料控除申告書《ほけんりょうこうじょしんこくしょ》 ＊

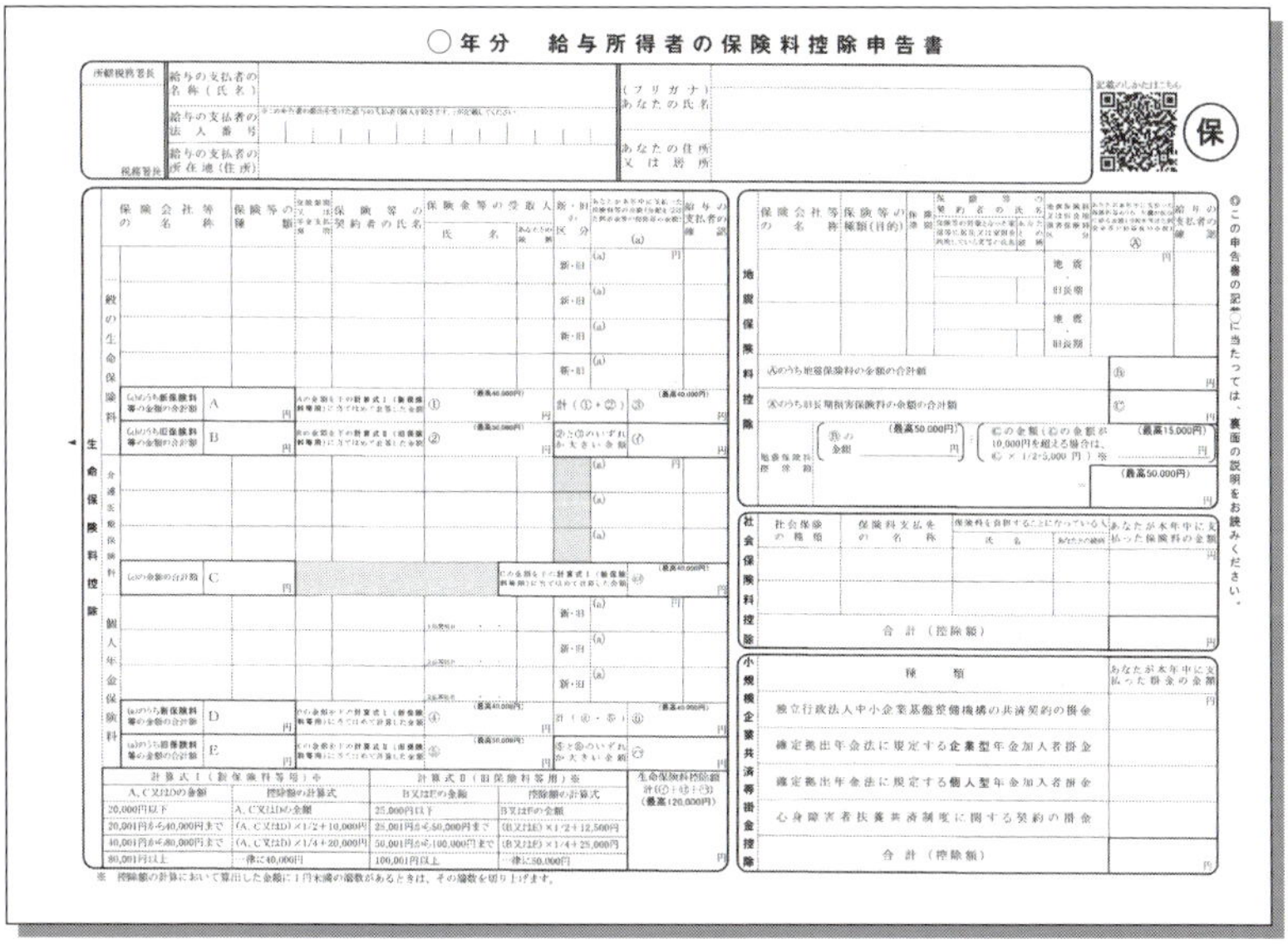

＊ 生命保険料控除額の計算例 ＊

以下の表に当てはめて控除額を計算する

●平成23年12月31日以前契約分

支払額	控除額
25,000円以下	全額
25,001円～50,000円	支払額×1／2＋12,500円
50,001円～100,000円	支払額×1／4＋25,000円
100,001円以上	一律50,000円

●平成24年1月1日以後契約分

支払額	控除額
20,000円以下	全額
20,001円～40,000円	支払額×1／2＋10,000円
40,001円～80,000円	支払額×1／4＋20,000円
80,001円以上	一律40,000円

●計算例（平成23年12月31日以前契約）
控除証明記載の一般生命保険料70,000円、個人年金保険料600,000円
（一般分）70,000×1／4＋25,000＝42,500円　（個人年金分）600,000＞100,000→50,000円
⇒42,500＋50,000＝92,500円

地震保険料控除は最高で5万円

平成19年分所得税より損害保険料控除が廃止され、地震保険料控除に改められました。自分や家族が住んでいる住宅や生活用動産が対象で、かつ地震や噴火、これらによる津波による損害に対して保険金が支払われる損害保険契約等に係る地震等損害部分の保険料等です。控除できる額は、支払った保険料の合計額（最高で5万円）となります。

また、経過措置として平成18年12月31日までに契約した長期損害保険契約の保険料は、地震保険料控除として一定の算式にあてはめた金額を控除できます。長期損害保険料とは、保険（共済）期間が10年以上、かつ満期返戻金が支払われるものです。

社会保険料控除は原則記入不要

厚生年金保険料、健康保険料、介護保険料など、公的な社会保険料について控除されるのが**社会保険料控除**です。これらについては、会社が保険料を把握している（毎月の給与から天引きされる）ので、保険料控除申告書に記入する必要はありません。

この申告書に記入するのは、国民年金や国民健康保険の保険料など、本人自らが支払った社会保険料です。また、本人と生計を一にする親族が負担することになっている社会保険料を代わって支払った場合も本人の社会保険料として控除できます。

小規模企業共済等掛金控除は3種類

小規模企業共済等掛金控除は、以下の3つの掛け金が控除の対象となります。

- **中小企業基盤整備機構と契約した共済契約**
- **企業型・個人型の確定拠出年金**
- **心身障害者扶養共済**

なお、給料から控除された小規模企業共済等掛金は、会社がその支払い額を把握しているので、この申告書に記載する必要はありません。

＊ 保険料控除の控除額と添付書類 ＊

生命保険料控除

●控除額（➡181ページ）

	平成23年12月31日以前契約分	平成24年1月1日以後契約分
一般	最高50,000円	最高40,000円
個人年金	最高50,000円	最高40,000円
介護医療	―	最高40,000円
計	最高100,000円	最高120,000円

●添付書類

保険会社などが発行した保険料支払証明書

※電子的控除証明書等（データ）での提出も可能

生命保険料控除証明書の例

令和 ○年分　生命保険料控除証明書（一般用）

適用制度	旧制度		
ご契約者	鈴木 純一郎　様		
証券番号	123-4567890		
保険種類	○○終身保険		
保険期間	終身		
保険料額	17,935円（月額）	配当金	0円
契約年月	平成 8年 9月		
払込方法	年12回		
証明額	161,415円		

令和 ○年9月までのお払込額を上記のとおり証明いたします。

証明日 令和 ○ 年 10 月 8 日

慶應生命保険相互会社

生命保険料控除申告について

この証明書は、生命保険料控除を受けるためのお払込保険料額を証明するものです。
申告時に、この証明書を添付して提出してください。

地震保険料控除

●控除額

①地震保険料　支払った地震保険料の金額の合計額（最高 50,000円）

②旧長期損害保険料（経過措置）平成18年12月31日までに契約したもの

支払った保険料の金額	控除額
10,000円以下	支払った保険料の全額
10,001円～20,000円	（支払った保険料の金額の合計額）×1／2＋5,000円
20,001円以上	一律15,000円

③　①＋②の場合　最高50,000円

●添付書類

保険会社などが発行した保険料支払証明書　※電子的控除証明書等（データ）での提出も可能

社会保険料控除

●控除額

原則として支払額全額

●添付書類

不要。ただし、国民年金保険料および国民年金基金掛金については納付証明書が必要となる

※電子的控除証明書等（データ）での提出も可能

小規模企業共済等掛金控除

●控除額

原則として支払額全額

●添付書類

本人が直接支払った場合は支払証明書　※電子的控除証明書等（データ）での提出も可能

※保険の種類によって控除額および保険料控除申告書に添付する書類の有無が異なる
※保険料控除申告書に添付すべき書類がもれていると原則として控除できない
※添付もれがないかどうか注意し、添付もれの人には提出するよう催促する

確定拠出年金：加入者自身が掛け金を自己責任において投資信託などの金融商品で運用し、その運用成果次第で受け取る年金の額が変動する年金制度。

＊ 保険料控除申告書《ほけんりょうこうじょしんこくしょ》の記入と源泉徴収簿《げんせんちょうしゅうぼ》への転記1 ＊

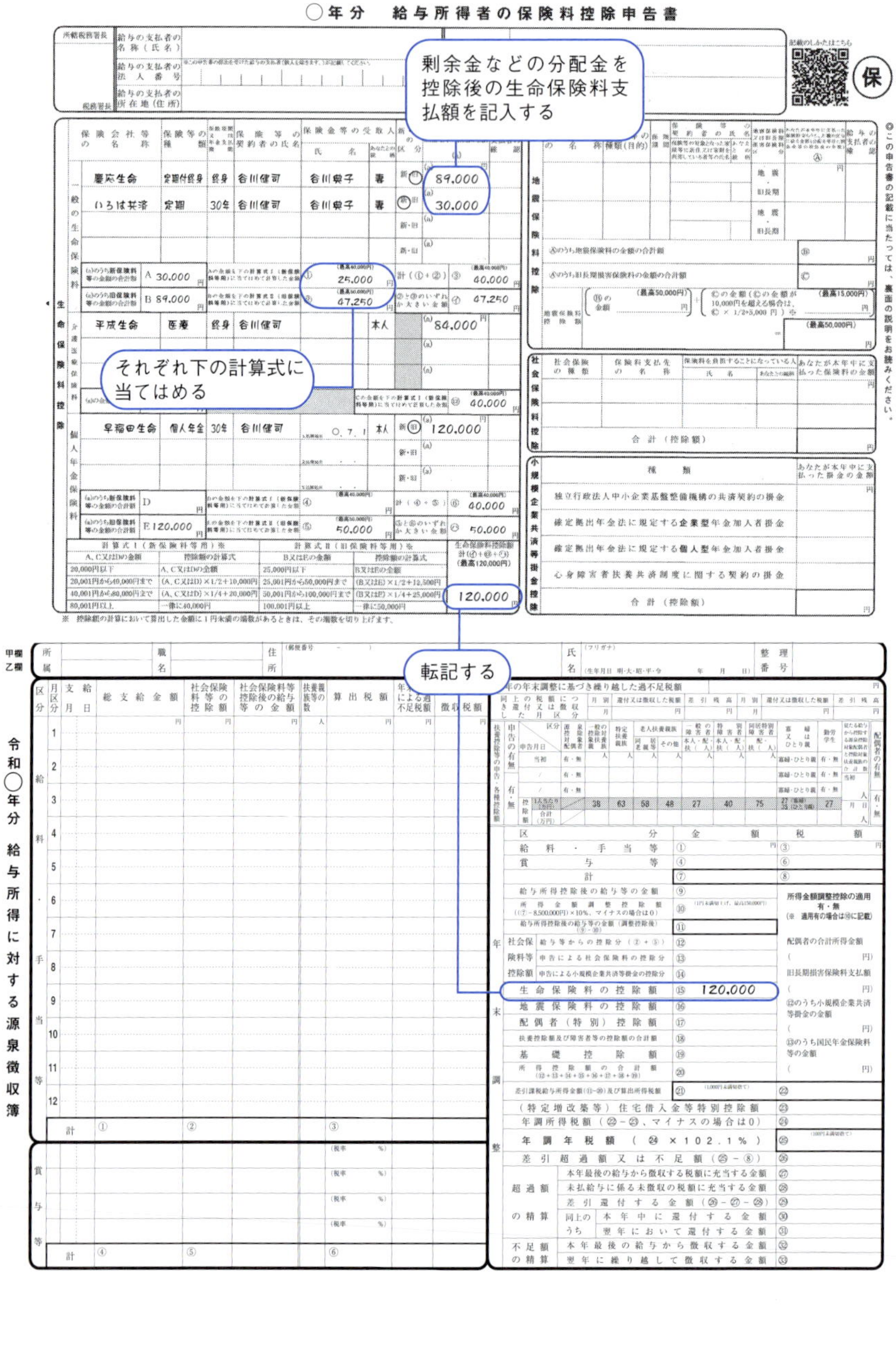

＊ 保険料控除申告書の記入と源泉徴収簿への転記2 ＊

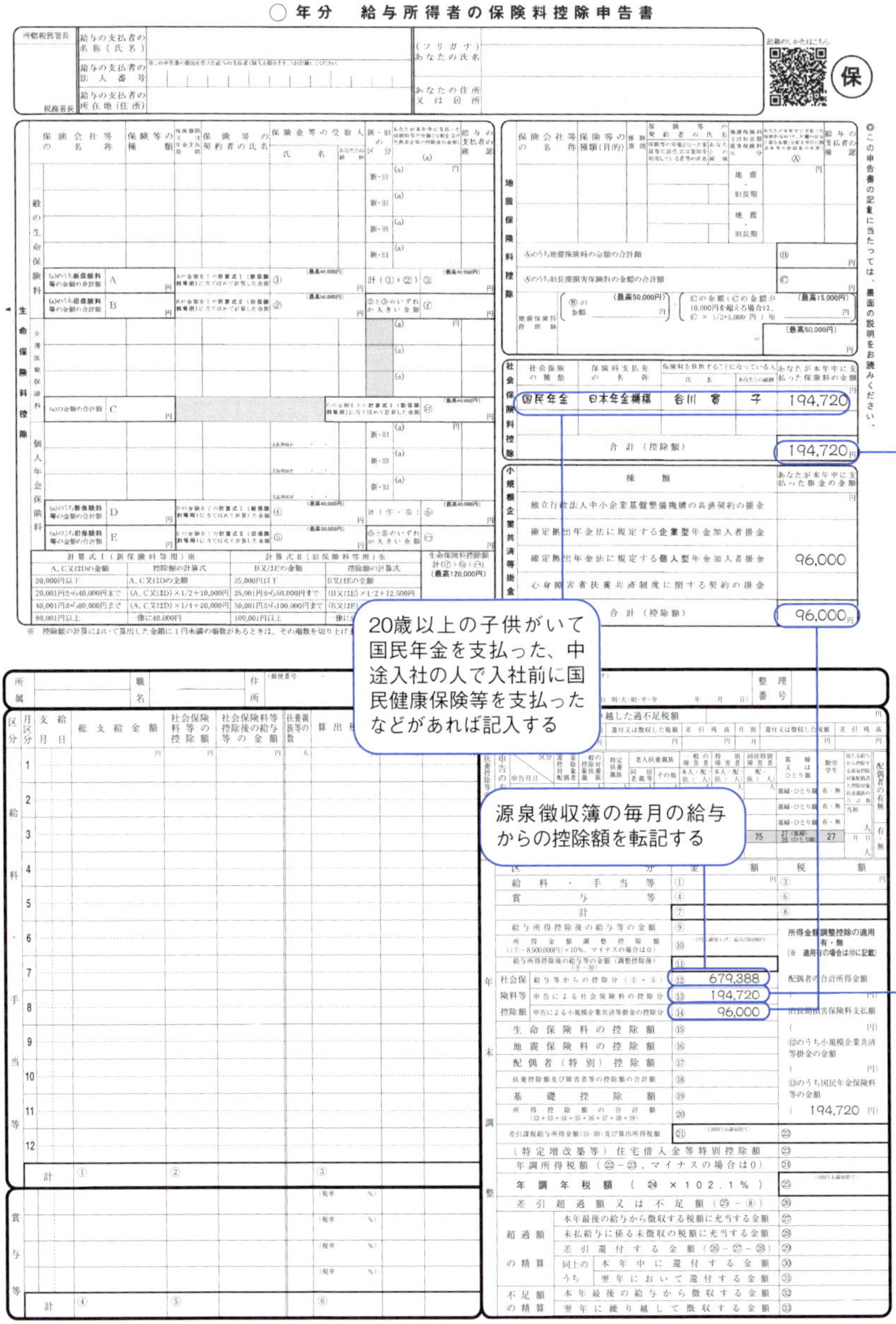

住宅借入金等特別控除申告書を書く

年末調整による控除は2年目から

住宅借入金等特別控除とは、金融機関などから借入れをして住宅を新築・購入などした場合、一定期間、税額控除を受けられるという制度です。

住宅借入金等特別控除を受ける最初の年については、確定申告が必要で、年末調整で控除することはできません。2年目以後は「住宅借入金等特別控除申告書」に基づいて年末調整で控除することができます。

この申告書は、控除対象期間分（1年で1枚、10年間控除できる場合は1年目を除く9枚）を一括して、税務署が対象者に（電子）交付します。

この複数枚の申告書を会社が保管するのは大変ですから、毎年、該当する年分の申告書を控除対象者からもらって年末調整してください。

中途入社の人は控除証明書が必要

年末調整ではじめて受けられる2年目用の「給与所得者の住宅借入金等特別控除申告書」の下欄は「年末調整のための住宅借入金等特別控除証明書」になっています。この「控除証明書」は、勤務先ごとに提出する必要があるので、中途入社した人が年末調整で住宅借入金等特別控除を受けようとする場合は、新しい勤務先に「控除証明書」を改めて提出します。

中途入社の人の住所地の税務署に申請して「控除証明書」を交付してもらってください。

＊ 住宅借入金等特別控除額の概要一覧表 ＊

居住年				年末残高の限度	控除期間	年末残高に乗ずる控除率・控除額		各年の控除限度額
平26.4.1（特別特定取得に係るものは令1.10.1）～令3.12.31	本則	特定取得	特別特定取得	4,000万円	13年間	1～10年目	1.0%	40万円
						11～13年目	①住宅の税抜購入金額×2%÷3 ②10年目までの計算 いずれか少ない金額	
			特別特定取得以外	4,000万円	10年間		1.0%	40万円
		特定取得以外		2,000万円	10年間		1.0%	20万円
	特定取得	特定取得	特別特定取得	5,000万円	13年間	1～10年目	1.0%	50万円
						11～13年目	①住宅の税抜購入金額×2%÷3 ②10年目までの計算 いずれか少ない金額	
		特定取得以外	特別特定取得以外	5,000万円	10年間		1.0%	50万円
	特定取得以外	特定取得以外		3,000万円	10年間		1.0%	30万円
	住宅の再取得等に係る控除額の特例		特別特定取得	5,000万円	13年間	1～10年目	1.2%	60万円
						11～13年目	①住宅の税抜購入金額×2%÷3 ②10年目までの計算 いずれか少ない金額	
			特別特定取得以外	5,000万円	10年間		1.0%	60万円
令4.1.1～令5.12.31	新築	認定住宅		5,000万円	13年間		0.7%	35万円
		ZEH水準省エネ		4,500万円				31.5万円
		省エネ基準適合		4,000万円				28万円
		その他		3,000万円				21万円
	既存	認定		3,000万円	10年間			21万円
		その他		2,000万円				14万円
令6.1.1～令7.12.31	新築	認定住宅		4,500万円	13年間		0.7%	31.5万円
		ZEH水準省エネ		3,500万円				24.5万円
		省エネ基準適合		3,000万円				21万円
		本則		2,000万円	10年間			14万円
	既存	認定		3,000万円	10年間			21万円
		本則		2,000万円				14万円
	住宅の再取得等に係る控除額の特例		新築	4,500万円	13年間		0.9%	40.5万円
			既存	3,000万円	10年間			27万円

≪表の見方≫

- 自宅を新築し、平成26年に住み始めた人は最長10年間、税額控除できる。
- その年の年末の借入金残高に1.0%を掛けた額を控除できるが、借入金残高の上限が一般住宅だと3,000万円までなので最高30万円まで。

≪注意点≫

- 住宅借入金等特別控除を適用した場合は、源泉徴収票（➡202ページ）の該当欄に「居住開始年月日」などの所定の事項を記載する。

＊住宅《じゅうたく》借入金《かりいれきん》等《とう》特別《とくべつ》控除《こうじょ》申告書《しんこくしょ》の記入のしかた＊

●給与所得者の（特定増改築等）住宅借入金等特別控除申告書

令和○年分　給与所得者の（特定増改築等）住宅借入金等特別控除申告書
兼（特定増改築等）住宅借入金等特別控除計算明細書

芝 税務署長	給与の支払者の名称（氏名）	さくら商事株式会社	（フリガナ）あなたの氏名	山田《ヤマダ》 正一《ショウイチ》
	給与の支払者の法人番号	1 2 3 4 5 6 7 8 9 0 1 2	あなたの住所又は居所	東京都 墨田区両国○–○–○
	給与の支払者の所在地（住所）	東京都 港区新橋○–○–○		

年末調整の際に、次のとおり（特定増改築等）住宅借入金等特別控除を受けたいので、申告します。

項目		新築又は購入に係る借入金等の計算 Ⓐ住宅のみ	Ⓑ土地等のみ	Ⓒ住宅及び土地等	Ⓓ増改築等に係る借入金等の計算
新築、購入及び増改築等に係る住宅借入金等の年末残高（内、連帯債務による借入金の額）	①	円（　）	円（　）	28,848,958 円（　）	円（　）
住宅借入金等の年末残高（①のうち単独債務の額＋①のうち連帯債務の額×「連帯債務割合」）	②	（　%）円	（　%）円	（　%）円 28,848,958	（　%）円
②と証明事項の取得対価の額又は増改築等の費用の額のいずれか少ない方の金額	③	②と㋑の少ない方 円	②と㋥の少ない方 円	②と（㋑＋㋥）又は（㋑＋③）の少ない方 円 28,848,958	②と③の少ない方 円
③×「居住用割合」	④	（　%）円	（　%）円	（　%）（注1）円 28,848,958	（　%）円
住宅借入金等の年末残高等（④の欄の合計額）	⑤	（最高 4,000 万円）円 28,848,958	年間所得の見積額（3,000万円を超える場合は控除の適用がありません。）	円 6,538,000	
特定増改築等の費用の額（注2）	⑥	円	（備考）		
特定増改築等の費用の額に係る住宅借入金等の年末残高等（⑤と⑥の少ない方）（注2）	⑦	（最高　万円）円			
（特定増改築等）住宅借入金等特別控除額（⑤×1%）	⑧	（100円未満の端数切捨て）円（最高 400,000 円） 288,400	重複適用（の特例）を受ける場合の（特定増改築等）住宅借入金等特別控除額（注3）	（100円未満の端数切捨て）（最高	00

28,848,958円×1%

各年の算式に従い計算する

○この申告書及び証明書は、令和○年分の年末調整を受ける際に必要です。年末調整を受ける時まで保…支払者に…
○なお、この用紙を計算明細書として利用し、確定申告書に添付することもできます。

令和○年分　年末調整のための（特定増改築等）住宅借入金等特別控除証明書

〒130-0026
墨田区両国○–○–○
山田 正一　様

左記の方が、令和○年分の所得税について次のとおり（特定増改築等）住宅借入金等特別控除の適用を受けていることを証明します。

令和○年○月○日
芝 税務署長　財務事務官○○○○　芝税務署長之印

1年目に確定申告したときの控除額が記入されている

（…事項）（令和2年中居住者用）

…年月日	家屋に関する事項 ㋑取得対価の額	㋺居住用割合	㋩連帯債務割合	土地等に関する事項 ㊁取得対価等の額	㋭居住用割合	㋬連帯債務割合
（特別特定）令和○年10月31日	31,500,000 円	100.0 %	%	12,000,000 円	100.0 %	%

㋣居住開始年月日	増改築等に関する事項 ㋠増改築等の費用の額	㋷特定増改築等の費用の額	㋦居住用割合	㋸連帯債務割合	㋾特例期間（11年目～13年目）（※）における控除限度額
年　月　日	円	円	%	%	（※）　年分～　年分　円

（参考）適用計算の控除額　296,400 円

※居住する年によって限度額や率等が異なるので、実際の申告書の指示に従って記載する

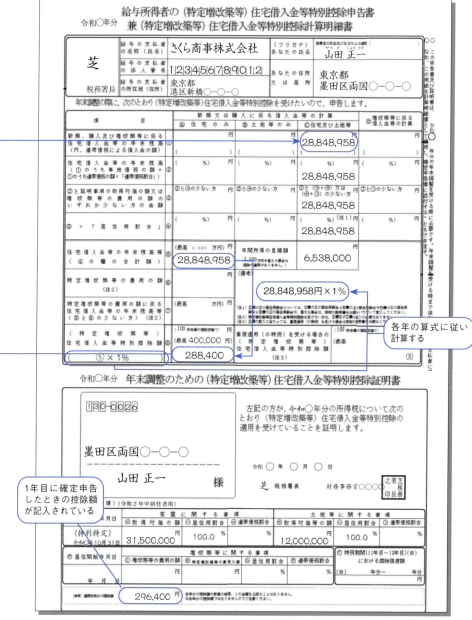

●源泉徴収簿（年末調整欄）

令和◯年分　給与所得に対する源泉徴収簿

甲欄 乙欄	所属	職名	住所	氏名	整理番号

区分	月区分	支給月日	総支給金額	社会保険料等の控除額	社会保険料等控除後の給与等の金額	扶養親族等の数	算出税額	年末調整による過不足税額	差引徴収税額
給料・手当等	1		円	円	円	人	円	円	円
	2								
	3								
	4								
	5								
	6								
	7								
	8								
	9								
	10								
	11								
	12								
	計		①	②			③		
賞与等							（税率　%）		
							（税率　%）		
							（税率　%）		
							（税率　%）		
	計		④	⑤			⑥		

前年の年末調整に基づき繰り越した過不足税額

区分	金額	税額
給料・手当等	① 円	③ 円
賞与等	④	⑥
計	⑦	⑧
給与所得控除後の給与等の金額	⑨	所得金額調整控除の適用 有・無（※ 適用有の場合は⑩に記載）
所得金額調整控除額（（⑦−8,500,000円）×10%、マイナスの場合は0）	⑩	
給与所得控除後の給与等の金額（調整控除後）（⑨−⑩）	⑪	
社会保険料等控除額　給与等からの控除分（②＋⑤）	⑫	配偶者の合計所得金額（　円）
社会保険料等控除額　申告による社会保険料の控除分	⑬	
社会保険料等控除額　申告による小規模企業共済等掛金の控除分	⑭	旧長期損害保険料支払額（　円）
生命保険料の控除額	⑮	
地震保険料の控除額	⑯	⑫のうち小規模企業共済等掛金の金額（　円）
配偶者（特別）控除額	⑰	
扶養控除額及び障害者等の控除額の合計額	⑱	⑬のうち国民年金保険料等の金額（　円）
基礎控除額	⑲	
所得控除額の合計額（⑫＋⑬＋⑭＋⑮＋⑯＋⑰＋⑱＋⑲）	⑳	
差引課税給与所得金額（⑪−⑳）及び算出所得税額	㉑	㉒
（特定増改築等）住宅借入金等特別控除額		㉓ 288,400
年調所得税額（㉒−㉓、マイナスの場合は0）		㉔
年調年税額（㉔×102.1％）		㉕
差引超過額又は不足額（㉕−⑧）		㉖
超過額の精算　本年最後の給与から徴収する税額に充当する金額		㉗
超過額の精算　未払給与に係る未徴収の税額に充当する金額		㉘
超過額の精算　差引還付する金額（㉖−㉗−㉘）		㉙
超過額の精算　同上のうち　本年中に還付する金額		㉚
超過額の精算　同上のうち　翌年において還付する金額		㉛
不足額の精算　本年最後の給与から徴収する金額		㉜
不足額の精算　翌年に繰り越して徴収する金額		㉝

住宅取得資金に係る借入金の年末残高等証明書

住宅取得資金の借入れ等をしている者	住所	東京都墨田区両国◯-◯-◯		
	氏名	山田正一		
住宅借入金等の区分	租税特別措置法第41条第1項第1号該当（租税特別措置法施行令第26条第7項第1号該当）		住宅借入金等の内訳	~~1住宅のみ~~ ~~2土地等のみ~~ 3住宅及び土地等
住宅借入金等の金額	年末残高	28,848,958円		
	当初金額	令和◯年8月7日 30,000,000円		
償還期間又は賦払期間		令和◯年9月から 令和X年8月まで の30年0月間		
居住用家屋の取得の対価等の額又は増改築等に要した費用の額		円		
（摘要）				

租税特別措置法施行令第26条の2第1項の規定により、令和◯年12月31日における租税特別措置法第41条第1項に規定する住宅借入金等の金額等について、上記のとおり証明します。
令和　年　月　日

（住宅借入金等に係る債権者等）
所在地　東京都文京区本郷◯-◯-◯
名称　日本住宅銀行　㊞
（事業免許番号等　）

●住宅取得資金に係る借入金の年末残高等証明書

申告書への添付書類

- ●税務署長が発行した「年末調整のための住宅借入金等特別控除証明書」（控除証明書）
- ●金融機関等が発行した「住宅取得資金に係る借入金の年末残高等証明書」（年末残高等証明書）。電子的控除証明書等（データ）での提出も可能

※2年目の申告書の下欄は控除証明書になっているため、改めて控除証明書の添付は必要ない
※3年目以降、同じ会社で控除を受ける場合、控除証明書の添付は必要ない

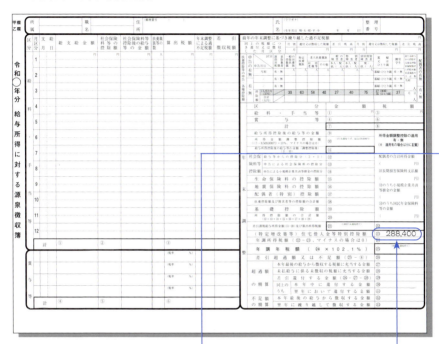

夫婦で購入した住宅は持ち分を計算する

連帯債務者がいる場合は注意

住宅借入金等特別控除額は、銀行などから郵送される「借入金の年末残高等証明書」の年末残高の金額を基礎に計算します。

注意しなければならないのは、共働きの夫婦など、お互いにその借入金の連帯債務者となるケースです。この場合、原則として住宅の所有割合(持ち分)に応じた借入金がそれぞれの特別控除の対象となります。

具体的にいうと、住宅借入金等特別控除額の適用を受けた1年目の確定申告の際に提出した「住宅借入金等特別控除額の計算の基礎となる住宅借入金等の年末残高の計算明細書」または「住宅借入金等特別控除額の計算明細書」に記入した負担割合によります。

例えば、借入金の年末残高１５００万円の場合、住宅の持ち分が夫3分の2、妻3分の1であれば、特別控除の対象となる借入金は、夫が１０００万円（１５００万円×２／３）、妻が５００万円（１５００万円×１／３）となります。

また、このような連帯債務者のある場合は、「給与所得者の住宅借入金等特別控除申告書」の備考欄に、もう一方の連帯債務者から「私は連帯債務者として、住宅借入金等の残高○○円のうち、○○円を負担することとしています」等の文言、住所および氏名の記入を受けてください。その人が給与所得者である場合には、その勤務先の所在地および名称もあわせて記入してもらうようにしましょう。

＊ 連帯債務の場合の記載例 ＊

項目		新築又は購入に係る借入金等の計算 Ⓐ住宅のみ	Ⓑ土地等のみ	Ⓒ住宅及び土地等	Ⓓ増改築等に係る借入金等の計算
新築、購入及び増改築等に係る住宅借入金等の年末残高（内、連帯債務による借入金の額）	①	円 （　）	円 （　）	15,000,000 円 （15,000,000）	円 （　）
住宅借入金等の年末残高（①のうち単独債務の額＋①のうち連帯債務の額×「連帯債務割合」）	②	（　%） 円	（　%） 円	（50 %） 7,500,000 円	（　%） 円
②と証明事項の取得対価の額又は増改築等の費用の額のいずれか少ない方の金額	③	②と[illegible]の少ない方 円	②と[illegible]の少ない方 円	②と（[illegible]＋[illegible]）又は（[illegible]＋[illegible]）の少ない方 7,500,000 円	②と[illegible]の少ない方 円
③ × 「居住用割合」	④	（　%） 円	（　%） 円	（　%）（注1） 7,500,000 円	（　%） 円
住宅借入金等の年末残高等（④の欄の合計額）	⑤	（最高 4,000 万円） 7,500,000 円	年間所得の見積額（3,000万円を超える場合は控除の適用がありません。）	円	
特定増改築等の費用の額（注2）	⑥	円	（備考）私は連帯債務者として、借入金の残高1,500万円のうち750万円を負担することとしています 東京都中野区中野○-○-○　山本優 勤務先:東京都新宿区左門町○番　㈱▲▲		
特定増改築等の費用の額に係る住宅借入金等の年末残高等（⑤と⑥の少ない方）（注2）	⑦	（最高　万円） 円	（注1）[illegible] （注2）[illegible] （注3）[illegible]		
（特定増改築等）住宅借入金等特別控除額（⑤×1%）	⑧	（100 [illegible]） 円 （最高　円）	重複適用（の特例）を受ける場合の（特定増改築等）住宅借入金等特別控除額（注3）	（100 [illegible]） 円 （最高　円） 00	

…書として…用し、確定申告書に添付することもできます。
令和◯　年分の年末調整を受ける際に必要です。年末調整を受ける時まで保存し、給与の支払者に

＊ 転勤などの場合の住宅借入金等特別控除の復活適用 ＊

1．制度趣旨

転勤が終わり家族とともにマイホームに帰ってきたとき、その年以後から住宅借入金等特別控除を復活適用する

1年目	2年目	3年目	4年目	5年目	6年目	7年目
▲ 住宅取得			▲ 転勤		▲ 再入居	
確定申告（適用可）	年末調整（適用可）	年末調整（適用可）	（適用不可）	（適用不可）	確定申告（適用可）	年末調整（適用可）→

※当初の住宅借入金等特別控除の適用期間内に限る

2．必要な手続き

①転居するとき

以下の書類を住所地を管轄する税務署に届ける

- 「転任の命令等により居住しないこととなる旨の届出書」
- 未使用の「住宅借入金等特別控除証明書」および「住宅借入金等特別控除申告書」

②戻ってきたとき

- 持ち家に戻ってきた年の翌年に「住宅借入金等特別控除額の計算明細書（再び居住の用に供した方用）」を添付して、確定申告をする

※復活適用した最初の年の翌年以後の控除は年末調整で受けられる

源泉徴収簿を書く

源泉徴収簿を完成する

年末調整に必要な「扶養控除等（異動）申告書」などの記載内容の確認が終わったら、その申告書に基づいて**源泉徴収簿**に転記していきます。毎月の給与・賞与の支給欄は、支給のつど、記入しておけば、年末調整事務をかなり軽減することができます。

次に、これらの数字をもとに年税額を計算し、過不足額の精算をします。

なお、年末調整には、税務署から送られてくる源泉徴収簿を必ずしも使う必要はありません。毎月の源泉徴収額が記録され、年末調整の計算過程がわかれば、別の給与台帳によってもかまいません（本書では、源泉徴収簿をもとに解説をしています）。

ケース　妻と子供2人の場合

従業員名……竹中　一郎（昭和50年1月8日生まれ）
役　　職……営業1課　課長
家族構成……4人
　妻：さゆり（昭和55年5月10日生まれ）
　　職業／パート
　　パート年収／ 95万円（給与所得40万円）
　長男：和人（平成19年4月15日生まれ）／高校生
　長女：真由（平成26年8月25日生まれ）／小学生
生命保険（平成23年以後契約）
　一般分……年間支払額　180,000円
　個人年金分……年間支払額　120,000円
　介護医療分……年間支払額　96,000円
損害保険……地震保険料　年間支払額　50,000円
住宅借入金……なし

＊ 源泉徴収簿「給料・手当等」「賞与等」の記入のしかた ＊

甲欄 乙欄	所属	営業1課	職名	課長	住所	(郵便番号164－0001) 東京都中野区中野○－○－○	氏名	(フリガナ) 竹中一郎《タカナカイチロウ》 (生年月日 明・大・㊗・平・令 50年 1月 8日)	整理番号	33

令和○年分 給与所得に対する源泉徴収簿

区分	月区分	支給 月	支給 日	❶ 総支給金額	❷ 社会保険料等の控除額	❸ 社会保険料等控除後の給与等の金額	❹ 扶養親族等の数	❺ 算出税額	年末調整による過不足税額	❻ 差引徴収税額
給料・手当等	1	1	25	328,128円	53,217円	274,911円	2人	4,160円	円	4,160円
	2	2	22	369,700	53,467	316,233	2	5,740		5,740
	3	3	25	380,640	53,532	327,108	2	6,230		6,230
	4	4	25	353,070	52,959	300,111	2	5,130		5,130
	5	5	24	336,880	52,862	284,018	2	4,580		4,580
	6	6	25	330,316	52,822	277,494	2	4,270		4,270
	7	7	25	331,410	52,829	278,581	2	4,370		4,370
	8	8	23	360,945	53,006	307,939	2	5,370		5,370
	9	9	25	350,445	52,943	297,502	2	5,010		5,010
	10	10	25	339,068	52,875	286,193	2	4,580		4,580
	11	11	25	332,504	52,836	279,668	2	4,370		4,370
	12	12	25	354,384	52,967	301,417	2	5,130	❼ ▲17,284	▲12,154
	計			① 4,167,490	② 636,315	3,531,175		③ 58,940		
賞与等	7	7	10	300,000	46,620	253,380	2	(税率 4.084%) 10,348		10,348
	12	12	8	600,000	93,240	506,760	2	(税率 4.084%) 20,696		20,696
								(税率 %)		
								(税率 %)		
	計			④ 900,000	⑤ 139,860	760,140		⑥ 31,044		

前年の年末調整に基づき繰り越した過不足税額						円
同上の税額につき還付又は徴収した月区分	月別	還付又は徴収した税額	差引残高	月別	還付又は徴収した税額	差引残高
	月	円	円	月	円	円

扶養控除等の申告・各種控除額

申告の有無	区分／申告月日	源泉控除対象配偶者	控除対象扶養親族 一般の	特定扶養親族	老人扶養親族 同居老親等	老人扶養親族 その他	一般の障害者 本人・配・扶(人)	特別障害者 本人・配・扶(人)	同居特別障害者 配・扶(人)	寡婦又はひとり親	勤労学生	従たる給与から控除する源泉控除対象配偶者と控除対象扶養親族の合計数	配偶者の有無
㊒・無	当初	㊒・無	1人	人	人	人	人	人	人	寡婦・ひとり親	有・無	当初 人	㊒・無
	／	有・無								寡婦・ひとり親	有・無		
	／	有・無								寡婦・ひとり親	有・無	月 日 人	
	控除額 1人当たり(万円)		38	63	58	48	27	40	75	27 (寡婦) 35 (ひとり親)	27		
	控除額 合計(万円)		38										

年末調整

区分		金額		税額	
給料・手当等		①	4,167,490円	③	58,940円
賞与等		④	900,000	⑥	31,044
計		⑦	5,067,490	⑧	89,984
給与所得控除後の給与等の金額		⑨	3,611,200	所得金額調整控除の適用 有・無 (※ 適用有の場合は⑩に記載)	
所得金額調整控除額 ((⑦－8,500,000円)×10%、マイナスの場合は0)		⑩	(1円未満切上げ、最高150,000円)		
給与所得控除後の給与等の金額(調整控除後)(⑨－⑩)		⑪	3,611,200		
社会保険料等控除額	給与等からの控除分(②＋⑤)	⑫	776,175	配偶者の合計所得金額 (400,000 円)	
	申告による社会保険料の控除分	⑬		旧長期損害保険料支払額 (円)	
	申告による小規模企業共済等掛金の控除分	⑭			
生命保険料の控除額		⑮	120,000	⑫のうち小規模企業共済等掛金の金額 (円)	
地震保険料の控除額		⑯	50,000		
配偶者(特別)控除額		⑰	380,000		
扶養控除額及び障害者等の控除額の合計額		⑱	380,000	⑬のうち国民年金保険料等の金額 (円)	
基礎控除額		⑲	480,000		
所得控除額の合計額(⑫＋⑬＋⑭＋⑮＋⑯＋⑰＋⑱＋⑲)		⑳	2,186,175		
差引課税給与所得金額(⑪－⑳)及び算出所得税額		㉑	(1,000円未満切捨て) 1,425,000	㉒	71,250
(特定増改築等)住宅借入金等特別控除額				㉓	0
年調所得税額(㉒－㉓、マイナスの場合は0)				㉔	71,250
年調年税額(㉔×102.1%)				㉕	(100円未満切捨て) 72,700
差引(超過額)又は不足額(㉕－⑧)				㉖	17,284
超過額の精算	本年最後の給与から徴収する税額に充当する金額			㉗	5,130
	未払給与に係る未徴収の税額に充当する金額			㉘	
	差引還付する金額(㉖－㉗－㉘)			㉙	12,154
	同上のうち 本年中に還付する金額			㉚	12,154
	同上のうち 翌年において還付する金額			㉛	
不足額の精算	本年最後の給与から徴収する金額			㉜	
	翌年に繰り越して徴収する金額			㉝	

※定額減税については68ページ参照

❶「総支給金額」
- その月に支給した給与の総額を記入する
- 非課税交通費など源泉所得税のかからない給与は記入しない

❷「社会保険料等の控除額」
- 毎月の給与から控除している厚生年金保険料などの社会保険料や雇用保険料を記入する
- 会社負担分は含めない

❸「社会保険料等控除後の給与等の金額」
- ❶から❷を差し引いて求める
- この金額に対して、毎月、源泉所得税を計算する

❹「扶養親族等の数」
- 従業員などから提出された「扶養控除等(異動)申告書」に基づいて源泉控除対象配偶者と扶養親族の合計数を記入する
- 本ケースの場合源泉控除対象配偶者1人（さゆり)、扶養親族1人（和人のみ。真由は16歳未満のため不該当）の合計2人となる

❺「算出税額」
- 毎月控除した源泉所得税額を記入する
- 毎月控除する住民税額は記入しない(源泉徴収簿に住民税額を記入する欄はない)

❻「差引徴収税額」
- ❺の算出税額から年末調整による過不足税額を加減算して求める
- 12月以外は、通常❺の金額がそのまま記入される

❼「年末調整による過不足税額」
- 源泉徴収簿の「年末調整」欄の㉖の金額を記入する
- 年末調整が終わった最後に記入する

＊源泉徴収簿「年末調整」の記入のしかた＊

●源泉徴収簿

令和○年分 給与所得に対する源泉徴収簿

甲欄 乙欄					
所属	営業1課	職名	課長	住所	(郵便番号164-0001) 東京都中野区中野○-○-○
氏名	(フリガナ) 竹中一郎《タカナカイチロウ》 (生年月日 明・大・㊐・平・令 50年1月8日)	整理番号	33		

区分	月区分	支給月日	総支給金額	社会保険料等の控除額	社会保険料等控除後の給与等の金額	扶養親族等の数	算出税額	年末調整による過不足税額	差引徴収税額
給料・手当等	1	1 25	328,128円	53,217円	274,911円	2人	4,160円	円	4,160円
	2	2 22	369,700	53,467	316,233	2	5,740		5,740
	3	3 25	380,640	53,532	327,108	2	6,230		6,230
	4	4 25	353,070	52,959	300,111	2	5,130		5,130
	5	5 24	336,880	52.862	284,018	2	4,580		4,580
	6	6 25	330,316	52,822	277,494	2	4,270		4,270
	7	7 25	331,410	52,829	278,581	2	4,370		4,370
	8	8 23	360,945	53,006	307,939	2	[illegible]		5,370
	9	9 25	350,445	52,943	297,502	2	[illegible]		[illegible]
	10	10 25	339,068	52,875	286,193	2	[illegible]		[illegible]
	11	11 25	332,504	52,836	279,668	2	4,370		4,370
	12	12 25	354,384	52,967	301,417	2	5,130	▲17,284	▲12,154
	計		① 4,167,490	② 636,315	3,531,175		③ 58,940		
賞与等	7	7 10	300,000	46,620	253,380	2	(税率 4.084%) 10,348		10,348
	12	12 8	600,000	93,240	506,760	2	(税率 4.084%) 20,696		20,696
							(税率 %)		
							(税率 %)		
	計		④ 900,000	⑤ 139,860	760,140		⑥ 31,044		

前年の年末調整に基づき繰り越した過不足税額							円
同上の税額につき還付又は徴収した月区分	月別	還付又は徴収した税額	差引残高	月別	還付又は徴収した税額	差引残高	
	月	円	円	月	円	円	

扶養控除等の申告・各種控除額

申告の有無	区分 / 申告月日	源泉控除対象配偶者	一般の控除対象扶養親族	特定扶養親族	老人扶養親族 同居老親等	老人扶養親族 その他	一般の障害者 本人・配・扶（人）	特別障害者 本人・配・扶（人）	同居特別障害者 配・扶（人）	寡婦又はひとり親	勤労学生	従たる給与から控除する源泉控除対象配偶者と控除対象扶養親族の合計数	配偶者の有無
	当初	㊒・無	1人	人	人	人	人	人	人	寡婦・ひとり親	有・無	当初 人	
	/	有・無								寡婦・ひとり親	有・無		
㊒・無	/	有・無								寡婦・ひとり親	有・無	月 日 人	㊒・無
控除額	1人当たり（万円）		38	63	58	48	27	40	75	27（寡婦） 35（ひとり親）	27		
	合計（万円）		38										

年末調整 区分		金額		税額
給料・手当等	①	4,167,490円	③	58,940円
賞与	④	900,000	⑥	31,044
計	⑦	5,067,490	⑧	89,984
給与所得控除後の給与等の金額	⑨	3,611,200		所得金額調整控除の適用 有・無 (※ 適用有の場合は⑩に記載)
所得金額調整控除額 ((⑦−8,500,000円)×10%、マイナスの場合は0)	⑩	(1円未満切上げ、最高150,000円)		
給与所得控除後の給与等の金額（調整控除後）(⑨−⑩)	⑪	3,611,200		
社会保険料等控除額 給与等からの控除分（②＋⑤）	⑫	776,175		配偶者の合計所得金額 (400,000 円)
社会保険料等控除額 申告による社会保険料の控除分	⑬			旧長期損害保険料支払額 (円)
社会保険料等控除額 申告による小規模企業共済等掛金の控除分	⑭			⑫のうち小規模企業共済等掛金の金額 (円)
生命保険料の控除額	⑮	120,000		⑬のうち国民年金保険料等の金額 (円)
地震保険料の控除額	⑯	50,000		
配偶者（特別）控除額	⑰	380,000		
扶養控除額及び障害者等の控除額の合計額	⑱	380,000		
基礎控除額	⑲	480,000		
所得控除額の合計額 (⑫＋⑬＋⑭＋⑮＋⑯＋⑰＋⑱＋⑲)	⑳	2,186,175		
差引課税給与所得金額(⑪−⑳)及び算出所得税額	㉑	(1,000円未満切捨て) 1,425,000	㉒	71,250
（特定増改築等）住宅借入金等特別控除額			㉓	0
年調所得税額（㉒−㉓、マイナスの場合は0）			㉔	71,250
年調年税額（㉔×102.1%）			㉕	(100円未満切捨て) 72,700
差引（超過額）又は不足額（㉕−⑧）			㉖	17,284
超過額 本年最後の給与から徴収する税額に充当する金額			㉗	5,130
超過額 未払給与に係る未徴収の税額に充当する金額			㉘	
超過額の精算 （㉖−㉗−㉘）			㉙	12,154
超過額の精算 …する金額			㉚	12,154
…する金額			㉛	
不足額の精算 …する金額			㉜	
不足額の精算 …する金額			㉝	

ア 給料・手当等 金額①　イ 給料・手当等 税額③　ウ 賞与 金額④　エ 賞与 税額⑥

各種申告書より転記する

「超過額」または「不足額」のどちらかを○で囲む

195ページ速算表より
1,425,000円×5%＝
71,250円

Ⓐ「給与所得控除後の給与等の金額」⑪

- ●年間の給与と賞与の支給額合計（⑦）を出す
- ●次ページ「給与所得控除後の金額の算出表」から「給与所得控除後の給与等の金額」⑨を算出する
- ●所得金額調整控除（→167ページ）の適用がある場合は計算した金額を⑩に記載する
- ●「給与所得控除後の給与等の金額」⑨から「所得金額調整控除」⑩を差し引きし、「給与所得控除後の給与等の金額（調整控除後）」⑪を算出する

Ⓑ「年調年税額」㉕

- ●「給与所得控除後の給与等の金額（調整控除後）」⑪から「所得控除額の合計額」⑳を差し引き「差引課税給与所得金額」㉑を算出する。1,000円未満端数切捨て（これより以下、税金の計算となる）
- ●「差引課税給与所得金額」㉑に次ページ「所得税額の速算表」をもとに税率5%を掛け「算出所得税額」㉒の金額を求める
- ●「算出所得税額」㉒から「住宅借入金等特別控除額」㉓を差し引く（「年調所得税額」㉔が求められる）
- ●「年調所得税額」㉔に102.1%を掛け、復興特別所得税額をあわせた「年調年税額」㉕（100円未満切捨て）を求める
- ●この金額が年末調整により正確に計算した本年1年間の所得税額（復興特別所得税額を含む）となる（本ケースでは72,700円）

Ⓒ「差引超過額又は不足額」

- ●「年調年税額」㉕と毎月の給与から徴収していた「源泉所得税の合計額」⑧とを比較して、「超過額」または「不足額」を㉖に記入する（本ケースの場合、17,284円の超過額（還付）となる）
  年調年税額＞源泉所得税⇒不足額（追加徴収）
  年調年税額＜源泉所得税⇒超過額（還付）
- ●超過額（還付）の場合、「超過額」㉖の金額をすべて還付するのではなく「本年最後の給与から徴収する税額に充当する金額」㉗を差し引いた残額を還付する（本ケースでは、12月に徴収すべき税額5,130円を超過額17,284円から差し引き、差額の12,154円を還付する）

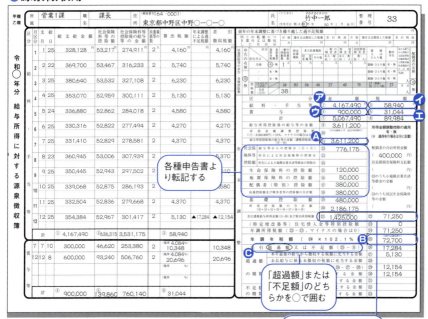

●源泉徴収簿「給与・賞与」欄（抜粋）

等	11	11	25	332,504	52,836	279,668	2	4,370		4,370
	12	12	25	354,384	52,967	301,417	2	5,130	▲17,284	▲12,154
	計			ア 4,167,490	②636,315	3,531,175		イ 58,940		
賞与等	7	7	10	300,000	46,620	253,380	2	(税率 4.084%) 10,348		10,348
	12	12	8	600,000	93,240	506,760	2	(税率 4.084%) 20,696		20,696
								(税率 %)		
								(税率 %)		
	計			ウ 900,000	⑤139,860	760,140		エ 31,044		

調整			
扶養控除額及び障害者等の控除額の合計額	⑱	380,000	⑬のうち国民年金保険料等の金額
基礎控除額	⑲	480,000	
所得控除額の合計額 (⑫+⑬+⑭+⑮+⑯+⑰+⑱+⑲)	⑳	2,186,175	（　　円）
差引課税給与所得金額(⑪−⑳)及び算出所得税額	㉑	(1,000円未満切捨て) 1,425,000	㉒ 71,250
（特定増改築等）住宅借入金等特別控除額			㉓ 0
年調所得税額（㉒−㉓、マイナスの場合は0）			㉔ 71,250
年調年税額（㉔×102.1％）			㉕ (100円未満切捨て) 72,700
差引超過額又は不足額（㉕−⑧）			㉖ 17,284
超過額の精算	本年最後の給与から徴収する税額に充当する金額		㉗ 5,130
	未払給与に係る未徴収の税額に充当する金額		㉘
	差引還付する金額（㉖−㉗−㉘）		㉙ 12,154
	同上のうち 本年中に還付する金額		㉚ 12,154
	同上のうち 翌年において還付する金額		㉛
不足額の精算	本年最後の給与から徴収する金額		㉜
	翌年に繰り越して徴収する金額		㉝

●給与所得控除後の金額の算出表（抜粋）

（六）　　　　（4,572,000円～5,171,999円）

給与等の金額 以上	給与等の金額 未満	給与所得控除後の給与等の金額	給与等の金額 以上	給与等の金額 未満	給与所得控除後の給与等の金額	給与等の金額 以上	給与等の金額 未満	給与所得控除後の給与等の金額
円	円	円	円	円	円	円	円	円
4,572,000	4,576,000	3,217,600	4,772,000	4,776,000	3,377,600	4,972,000	4,976,000	3,537,600
4,576,000	4,580,000	3,220,800	4,776,000	4,780,000	3,380,800	4,976,000	4,980,000	3,540,800
4,580,000	4,584,000	3,224,000	4,780,000	4,784,000	3,384,000	4,980,000	4,984,000	3,544,000
4,584,000	4,588,000	3,227,200	4,784,000	4,788,000	3,387,200	4,984,000	4,988,000	3,547,200
4,588,000	4,592,000	3,230,400	4,788,000	4,792,000	3,390,400	4,988,000	4,992,000	3,550,400
4,652,000	4,656,000	3,281,600	4,852,000	4,856,000	3,441,600	5,052,000	5,056,000	3,601,600
4,656,000	4,660,000	3,284,800	[illegible]	[illegible]	[illegible]	5,056,000	5,060,000	3,604,800
4,660,000	4,664,000	3,288,000	[illegible]	[illegible]	[illegible]	5,060,000	5,064,000	3,608,000
4,664,000	4,668,000	3,291,200	[illegible]	[illegible]	[illegible]	5,064,000	5,068,000	3,611,200
4,668,000	4,672,000	3,294,400	[illegible]	[illegible]	[illegible]	5,068,000	5,072,000	3,614,400

⑦の金額(5,067,490)が含まれる範囲を探す

※令和2年以降、給与収入が850万円を超える場合の給与所得控除額は上限195万円となった。控除額も一律10万円引き下げとなり、最低額も65万円から55万円に改正された

●所得税額の速算表

課税給与所得金額（A）	税額
195万円以下	（A）×5%
195万円超　330万円以下	（A）×10%－97,500円
330万円超　695万円以下	（A）×20%－427,500円
695万円超　900万円以下	（A）×23%－636,000円
900万円超　1,800万円以下	（A）×33%－1,536,000円
1,800万円超　4,000万円以下	（A）×40%－2,796,000円
4,000万円超	（A）×45%－4,796,000円

※課税給与所得金額（A）に1,000円未満の端数があるときは切り捨てる

給与所得控除：給与で生計を立てているサラリーマンも、給与を得るためにスーツや靴の購入代、クリーニング代などの費用がかかっている。このような費用を実際に支出しているかどうかにかかわらず、政策的に一定の計算ルールで認めている制度が給与所得控除。いわばサラリーマンの必要経費。なお、通勤費や転居費、研修費、資格取得費など、一定の支出をし、その支出合計額が給与所得控除額を超えるときは、確定申告によって、その金額を差し引くことができる制度（特定支出控除）がある。

4月 6月 7月 9月 12月

42

12月 翌年1月の事務処理

年末調整がすべて終わるのは翌年1月

1月末までに一定の書類を提出する

年末調整が終了し、年末調整結果の過不足額を精算したからといって「給与計算事務が終わった」というわけではありません。

まず、翌年1月10日（源泉所得税の納期の特例を受けている会社は1月20日）までに年末調整の過不足額を調整した源泉所得税を納付しなければなりません。

次に、1月31日までに税務署や市区町村に対し、給与支払報告書（⬇２００ページ）などの一定の書類を作成し提出しなければなりません（税務署も市区町村も郵送でＯＫ）。従業員が多い会社は事務処理に時間がかかるので注意しなければなりません。

なお、税務署に提出する「法定調書合計表」（⬇２０７ページ）の控えがほしい場合は、郵送時に切手を貼った返信用封筒を入れておきます。

預り金と納付書の支払額を確認する

源泉所得税の納付書には、年末調整の調整額（不足税額と超過税額）を記入するので、通常月に比べ数字を追加して作成することになります。

この納付書を作成し、源泉所得税を納付する前に、支払額と経理のデータを突き合わせます。預かった源泉徴収税額は、経理上「預り金」という勘定科目で計上しています。その金額と納付書の支払額とが一致しているかどうかを確認するのです。

＊ 確定申告が必要な人（主なケース）＊

- 給与の年収が2,000万円を超える人
- 給与を1か所から受けている人で、給与所得および退職所得以外の所得の合計額が20万円を超える人
- 給与を2か所以上から受け取っている人で、年末調整を受けなかった給与収入と給与所得および退職所得以外の所得の合計が20万円を超える人
- 同族会社の役員やその親族などで、会社から給与のほかに貸付金の利子や事業所の賃貸料などの支払いを受けている人

＊ 確定申告をすれば税金が戻ってくる人（主なケース）＊

- 年末調整を受けないで中途退職した人で源泉徴収された税金のある人（必ず戻ってくるとは限らない）
- 災害、盗難などの理由で雑損控除の対象となる人
- 1年間に支払った医療費の合計額が10万円を超える人など医療費控除の対象となる人
- 住宅借入金等特別控除の対象となる人で年末調整で控除を受けなかった人
- 株式などの配当による所得があり、配当控除の対象となる人
- 政党等に寄附をした人で政党等寄附金特別控除の対象となる人
- 国や地方公共団体、日本赤十字社などに寄附をした人

勘定科目：経理用語で会社のさまざまな取引を帳簿に記録するときに使う分類集計のための単位。「預り金」のほかに「現金」や「旅費交通費」など数多くある。

＊ 年末調整のやり直し(主なケース) ＊

- 年末調整が終わった後で、年内に給与の追加払いがあった場合（年間の給与所得が増加するので所得税もアップする）は、必ず年末調整のやり直しをしなければならない
- 年末調整が終了した後で扶養親族の数が変わった場合
- 生命保険料の追加払いで生命保険料控除額が増えた場合
- 年末調整が終わった後に、住宅借入金等特別控除申告書の提出があった場合

※所得控除額や税額控除額に異動があった場合は年末調整をやり直し、年税額を再計算する（従業員などに源泉徴収票を渡す期限である翌年1月31日までにしなければならない）
※給与の追加払いのケース以外は従業員などが自分で確定申告することによって精算することも可能

＊ 年末調整(12月分)の納付書の書き方 ＊

ケース1 年末調整の結果、不足税額2,000円
超過税額86,800円が生じたケース

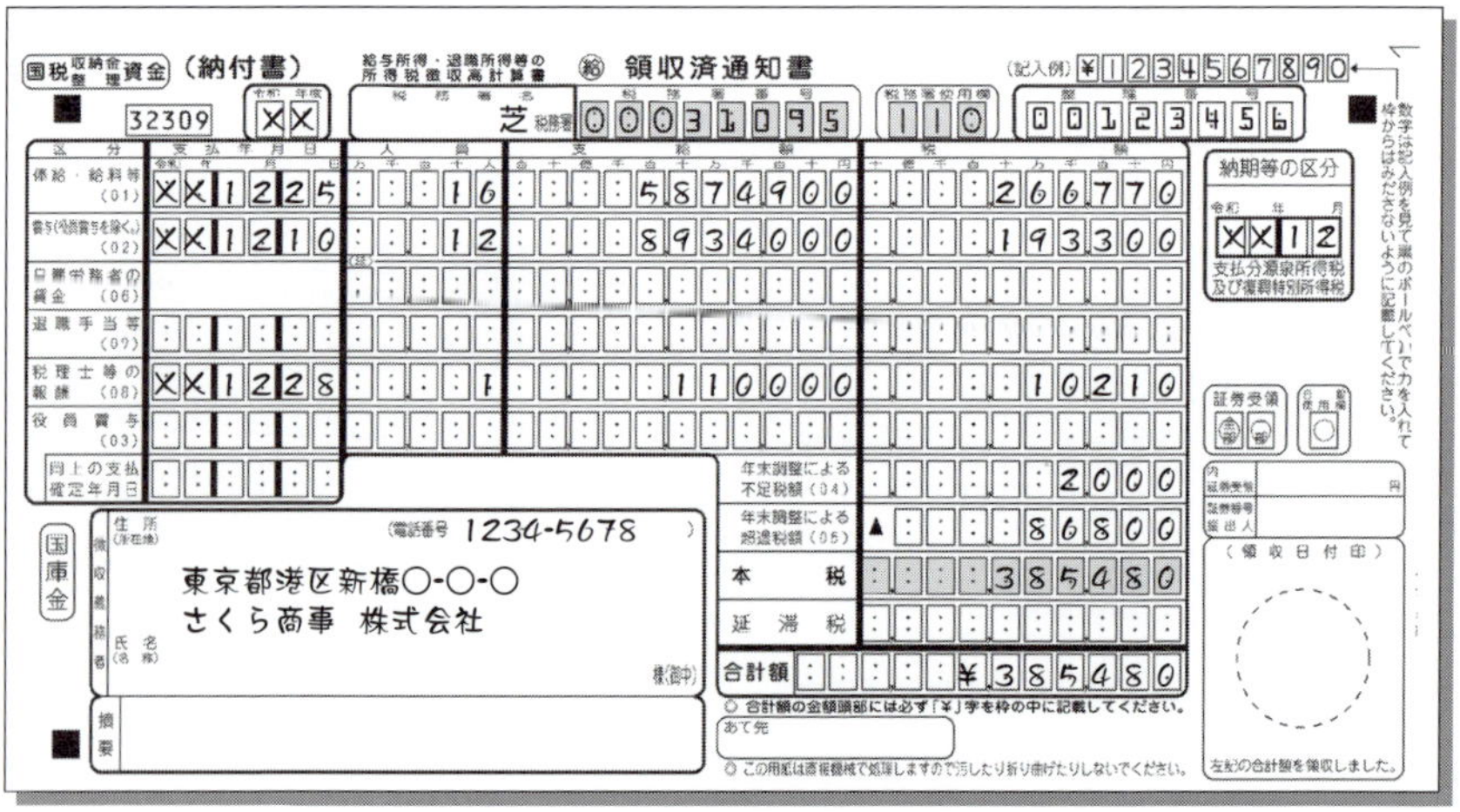

国税収納金整理資金（納付書）　給与所得・退職所得等の所得税徴収高計算書　㊗ 領収済通知書

（記入例）¥1234567890

32309　令和 年度 XX　税務署名 芝 税務署　税務署番号 00031095　税務署使用欄 110　整理番号 00123456

区分	支払年月日	人員	支給額	税額
俸給・給料等（01）	XX1225	16	58749000	266770
賞与（役員賞与を除く。）（02）	XX1210	12	8934000	193300
日雇労務者の賃金（06）				
退職手当等（07）				
税理士等の報酬（08）	XX1228	1	110000	10210
役員賞与（03）				
同上の支払確定年月日				
年末調整による不足税額（04）				2000
年末調整による超過税額（05）				▲86800
本税				385480
延滞税				
合計額				¥385480

納期等の区分　令和 XX 年 12 月　支払分源泉所得税及び復興特別所得税

徴収義務者　住所（所在地）　（電話番号 1234-5678）
東京都港区新橋○-○-○
氏名（名称）　さくら商事　株式会社　様（御中）

摘要

◎ 合計額の金額頭部には必ず「¥」字を枠の中に記載してください。
あて先
◎ この用紙は機械で処理しますので汚したり折り曲げたりしないでください。

数字は記入例を見て黒のボールペンで力を入れて枠からはみださないように記載してください。

証券受領　日銀使用欄　内 証券受領 円　証券番号 提出人
（領収日付印）
左記の合計額を領収しました。

ケース2　年末調整の結果、超過税額483,710円が生じ12月の年末調整前の納付税額470,280円より多くなったケース

※差し引くことができなかった13,430円（483,710円－470,280円）は、翌年1月の納付すべき源泉徴収税額から控除する

※このケースでは、納付税額が0だが、0の場合でも納付書を作成し、3枚目の会社控えを残して提出する必要がある

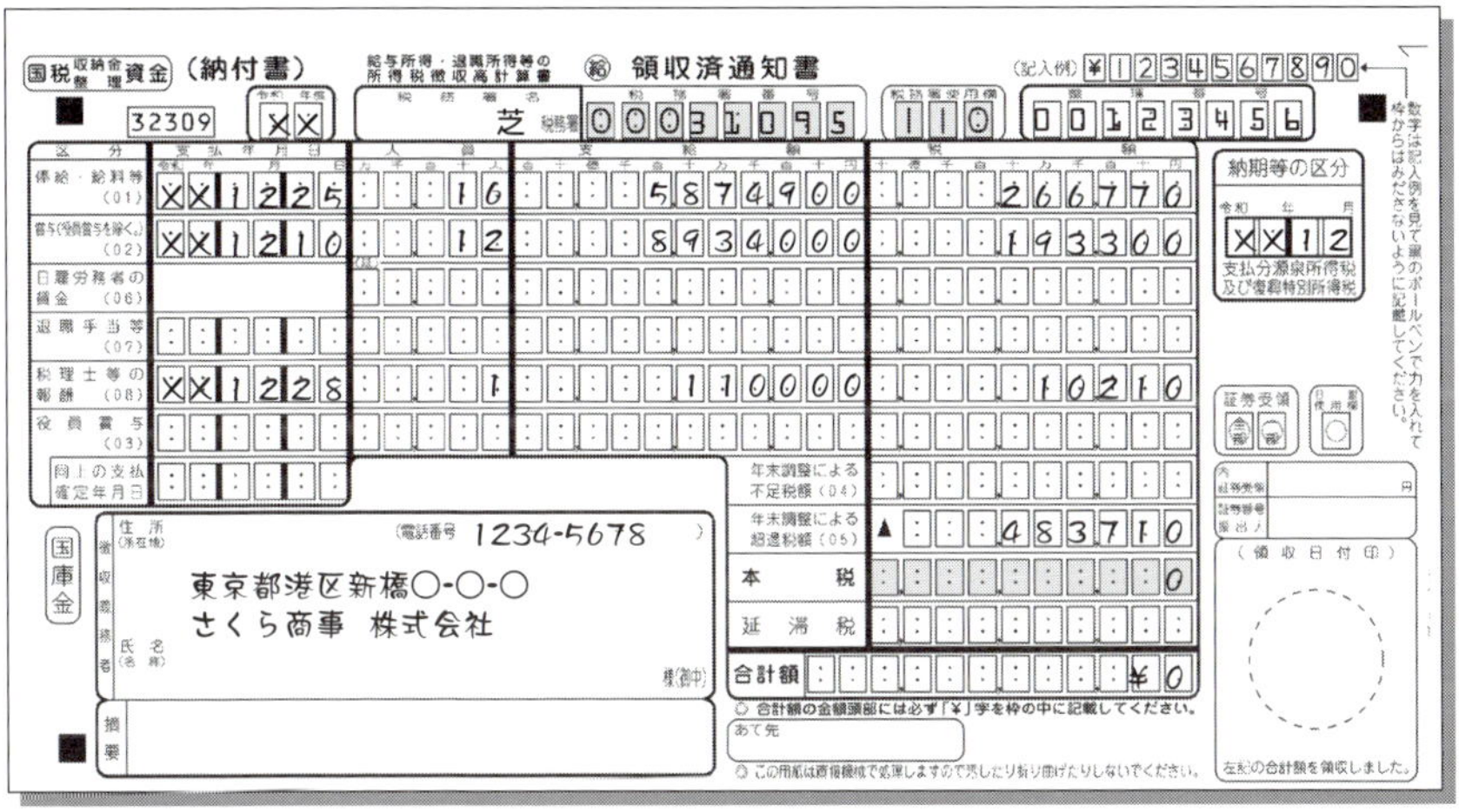

国税資金（納付書）　給与所得・退職所得等の所得税徴収高計算書　領収済通知書

32309　年度 XX　税務署名 芝　税務署番号 00031095　税務署使用欄 110　整理番号 00123456

区分	支払年月日	人員	支給額	税額
俸給・給料等（01）	XX1225	16	5874900	266770
賞与（役員賞与を除く。）（02）	XX1210	12	8934000	193300
日雇労務者の賃金（06）				
退職手当等（07）				
税理士等の報酬（08）	XX1228	1	110000	10210
役員賞与（03）				
同上の支払確定年月日				
年末調整による不足税額（04）				
年末調整による超過税額（05）				▲483710
本税				0
延滞税				
合計額				¥0

納期等の区分　令和 XX年12月　支払分源泉所得税及び復興特別所得税

徴収義務者　住所（所在地）東京都港区新橋○-○-○　（電話番号 1234-5678）　氏名（名称）さくら商事 株式会社

ケース2の参考　年末調整で差し引くことができなかった13,430円を翌年1月（2月10日納付期限）の納付税額（253,095円）から差し引き納付する

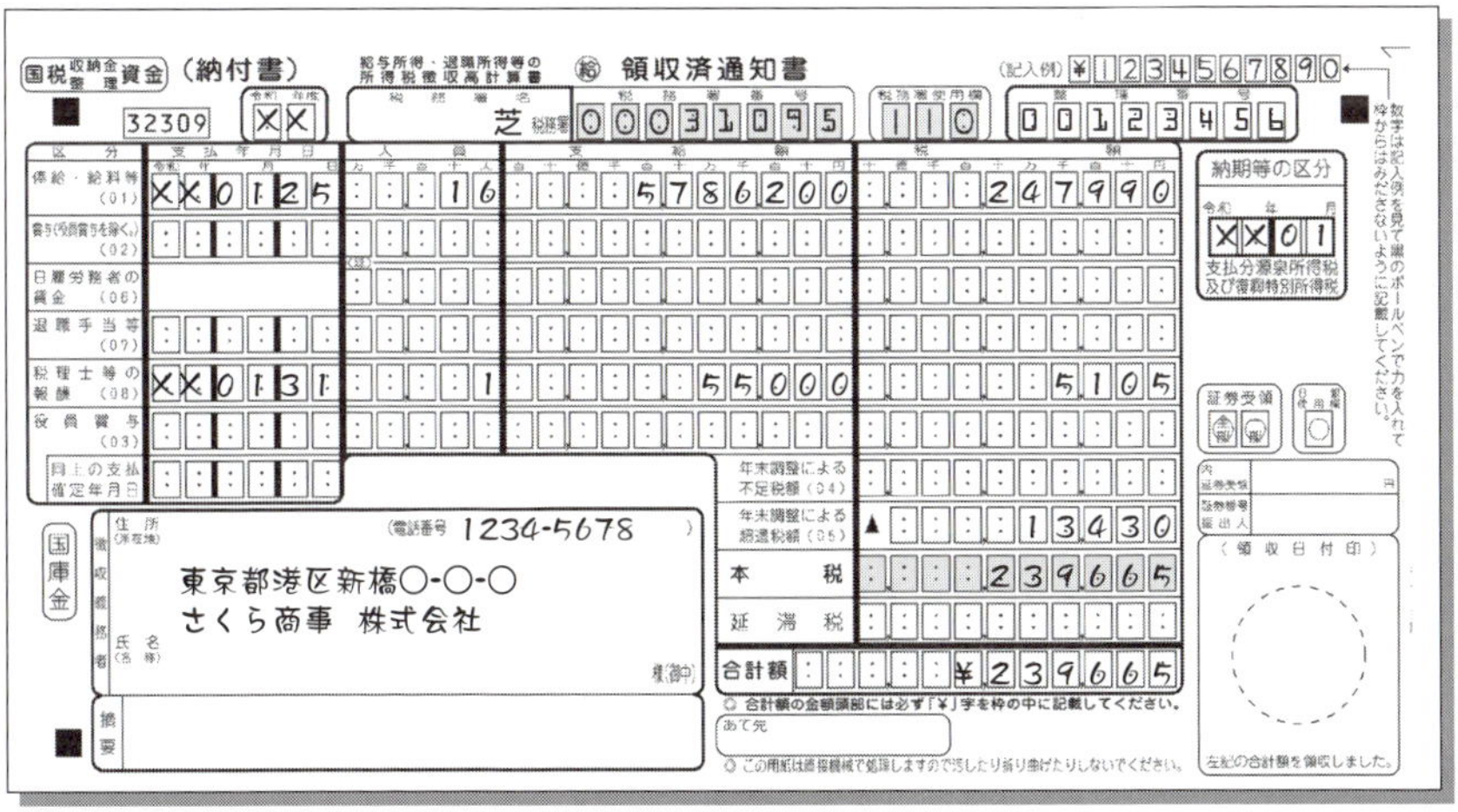

国税資金（納付書）　給与所得・退職所得等の所得税徴収高計算書　領収済通知書

32309　年度 XX　税務署名 芝　税務署番号 00031095　税務署使用欄 110　整理番号 00123456

区分	支払年月日	人員	支給額	税額
俸給・給料等（01）	XX0125	16	5786200	247990
賞与（役員賞与を除く。）（02）				
日雇労務者の賃金（06）				
退職手当等（07）				
税理士等の報酬（08）	XX0131	1	55000	5105
役員賞与（03）				
同上の支払確定年月日				
年末調整による不足税額（04）				
年末調整による超過税額（05）				▲13430
本税				239665
延滞税				
合計額				¥239665

納期等の区分　令和 XX年01月　支払分源泉所得税及び復興特別所得税

徴収義務者　住所（所在地）東京都港区新橋○-○-○　（電話番号 1234-5678）　氏名（名称）さくら商事 株式会社

源泉徴収票は源泉徴収簿をもとに作成する

源泉徴収票でわかる年収・年税額

給与支払報告書（源泉徴収票）は、会社が1年間に支払った給与の総額、徴収した所得税、年末調整を行う基礎となったデータなどを記載した書類です。源泉徴収票は、1部を従業員などに渡してください。

なぜなら源泉徴収票は、確定申告をするとき（161ページに該当する人）や個人的にローンを組むときに必要になるからです（所得の内容がわかるので銀行などに提出を求められる）。

ただし、源泉徴収票は、その人の所得を会社が証明するものではありません。会社の給与以外に所得がある場合もあるからです。

源泉徴収票は転記するだけでOK

源泉徴収票は**源泉徴収簿**をもとに作成します。

言い換えれば、源泉徴収票は源泉徴収簿から転記するだけなのです（⬇202ページ）。

源泉徴収票の用紙は、扶養控除等（異動）申告書など年末調整関係の書類といっしょに11月ごろ税務署から会社に郵送されてきます。

必ずしも送られてきた用紙を使う必要はなく、必要事項が記載されていれば、独自に作成してもかまいません。

また、あらかじめ従業員から承諾をもらった上で、データを書き込んだCD-ROMを渡すなどの電磁的方法により、源泉徴収票を渡すことも可能です。

＊ 源泉徴収票など年末調整関係書類の提出先と提出期限 ＊

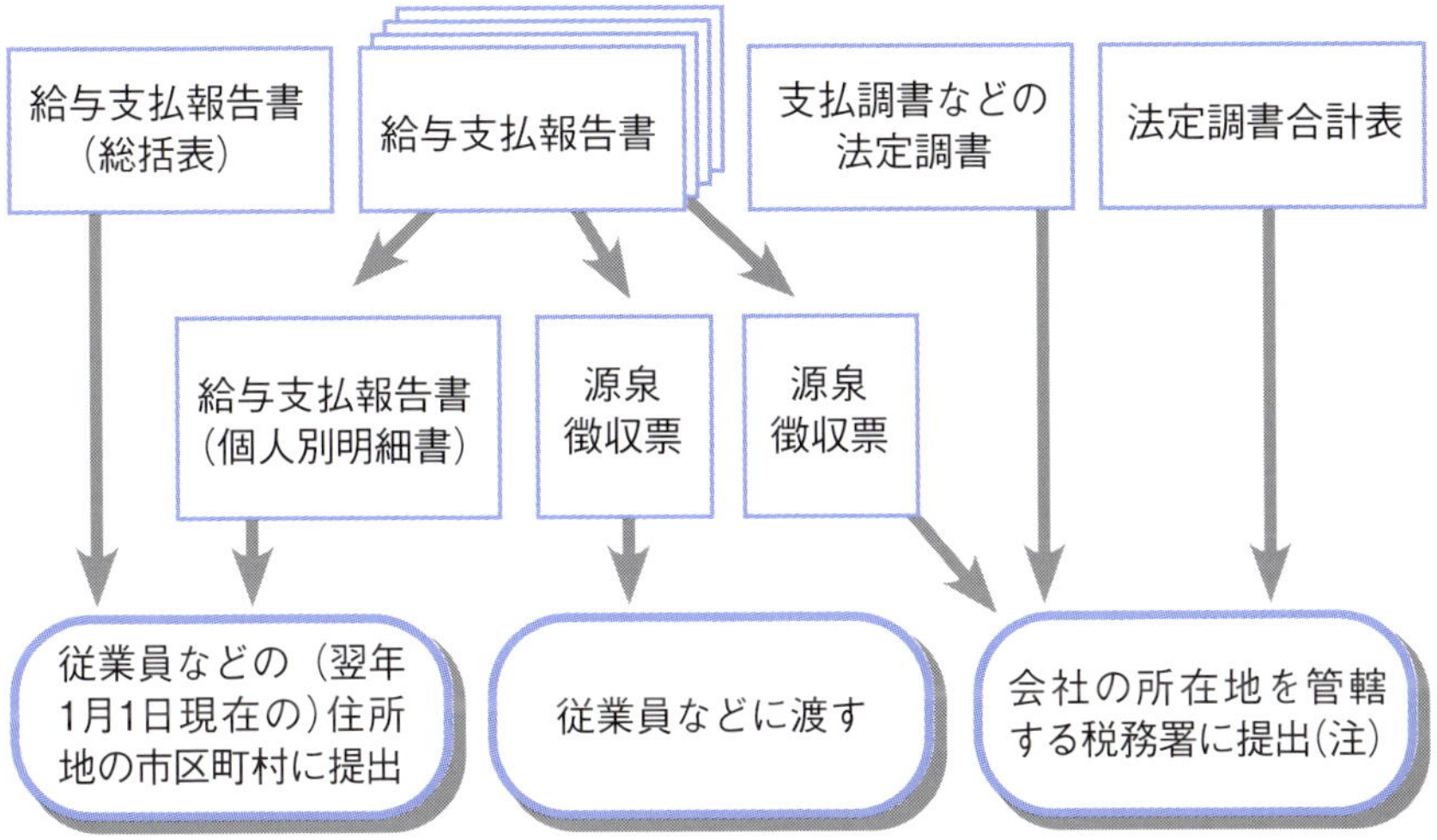

※税務署に源泉徴収票を提出しなければならないのは、役職などの区分により支払額が一定の金額を超える人（→206ページ）

提出期限：年末調整の翌年1月末日（土日の場合は翌日）

Column

国外居住親族

国外居住親族について扶養控除や配偶者（特別）控除、障害者控除などを受ける場合は、パスポートの写しなど「親族関係書類」と扶養していることを示す「送金関係書類」の提出が必要です。また令和5年からは、（1）16歳以上30歳未満の者、（2）70歳以上の者、（3）30歳以上の70歳未満の者のうち、①留学　②障害者　③その居住者からその年において生活費や教育費に充てるため38万円以上支払を受けている者　に該当する者に限られることとなりました。扶養控除の適用に際しては、区分に応じて、下記の表の書類が必要となります。

		扶養控除等申告書提出時に必要な確認書類	年末調整時に必要な確認書類
16歳以上30歳未満または70歳以上		親族関係書類	送金関係書類
30歳以上70歳未満	①留学により国内に住所および居所を有しなくなった者	親族関係書類および留学ビザ等書類	送金関係書類
	②障害者	親族関係書類	送金関係書類
	③その居住者から生活費や教育費に充てるため38万円以上支払いを受けている者	親族関係書類	38万円送金書類
	上記①～③以外の者	扶養控除の対象外	

記載する内容はすべて同じ

税務署に提出する源泉徴収票、市区町村に提出する給与支払報告書、従業員などに渡す源泉徴収票の記載内容はすべて同じです。

ただし、マイナンバーを記載するのは税務署に提出するものと市区町村に提出するものに限られています。

また、市区町村に提出するものには16歳未満の扶養親族のマイナンバーも記載することとなっています。誤って、マイナンバーを記載した源泉徴収票を本人に交付したりしないようにしましょう。

＊ 源泉徴収票《げんせんちょうしゅうひょう》と源泉徴収簿《げんせんちょうしゅうぼ》の関係 ＊

●源泉徴収票（税務署提出用）

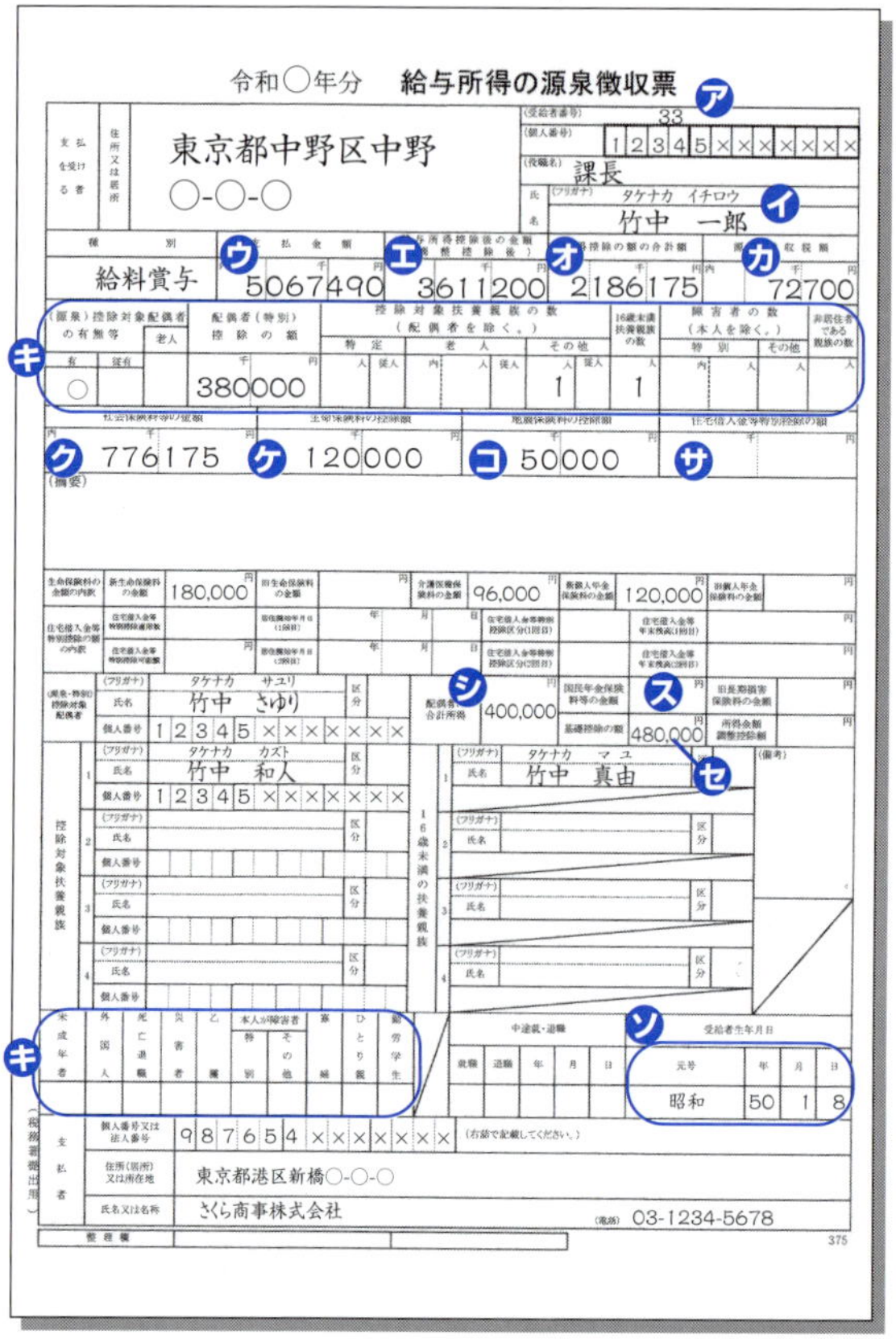
令和○年分　給与所得の源泉徴収票　ア

支払を受ける者	住所又は居所	東京都中野区中野 ○-○-○
	(受給者番号)	33
	(個人番号)	12345×××××××
	(役職名)	課長
	氏名 (フリガナ)	タケナカ　イチロウ　竹中　一郎　イ

種別	ウ 支払金額	エ 給与所得控除後の金額（調整控除後）	オ 所得控除の額の合計額	カ 源泉徴収税額
給料賞与	5067490	3611200	2186175	72700

キ

(源泉)控除対象配偶者の有無等	老人	配偶者(特別)控除の額	控除対象扶養親族の数（配偶者を除く。）特定	老人	その他	16歳未満扶養親族の数	障害者の数（本人を除く。）特別	その他	非居住者である親族の数
○		380000			1	1			

ク 社会保険料等の金額	ケ 生命保険料の控除額	コ 地震保険料の控除額	サ 住宅借入金等特別控除の額
776175	120000	50000	

(摘要)

生命保険料の金額の内訳	新生命保険料の金額	180,000	旧生命保険料の金額		介護医療保険料の金額	96,000	新個人年金保険料の金額	120,000	旧個人年金保険料の金額	

(源泉・特別)控除対象配偶者	氏名 (フリガナ)	タケナカ　サユリ　竹中　さゆり	区分	シ 配偶者の合計所得	400,000	国民年金保険料等の金額		旧長期損害保険料の金額	
	個人番号	12345×××××××				ス 基礎控除の額	480,000	所得金額調整控除額	

控除対象扶養親族	1 氏名 (フリガナ)	タケナカ　カズト　竹中　和人	16歳未満の扶養親族	1 氏名 (フリガナ)	タケナカ　マユ　竹中　真由　セ
	個人番号	12345×××××××			

キ

未成年者	外国人	死亡退職	災害者	乙欄	本人が障害者 特別	その他	寡婦	ひとり親	勤労学生

ソ

中途就・退職 就職	退職	年	月	日	受給者生年月日 元号	年	月	日
					昭和	50	1	8

支払者	個人番号又は法人番号	987654××××××× (右詰で記載してください。)
	住所(居所)又は所在地	東京都港区新橋○-○-○
	氏名又は名称	さくら商事株式会社　(電話) 03-1234-5678

整理欄　375

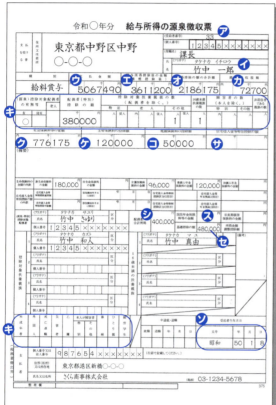

●源泉徴収簿

ー○ー○	氏名	（フリガナ） 竹中一郎《タカナカイチロウ》 イ （生年月日 ソ 明・大・(昭)・平・令 50 年 1 月 8 日）	整理番号 ア 33

…整…過…額	差引徴収税額
円	4,160 円
	5,740
	6,230
	5,130
	4,580
	4,270
	4,370
	5,370
	5,010
	4,580
	4,370
284	▲12,154
	10,348
	20,696

前年の年末調整に基づき繰り越した過不足税額

同上の税額につき還付又は徴収した月区分	月別	還付又は徴収した税額	差引残高	月別	還付又は徴収した税額	差引残
	月	円	円	月	円	

キ 扶養控除等の申告・各種控除額

申告の有無	区分 / 申告月日	源泉控除対象配偶者	一般の控除対象扶養親族	特定扶養親族	老人扶養親族 同居老親等	老人扶養親族 その他	一般の障害者 本人・配・扶（ 人）	特別障害者 本人・配・扶（ 人）	同居特別障害者 配・扶（ 人）	寡婦又はひとり親	勤労学生	従たる給与から控除する源泉控除対象配偶者と控除対象扶養親族の合計数
	当初	(有)・無	1 人	人	人	人	人	人	人	寡婦・ひとり親	有・無	当初
	/	有・無								寡婦・ひとり親	有・無	
(有)・無	/	有・無								寡婦・ひとり親	有・無	人
控除額	1人当たり（万円）		38	63	58	48	27	40	75	27（寡婦） 35（ひとり親）	27	月 日
	合計（万円）		38									人

区分		金額	税額
年末調整	給料・手当等	① 4,167,490 円	③ 58,940
	賞与等	④ 900,000	⑥ 31,044
	計	⑦ ウ 5,067,490	⑧ 89,984
	給与所得控除後の給与等の金額	⑨ エ 3,611,200	所得金額調整控除の適用 有・無 （※ 適用有の場合は⑩に記載）
	所得金額調整控除額（（⑦－8,500,000円）×10%、マイナスの場合は0）	⑩ （1円未満切上げ、最高150,000円）	
	給与所得控除後の給与等の金額（調整控除後）（⑨－⑩）	⑪ 3,611,200	
	社会保険料等控除額 給与等からの控除分（②＋⑤）	⑫ ク 776,175	シ 配偶者の合計所得金額 （ 400,000 円）
	社会保険料等控除額 申告による社会保険料の控除分	⑬	旧長期損害保険料支払額 （ 円）
	社会保険料等控除額 申告による小規模企業共済等掛金の控除分	⑭	
	生命保険料の控除額	⑮ ケ 120,000	⑫のうち小規模企業共済等掛金の金額 （ 円）
	地震保険料の控除額	⑯ コ 50,000	
	配偶者（特別）控除額	⑰ 380,000	
	扶養控除額及び障害者等の控除額の合計額	⑱ 380,000	ス ⑬のうち国民年金保険料等の金額 （ 円）
	基礎控除額	⑲ セ 480,000	
	所得控除額の合計額（⑫＋⑬＋⑭＋⑮＋⑯＋⑰＋⑱＋⑲）	⑳ オ 2,186,175	
	差引課税給与所得金額（⑪－⑳）及び算出所得税額	㉑ （1,000円未満切捨て） 1,425,000	㉒ 71,250
	（特定増改築等）住宅借入金等特別控除額		㉓ サ 0
	年調所得税額（㉒－㉓、マイナスの場合は0）		㉔ 71,250
	年調年税額（㉔×102.1％）		㉕ カ （100円未満切捨て） 72,700
	差引 (超過額) 又は不足額（㉕－⑧）		㉖ 17,284
	超過額の精算 本年最後の給与から徴収する税額に充当する金額		㉗ 5,130
	超過額の精算 未払給与に係る未徴収の税額に充当する金額		㉘
	超過額の精算 差引還付する金額（㉖－㉗－㉘）		㉙ 12,154
	超過額の精算 同上のうち 本年中に還付する金額		㉚ 12,154
	超過額の精算 同上のうち 翌年において還付する金額		㉛
	不足額の精算 本年最後の給与から徴収する金額		㉜
	不足額の精算 翌年に繰り越して徴収する金額		㉝

法定調書合計表を作成する

作成する法定調書は6種類ある

適正な課税を行うことを目的に、税務署が各種の支払いの事実を把握するため、所得税法などの法律の規定で、税務署に提出が義務づけられている書類を**法定調書**といいます。

現在、法定調書は合計50種類以上もありますが、会社が年末調整事務に関係して、1月末日までに作成し提出する必要がある法定調書は、次ページに示した6種類になります。

この6種類の法定調書を総括した一覧表を「**給与所得の源泉徴収票等の法定調書合計表**」（**法定調書合計表**）といいます（➡207ページ）。これを見れば、会社が支給している給与の総額や源泉徴収税額の総額を把握することができます。

法定調書合計表を作成するには、まず源泉徴収票や支払調書などの法定調書を作成して、そこから必要なデータを転記します。

法定調書合計表は必ず提出する

税務署へは、それぞれの法定調書とともに法定調書合計表を提出しなければなりません。法定調書にはそれぞれ税務署に提出する基準が設けられています。その基準を満たした法定調書のみを税務署に提出することとなります。

ただし、提出すべき法定調書がない場合でも、法定調書合計表だけは提出しなければなりません。

＊ 1月末日までに作成し税務署に提出する必要がある法定調書 ＊

- 給与所得の源泉徴収票
- 退職所得の源泉徴収票
- 報酬、料金、契約金及び賞金の支払調書
- 不動産の使用料等の支払調書
- 不動産等の譲受けの対価の支払調書
- 不動産等の売買又は貸付けのあっせん手数料の支払調書

＋

- 法定調書合計表

Column

法定調書合計表は他の部門と連携して作成する

法定調書合計表には、税理士などに対する報酬支払額や事務所を個人の家主さんから賃貸しているときの賃借料などを記載しなければならないので、給与計算関係書類だけで法定調書合計表を完成することはできません。

顧問報酬や家賃については、他の部署、例えば経理部などで支払い、管理しているケースが多いので、経理部などから支払いの情報を入手する必要があります。

また、作成した合計表と経理のデータ（例えば総勘定元帳）とが一致しているかどうかをチェックする必要があります。

総勘定元帳：「賃借料」や「支払手数料」などの勘定科目ごとに発生した取引を日付順に記載した必須の会計帳簿のこと。

＊ 給与所得の源泉徴収票の提出範囲 ＊

受給者の区分			提出範囲
年末調整をした場合	①法人（人格のない社団等を含む）の役員（取締役、執行役、会計参与、監査役、理事、監事、清算人、相談役、顧問等である者）および現に役員をしていなくてもその年中に役員であった者		その年中の給与等の支払金額が150万円を超える場合
	②弁護士、司法書士、土地家屋調査士、公認会計士、税理士、弁理士、海事代理士、建築士等		その年中の給与等の支払金額が250万円を超える場合
	③上記①および②以外の者		その年中の給与等の支払金額が500万円を超える場合
年末調整をしなかった場合	④「給与所得者の扶養控除等申告書」を提出した者	ⅰその年中に退職した者、災害により被害を受けたため、その年中の給与所得に対する源泉所得税額の徴収の猶予または還付を受けた者	その年中の給与等の支払金額が250万円を超える場合。ただし、法人の役員の場合には50万円を超える場合
		ⅱ主たる給与等の金額が2,000万円を超えるため、年末調整をしなかった者	全部
	⑤「給与所得者の扶養控除等申告書」を提出しなかった者（月額表または日額表の乙欄もしくは丙欄適用者等）		その年中の給与等の支払金額が50万円を超える場合

＊ 法定調書合計表《ほうていちょうしょごうけいひょう》と法定調書《ほうていちょうしょ》との関係 ＊

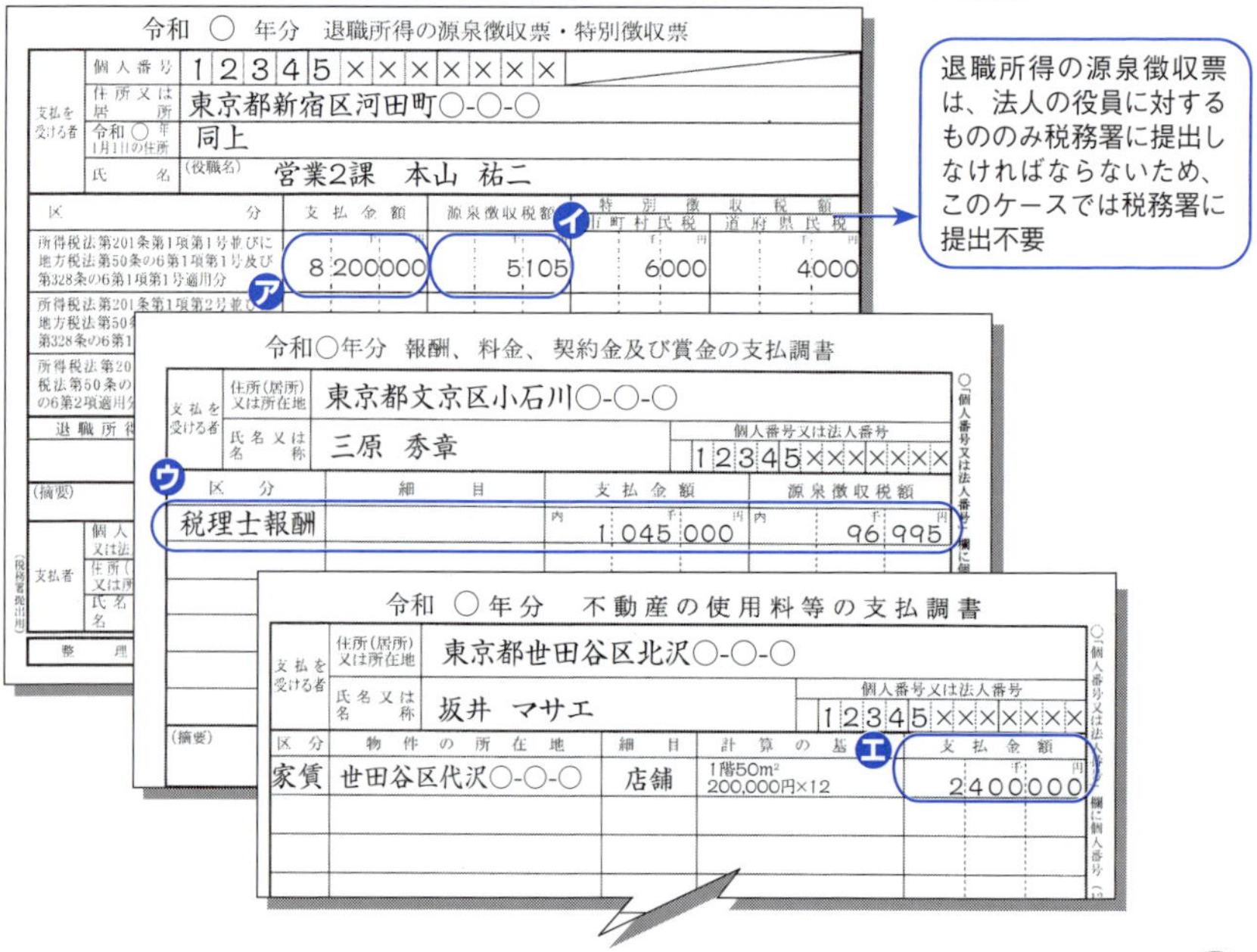

※税務署や市区町村に提出する源泉徴収票や支払調書にはマイナンバーを記載するが、本人に交付するものについては、マイナンバーは記載しない

＊ 給与所得の源泉徴収票等の法定調書合計表 ＊

●法定調書合計表

税務署に源泉徴収票を提出する人　7人
税務署に源泉徴収票を提出しない人　7人
源泉徴収税額がない人　3人
計　　17人（年内退職者1名を含む）

その年の1月1日～12月31日までに支払った給与額総計88,093,500円、源泉徴収税額総計2,518,200円

…収票等の法定調書合計表
…5（25）、5（26）、6（1）及び6（2）関係）

提出用

【平成28年1月1日以後提出用】

税務署受付印	令和　年　月　日提出　芝　税務署長　殿	署番号	
事業種目	事務機器販売	整理番号	00123456
提出者　住所又は所在地	東京都港区新橋○-○-○　電話（03 − 1234 − 5678）	調書の提出区分（新規=1 追加=2 訂正=3 無効=4）	
（フリガナ）	サクラショウジカブシキガイシャ	提出媒体	1 給与　2 退職　3 報酬　4 使用　5 譲受　6 斡旋
氏名又は名称	さくら商事株式会社	（フリガナ）	ヤマダ　ヒロシ
個人番号又は法人番号（注）	↓個人番号の記載に当たっては、左端を空欄にし、ここから記載してください。 987654×××××××	作成担当者	山田　宏
		本店等一括提出	有 ○　否 ○
		翌年以降送付	
（フリガナ）	スズキ　ソウタロウ	作成税理士署名	電話（　−　−　）
代表者氏名	鈴木宗太郎	税理士番号	

1　給与所得の源泉徴収票合計表（375）

区分	人員	左のうち、源泉徴収税額のない者	支払金額	源泉徴収税額
Ⓐ俸給、給与、賞与等の総額	17人	3人	88093500円	2518200円
Ⓐのうち、丙欄適用の日雇労務者の賃金			円	円
Ⓑ源泉徴収票を提出するもの	7人		39,651,000円	1,744,700円
災害減免法により徴収猶予したもの	人員　人	猶予税額　円	（摘要）	

源泉徴収票を提出する7人の集計

2　退職所得の源泉徴収票合計表（3…）

ア　イ

区分	人員	支払金額	源泉徴収税額	（摘要）
Ⓐ退職手当等の総額	1人	8200000円	5105円	
Ⓑ Ⓐのうち、源泉徴収票を提出するもの	0人	円	円	

3　報酬、料金、契約金及び賞金の支払調書合計表（309）

区分		人員　個人	人員　個人以外	支払金額	源泉徴収税額
所得税法第204条に規定する報酬又は料金等	原稿料、講演料等の報酬又は料金（1号該当）	人	人	円	円
	弁護士、税理士等の報酬又は料金（2号該当）	1人	人	1,045,000円	96,995円
	診療報酬（3号該当）	人	人	円	円
	職業野球選手、騎手、外交員等の報酬又は料金（4号該当）	人	人	円	円
	芸能等に係る出演、演出等の報酬又は料金（5号該当）	人	人	円	円
	ホステス等の報酬又は料金（6号該当）	人	人	円	円
	契約金（7号該当）	人	人	円	円
	賞金（8号該当）	人	人	円	円
	Ⓐ計	実　人	実　人	1045000円	96995円
Ⓑ Ⓐのうち、支払調書を提出するもの		1人	人	1,045,000円	96,995円

ウ

区分	件数	支払金額	源泉徴収税額	（摘要）
Ⓐのうち、所得税法第174条第10号に規定する内国法人に対する賞金	件	円	円	
災害減免法により徴収猶予したもの	人員　人	猶予税額　円		

4　不動産の使用料等の支払調書合計表（313）

区分	人員	支払金額
Ⓐ使用料等の総額	2人	2,520,000円
Ⓑ Ⓐのうち、支払調書を提出するもの	1人	2,400,000円
（摘要）		

エ

6　不動産等の売買又は貸付けのあっせん手数料の支払調書合計表（314）

区分	人員	支払金額
Ⓐあっせん手数料の総額	人	円
Ⓑ Ⓐのうち、支払調書を提出するもの	人	円
（摘要）		

5　不動産等の譲受けの対価の支払調書合計表（376）

区分	人員	支払金額
Ⓐ譲受けの対価の総額	人	円
Ⓑ Ⓐのうち、支払調書を提出するもの	人	円
（摘要）		

税務署整理欄	通信日付印	確認	提出年月日（年　月　日）	身元確認
			区分　A B C D E F G H	

（注）○ 平成27年分以前の合計表を作成する場合には、「個人番号又は法人番号」欄に何も記載しないでください。
○ 提出媒体欄には、法定…種類別にコードを記載してください。（電子＝14　FD＝15　MO＝16　CD＝17　DVD＝18　書面＝30　その他＝99）

a d v i c e

十分な準備をする

給与計算とひと言でいっても、毎月決まって行う作業だけではなく、1年を通して見てみると「労働保険の年度更新」「社会保険料の算定」「年末調整」ほか、従業員の採用・退職時の手続き……と、定期的あるいはスポット的にかなり大変な作業が待っています。

しかも、そのいずれもがミスの許されない重要な手続きです。

給与計算担当者の対応次第で、従業員に大きな影響を及ぼすことになるので、常日頃から入念なチェックをしておくとともに、少しでも早い時期に十分な準備を進めておくことが大切です。そうすれば、レアなケースに直面しても自信をもって対応できるはずです。

給与計算における年齢別早見表

※給与計算をする際、よくミスしてしまうのが、各年齢における対応もれです。
各年齢を確認し、もれのないよう注意してください。

	所得税（原則その年12月31日現在の年齢で判定）	社会保険料
16歳	**給与計算時**：16歳未満は扶養の人数を計算するときにカウントしないが、16歳以上になれば扶養親族等としてカウントする（➡56ページ） **年末調整時**：扶養親族として38万円控除する（➡168、171ページ）	
19歳	**年末調整時**：特定扶養親族として19歳以上23歳未満は63万円控除する（➡168、171ページ）	
23歳	**年末調整時**：特定扶養親族から外れ、一般の扶養親族として38万円控除する（➡168、171ページ）	
40歳		40歳の誕生日の前日の属する月分からの介護保険料の徴収を開始する
65歳		65歳の誕生日の前日の属する月分からの介護保険料は徴収しない
70歳	**年末調整時**：扶養親族が70歳以上の場合、老人扶養親族として48万円、同居なら同居老親等として58万円控除する。配偶者が70歳以上の場合は老人控除対象配偶者として控除額が増える（➡168、171ページ）	70歳の誕生日の前日の属する月分からの厚生年金保険料を徴収しない（70歳到達届の提出）
75歳		75歳の誕生日の属する月分からの健康保険料を徴収しない（健康保険被保険者資格喪失届の提出）

PART 3
従業員に関する各種社会保険の手続き

- 従業員の結婚や再就職に関する手続き
- 従業員の出産・育児に関する手続き
- 従業員のケガや病気に関する手続き
- 従業員の死亡に関する手続き
- 従業員が高齢になったときの手続き
- 各種再交付の手続き

1 国民の生活を守る社会保険

社会保険への加入は国民の義務

私たちは、日常生活を送る中で、いつ何時、思わぬ災害でケガや病気をしてしまうかわかりません。また、将来、年を重ねていくにつれ仕事ができなくなり収入面での不安を抱えたり、介護状態になる可能性もあります。

そのような事態に備えて、国が直接運営するしくみが社会保険制度（公的保険）です。

社会保険の運営は、被保険者や会社等が納める保険料収入のほか、国庫からの負担等によって賄われています。この制度は、国民助け合いの精神で成り立っていますので、原則、国民の義務として必ず加入しなければなりません。

会社の扱う社会保険は全部で5種類

社会保険には、会社に関係する保険として、**雇用保険・労働者災害補償保険（労災保険）・健康保険・厚生年金保険・介護保険**の5つがあります。

行政の窓口は、雇用保険が「公共職業安定所（ハローワーク）」、労災保険が「労働基準監督署」になっています。

その他の3つの保険については、健康保険給付関係を「全国健康保険協会」が、それ以外については「年金事務所」が窓口になっています。

ここでは、会社の総務担当者が必要最低限知っておいたほうがよい手続きについて解説していきます。

＊ 会社で扱う社会保険 ＊

広義の社会保険

※後期高齢者医療制度
→262ページ

狭義の社会保険

厚生年金保険

- 労働者の老齢・障害・死亡に対する給付
- 会社が任意で加入または設立した厚生年金基金という制度もある

健康保険

- 業務外の事由による病気、ケガ、死亡、または、出産に対する給付
- 被扶養者についても給付される

介護保険

- 高齢者の介護に対する給付
- 介護認定を受ける必要がある

労働保険

労災保険

- 業務上、通勤中のケガや病気に対する給付
- 全額、会社負担であることが、他の社会保険と異なる

雇用保険

- 主に、失業期間中に次の就職をするまでの生活安定のために支給する給付

Column

各種手続の押印が不要に！

新型コロナ感染症の流行に後押しされる形で各方面で押印が廃止されましたが、社会保険関係でも今まで事業主印・被保険者印が必要だった箇所について、ごく一部の例外を除き、押印不要となっています。

●今後も押印が必要なもの

○健康保険
○厚生年金
○労働保険
} 金融機関届出印・実印が必要な書類

○雇用保険　日雇労働関係の手続

2

従業員が結婚したら手続きが必要

原則届け出は不要に！

結婚・離婚・養子縁組等で戸籍上の氏名や住所が変わった時は、すみやかに従業員台帳に記録をしましょう。

近年では行政のマイナンバーの利用により手続きが簡素化（⬇213ページ）され、氏名変更や転入・転出を市区町村の役所に届出していれば、ハローワークや年金事務所に同様の届出をしなくてもよくなりました。

ただし、海外から転入した等の事情でマイナンバーがない人や、変更後氏名の記載された健康保険証の発行を急ぐ場合は、年金事務所に氏名変更届を出すようにしましょう。

配偶者等の扶養手続きは会社が行う

従業員の配偶者が専業主婦（夫）や年収130万円未満のパートタイマー等である（または新たにそうなった）場合、その配偶者は国民年金の**第3号被保険者**となります。

この場合、会社は**「健康保険被扶養者（異動）届」**（⬇82ページ）が国民年金第3号被保険者に関する届出書を兼ねるので、B欄に必要事項を書いて提出します。

この届け出を怠ると、従業員の配偶者に年金の未納などのトラブルが生じる可能性があるので、申し出があれば速やかに手続きをするようにしましょう。

＊ 行政手続きの簡素化 ＊

行政コスト削減のため、ここ数年**行政手続き簡素化の３原則**に基づきさまざまな取り組みが行われている

- 令和２年４月からは労務・税務関係の電子申請・電子申告が一部義務化（一定以上規模の企業が対象）となったこともあり、総務・経理の分野にもオンライン申請は浸透しつつある。
- その一方で、申請窓口が分野ごと（社会保険関係はe-Gov、国税関係はe-Tax、地方税関係はeLTAX）に存在するために、何度も同じ情報を入力する手間がかかったり、肝心なところで書類を求められたりといった使いづらさが課題になっている。
- 手続きの簡素化により事業者が自社のビジネスにより専念できるよう、省庁の垣根を越えた改革が待たれる。

行政手続き簡素化の３原則

1．デジタルファーストの原則
　　電子化の徹底による業務効率化

2．ワンスオンリーの原則
　　同じ情報は一度だけ。手続の手間を削減

3．書式・様式の統一
　　項目や形式のバラつきを統一しミスを少なく

※令和2年1月1日からは、制度の枠を越えて、契機を同じにする手続きについては１か所への届出で済むような統一書式（現在対象の手続は、会社の設立・廃止関連、従業員の入社・退社関連の４種類のみ）が新たに設けられた

Column

諸届出等を電子（オンライン）申請で？

電子（オンライン）申請とは、現在紙によって行われている申請や届け出などの行政手続きを、インターネットを利用して行えるようにするものです。これを活用することで、行政窓口が閉まっていても24時間申請が可能となり、また、わざわざ行政窓口に行くことなく納付の手続きも含め、自宅や会社のパソコン操作ですませることができるというメリットがあります。

税務、登記等さまざまな分野において電子申請が可能になっていますが、社会保険や労働保険関係の手続きについては、現在、電子政府の総合窓口（「e-Gov」、HP「https://www.e-gov.go.jp/」）で行うことができるようになっています。

※電子証明書の取得やインターネット環境を整えておくこと等の事前準備が必要

3 従業員が出産したら手続きが必要

出産手当金が支給される

従業員が出産するために仕事を休んだ場合には、健康保険から「出産手当金」が支給されます。

支給される金額は、産前42日前（多胎妊娠の場合は98日前）から産後56日までの間、休業1日あたり「支給開始以前の継続した12か月間の各月の標準報酬月額を平均した額÷30日」の3分の2です。

ただし、会社から給与が支払われている場合には支給されません（その給与が給付額より少額であれば、その差額は支給される）。出産手当金は会社が手続きをしないと支給されません。従業員が産前産後休業をすることになったときには、**『産前産後休業取得者申出書**（⬇220ページ）**』**『被保険者被扶養者（異動）届』とともに、忘れずに申請しましょう。

出産育児一時金は50万円

従業員またはその被扶養者が出産したときは、「出産育児一時金」または「家族出産育児一時金」が支給されます。

その金額は、一児につき50万円（「産科医療補償制度」未加入の医療機関で出産した場合は48万8000円）で、双子であればその倍額が支給されることになります。

現在では、「直接支払制度」により病院へ直接窓口で支払う費用が軽減されています。

＊ 出産手当金の支給例 ＊

●出産予定日より遅れて出産した場合

出産予定日……4月11日、出産日……4月20日

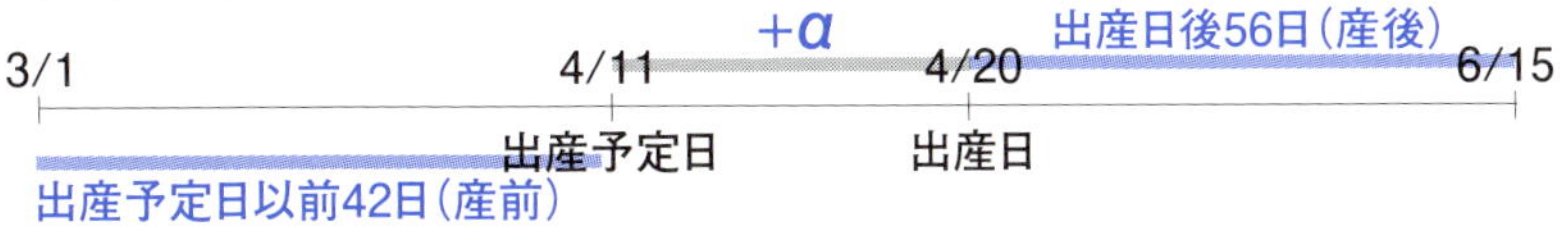

➡3月1日から6月15日までの107日間が出産手当金の対象

●出産予定日より早く出産した場合

出産予定日……4月15日、出産日……4月11日

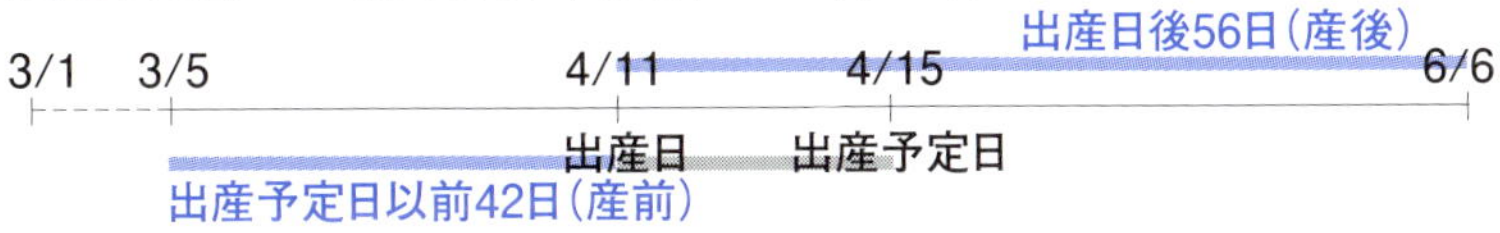

➡3月5日から6月6日までの94日間が出産手当金の対象
ただし、3月5日より前に欠勤している場合は、出産日（＝4月11日）以前42日間（＝3月1日以降）について、出産手当金が支給されることがある。

提出書類	誰が	いつまでに	どこに	添付書類
健康保険被保険者・家族出産育児一時金支給申請書	本人または事業主経由	その都度（請求権の時効は2年）	全国健康保険協会 都道府県支部	医療機関で直接支払制度を利用していないことを証明する書類のコピー等
健康保険出産手当金支給申請書	本人または事業主経由	その都度（請求権の時効は2年）	全国健康保険協会 都道府県支部	※書類内に、出産に関する医師・助産師の証明等が必要
健康保険被扶養者（異動）届	本人または事業主経由	5日以内	会社所轄の年金事務所	マイナンバー記載のない場合は住民票や戸籍謄本等、別居である場合は仕送りの事実を証明する書類

Column

お産とは……

健康保険で「お産」とは、妊娠4か月以上（85日以上）を経過したあとの出産をいいます。また、出産とは、生産、死産、人工流産、早産を問いません。普通妊娠による定期検診などは、「療養」ではないので保険がききません。しかし、異常分娩など「療養の給付」が必要な場合もありますが、そのときでも「出産育児一時金」は支給されます。

4 休業しても1年間は給付が受けられる

育児休業中にもらえる給付

従業員が**育児休業**を申し出た場合、一定の要件を満たしていれば、会社は休みを与える義務があります。この休業は産前産後の休暇と違い、男性社員からの申し出であっても、原則として与える義務があります。なお、この休業期間中に給与を与えるかどうかは、会社の判断に委ねられています。

■育児休業給付金

子供が1歳になるまでの間に休業した場合、当面の間、育児休業を開始したときの給与額の50％**（育児休業開始から180日間は67％）**が雇用保険から支給されます。

ただし、出産後56日間は健康保険から「**出産手当金**」が支給されるので、その間の支給はありません（本人が出産した場合）。

また、子供が1歳または1歳半になっても預ける保育園が見つからないなどの理由がある場合は、最大で2歳になるまで休業を続けることができ、その間も給付を受け続けることができます。

■パパ・ママ育休プラス

父母が一定の要件のもとに育児休業を取得した場合、子供が1歳2か月になる前日まで（父親は1年間、母親は1年から産後休業期間を除いた期間が限度）取得することができます。この場合、父母それぞれに「**育児休業給付金**」が支給されます。男性の育児休業はまだ取得率は低いものの、国の後押しもあり今後は増えてくるかもしれません。

提出書類	誰が	いつまでに	どこに	添付書類
雇用保険被保険者休業開始時賃金月額証明書／所定労働時間短縮開始時賃金証明書 育児休業給付受給資格確認票・（初回）育児休業給付金支給申請書	本人または事業主経由	受給資格手続きのみを行う場合は、初回の支給申請を行う日まで。 受給資格の確認と初回支給申請を同時に行う場合は、休業開始日から4か月を経過する日の属する月の末日まで（ただし、2年以内なら申請可能）	会社所轄の公共職業安定所	出勤簿、賃金台帳、母子健康手帳の市区町村の出生届に係るページの写し、振込先金融機関の通帳の写しなど

＊ 育児休業給付金の額 ＊

A：休業開始前の賃金月額の50％（ただし、育児休業を開始してから180日目までは67％）

B：休業中にいくらか給与が出る場合（カッコ内の数字は育児休業を開始してから180日目まで）

・休業中の給与が、休業前の賃金月額の30％（13％）以下……上記Aの給付金額

・休業中の給与が、休業前の賃金月額の30％（13％）超80％未満……
育児休業給付金額＝休業前賃金月額の80％－支払われた給与額

・休業中の給与が、休業前の賃金月額の80％以上……給付金なし

妻の産後の期間でも男性社員がもらえる給付

■産後パパ育休（出生時育児休業）

令和4年10月の育児介護休業法の法改正により、「**出生時育児休業**」という制度が創設されました。原則男性社員が取得することが可能で、子どもの出生後（出産予定日）から8週間以内に4週間まで取得できる制度となっています。

この4週間は連続で取得する必要はなく、2回分割して取得することができますが、この場合、始めの出生時育児休業申出時にそれぞれの期間をまとめて申し出ることが必要となります。

また、出生時育児休業終了後は引き続き育児休業を取得することも可能です。

通常の育児休業同様に、原則休業中の就業は認められませんが、労使協定を締結し、従業員が合意した範囲であれば就業することが可能です。

■出生時育児休業給付金

前述の出生時育児休業の期間は、育児休業給付金同様に雇用保険から支給されます（支給額は２１６ページの育児休業給付金と同様）。

出生時育児休業給付金を受給後に引き続き育児休業するのであれば、育児休業給付金も受給することができます。

ただし、出生時育児休業日数と育児休業取得日数は合算されるので、合算された日数が１８０日を超えると給付率が減少することに注意が必要です。

企業に求められる雇用環境整備

育児休業等の申出が円滑に行われるようにするため、事業主には次のいずれかの措置を講じることが義務付けられています。

①育児休業・産後パパ育休に係る研修の実施
②育児休業・産後パパ育休に関する相談体制の整備
③自社の労働者の育児休業・産後パパ育休取得事例の収集・提供
④自社の労働者へ育児休業・産後パパ育休に関する制度および育児休業取得促進に関する方針の周知

提出書類	誰が	いつまでに	どこに	添付書類
雇用保険被保険者休業開始時賃金月額証明書 育児休業給付受給資格確認票・出生時育児休業給付金支給申請書	本人または事業主経由	子の出生日から8週間経過する日の翌日から2か月を経過する日の属する月の末日	会社所轄の公共職業安定所	賃金台帳、出勤簿、母子健康手帳の市区町村の出生届に係るページの写し、振込先金融機関の通帳の写しなど

＊ 出生時育児休業（産後パパ育休）と通常の育児休業の違い ＊

	出生時育児休業（産後パパ育休）	育児休業制度
対象期間	子の出生後8週間以内	原則、子が満1歳（最長満2歳）まで
取得可能日数	最大4週間	対象期間内で申出日数
申請期限	原則、休業日の2週間前まで	休業日の1か月前まで
分割取得	2回まで分割可能	2回まで分割可能
休業中の就業	労使協定の締結により、労働者の合意した範囲内で可能	原則、不可
1歳以降の延長	―	開始日を柔軟に選択可能
1歳以降の再取得	―	特別な事情がある場合に限り可能

＊ 産前休業～育児休業の流れ（例） ＊

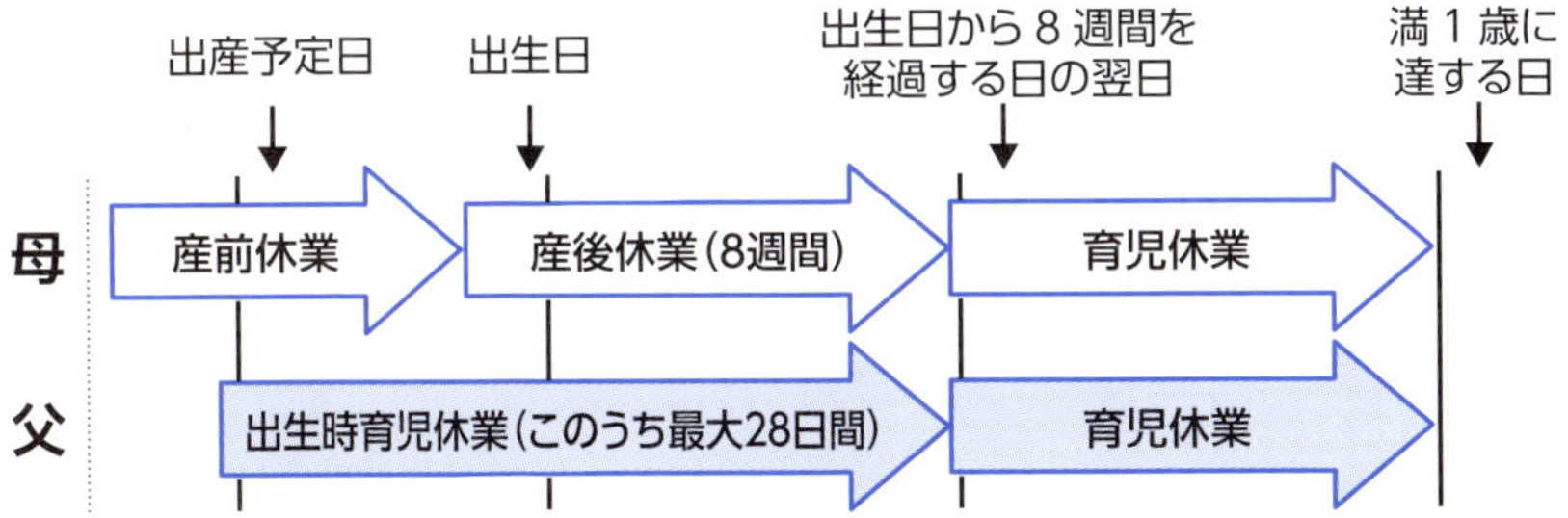

※出生時育児休業を取得せず、出産予定日から育児休業を取得することも可能

5

子供が3歳になるまで保険料が免除される

産前産後休業・育児休業中の社会保険料

産前産後休業や育児休業中は会社に給与支払義務がないため、保険料負担だけがかさむことになりますが、「**健康保険　厚生年金保険　産前産後休業取得者申出書／変更（終了）届**」や「**健康保険　厚生年金保険　育児休業等取得者申出書（新規・延長）／終了届**」を提出すれば、社会保険料は、最長で子供が3歳になるまでの間、従業員・会社ともに免除されます。

休業期間を短縮・延長する場合は、同じ書類で期間訂正手続きを忘れずに行いましょう。

育児休業や産後休業後職場復帰した場合に休業前と比べ給与が下がったときは、随時改定に該当するような大幅ダウンではなくても、「**健康保険　厚生年金保険　育児休業等終了時報酬月額変更届**」（「**産前産後休業終了時報酬月額変更届**」）を提出することで、実際に下がった給与に応じた保険料に改定することができます。

厚生年金保険における標準報酬月額の特例がある

3歳までの子供を養育する従業員の標準報酬月額が養育を始める前より低くなったときは、申し出によって養育前の標準報酬月額を払ったものとみなされます。これは復帰後実際に払う保険料は前述のように改定することができる一方、将来受け取る年金が不利にならないようにするための措置です。

＊ 健康保険《けんこうほけん》 厚生年金保険《こうせいねんきんほけん》 産前産後休業取得者申出書《さんぜんさんごきゅうぎょうしゅとくしゃもうしでしょ》／変更(終了)届の記入例 ＊

様式コード 2273

健康保険
厚生年金保険
産前産後休業取得者
申出書/変更(終了)届

出産後に申し出た場合の記入例

令和　年　月　日提出

受付印

提出者記入欄

事業所整理記号	○○－さろは
事業所所在地	届書記入の個人番号に誤りがないことを確認しました。 〒105－0004 港区新橋○－○－○
事業所名称	さくら商事株式会社
事業主氏名	代表取締役　鈴木宗太郎
電話番号	03(1234)5678

社会保険労務士記載欄
氏名等

新規申出の場合は共通記載欄に必要項目を記入してください。
変更・終了の場合は、共通記載欄に産前産後休業取得時に提出いただいた内容を記入のうえ、A.変更・B.終了の必要項目を記入してください。

共通記載欄(取得申出)

①被保険者整理番号	101	②個人番号[基礎年金番号]	○○○○○○○○○○○○
③被保険者氏名	(フリガナ)(氏)北野《キタノ》 (名)美紀《ミキ》	④被保険者生年月日	5.昭和(○) 7.平成 9.令和　○○年12月07日
⑤出産予定年月日	9.令和 ○○年05月09日	⑥出産種別	0.単胎(○) 1.多胎　※出産予定の子の人数が2人(双子)以上の場合に「1.多胎」を○で囲んでください。
⑦産前産後休業開始年月日	9.令和 ○○年04月01日	⑧産前産後休業終了予定年月日	9.令和 ○○年07月07日

⑨は、この申出書を出産後に提出する場合のみ記入してください。

⑨出産年月日	9.令和 ○○年05月12日
⑩備考	

出産(予定)日・産前産後休業終了(予定)日を変更する場合　※必ず共通記載欄も記入してください。

提出書類	誰が	いつまでに	どこに	添付書類
健康保険 厚生年金保険 産前産後休業取得者申出書／変更（終了）届	事業主	産前産後休業期間中または産前産後休業終了後1か月以内	会社所轄の年金事務所	－
健康保険 厚生年金保険 育児休業等取得者申出書（新規・延長）／終了届	事業主	育児休業等期間中または育児休業等終了後1か月以内	会社所轄の年金事務所	－
健康保険 厚生年金保険 育児休業等終了時報酬月額変更届	本人の申し出により事業主経由	速やかに	会社所轄の年金事務所	－
厚生年金保険 養育期間標準報酬月額特例申出書・終了届	本人の申し出により事業主経由、退職している場合は本人	速やかに	会社所轄の年金事務所	①戸籍謄（抄）本等 ②住民票（申出者と子のマイナンバー記載で省略可）

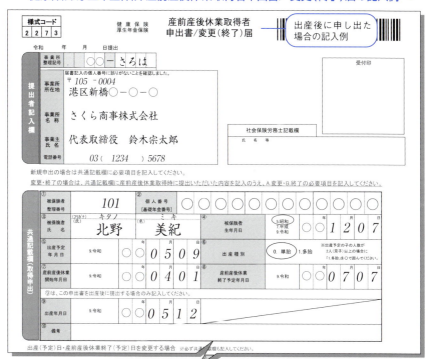

従業員のケガ～労災指定病院での受診

労災保険から給付を受けられる

病院によって扱いが変わる

従業員が、仕事中、職場の階段でうっかり足を滑らせ骨折してしまったり、営業などで社外に出ている最中に思わぬ事故に巻き込まれてケガをすることがあります。

このような場合には、労災保険から給付を受けることができます。

ただし、受診した病院が、労災指定病院か、それ以外の病院かによって、その手続きが異なります。

ケガが治るまで支給される

仕事中のケガについては、労災保険から**療養補償給付**が支給されるので、本人はケガが治る（**治ゆ**）まで費用を負担することなく診察を受けることができます。その際には、「**療養の給付**」の請求手続きが必要となります。

事前に最寄りの労災指定病院がどこにあるのかをチェックしておくとよいでしょう。

書類による申請手続きは、原則として本人が行うものですが、書類には会社が証明する欄もあるので、できる限り協力して手続きを進めましょう。

労災の給付を受ける権利は、仮に事故当時の会社を退職しても、それぞれの給付で決められている時効が消滅するまでは失うことはありません。

退職後に傷病の再発などで、再度労災保険給付の申請を退職者から申し出てきた場合でもきちんと対応してあげましょう。

＊ 療養補償給付《りょうようほしょうきゅうふ》及び複数事業労働者《ふくすうじぎょうろうどうしゃ》 療養給付《りょうようきゅうふ》たる療養《りょうよう》の給付請求書《きゅうふせいきゅうしょ》の記入例 ＊

様式第5号(表面)　労働者災害補償保険
業務災害用
複数業務要因災害用
療養補償給付及び複数事業労働者
療養給付たる療養の給付請求書

裏面に記載してある注意事項をよく読んだ上で、記入してください。

標準字体　0 1 2 3 4 5 6 7 8 9 ゛ ゜ ー
アイウエオカキクケコサシスセソタチツテトナニヌ
ネノハヒフヘホマミムメモヤユヨラリルレロワン

※帳票種別　34590
①管轄局署
②業通別　1　(1業 3通)
③保留
⑥処理区分
④受付年月日 ※

標準字体で記入してください。

⑤労働保険番号　府県 所掌 管轄 基幹番号 枝番号　13104223456000

㉓枝番号 ※

この日が算定事由発生日となる

⑧性別　1　(1男 3女)
⑨労働者の生年月日　5××0906
⑩負傷又は発病年月日　9○○1003

㉔請求　※
⑪再発年月日

㉕複災　⑬三者　⑭特疾　⑮特別加入者

※印の欄は記入しないでください。(職員が記入します。)

⑫労働者の
シメイ(カタカナ)：サトウ　ダイスケ
氏名　佐藤大介　(40歳)
⑯郵便番号　176-0004
フリガナ　トウキョウトネリマク
住所　東京都練馬区
コタケチョウ
小竹町○－○－○
職種　営業

㉖傷病性質(業) ※

⑰負傷又は発病の時刻　午前 10時30分頃
⑱災害発生の事実を確認した者の職名、氏名　職名 総務部長　氏名 古賀猛

⑲災害の原因及び発生状況　(あ)どのような場所で(い)どのような作業をしているときに(う)…状態があって(お)どのような災害が発生したか(か)⑩と初診日…

事業所内にある階段で、業務のため3階の営業課から2階の経理課へ行く途中、足を踏み外し、階段5段ほど上から一番下まで転げ落ちた。その際、左足首をねじって強打した。

「どのような場所で」「どのような作業中に」「どのような物に」「どのように不安定な状態で」「どのような災害が発生したか」を詳しく記入する

⑳指定病院等の　名称　新橋病院　電話(03)2233-6677
所在地　港区新橋○-○-×　〒105-0004

㉑傷病の部位及び状態　左足首捻挫打撲

⑫の者については、⑩、⑰及び⑲に記載したとおりであることを証明します。　年　月　日

事業の名称　さくら商事株式会社　電話(03)1234-5678
事業場の所在地　港区新橋○－○－○　〒105-0004
事業主の氏名　代表取締役　鈴木宗太郎
(法人その他の団体であるときはその名称及び代表者の氏名)
労働者の所属事業場の名称・所在地　電話(　)　－

(注意) 1　労働者の所属事業場の名称・所在地については、労働者が直接所属する事業場が一括適用の取扱いを受けている場合に、労働者が直接所属する支店、工事現場等を記載してください。
2　派遣労働者について、療養補償給付又は複数事業労働者療養給付のみの請求がなされる場合にあっては、派遣先事業主は、派遣元事業主が証明する事項の記載内容が事実と相違ない旨裏面に記載してください。

上記により療養補償給付又は複数事業労働者療養給付たる療養の給付を請求します。　○○年10月5日

三田　労働基準監督署長 殿　〒176-0004　電話(03)1234-4321

新橋　病院・診療所・薬局・訪問看護事業者　経由
請求人の　住所　東京都練馬区小竹町○－○－○　(方)
氏名　佐藤大介

請求人は、あくまで被災労働者本人となる

支不　署長　副署長　課長　係長　係　決定年月日　・　・
不支
号第　号第
(この欄は記入しないでください。)

折り曲げる場合には(◀)の所を谷に折りさらに2つ折りにしてください。

誰が：本人
いつまでに：速やかに
どこに：労災指定の病院等を経由して会社所轄の労働基準監督署

療養の給付の範囲
①診察、②薬剤または治療材料の支給、③処置、手術その他の治療、④居宅における療養上の管理およびその療養に伴う世話その他の看護、⑤病院または診療所への入院およびその療養に伴う世話その他の看護、⑥移送

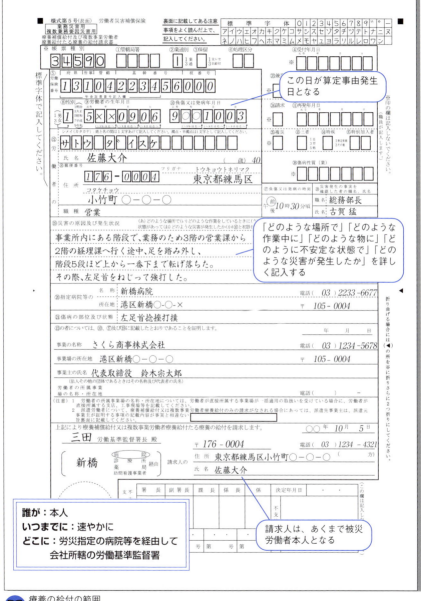

7

従業員のケガ～労災指定病院以外の病院での受診

いったん診察代を立て替える

健康保険は使えない

従業員が仕事中（業務上）にケガをしたとき、近くに労災指定病院がなかったり、緊急を要する事態のため、労災病院以外の病院等で診察を受けることもあるでしょう。しかし、その病院等で健康保険が使えないとなると、その診察にかかる費用は全額本人が立て替えなければなりません。

この場合、「**療養補償給付たる療養の費用請求書**」を会社の所轄労働基準監督署へ提出することによって、後日、立て替えた費用を返してもらうことができます。ただし、薬局等で勝手に購入した薬の代金などは対象とはなりません。

まちがって健康保険証を使って診察を受けてしまった場合は、後で年金事務所や健康保険組合に給付相当分を全額支払いし、かわりに「**療養補償給付たる療養の費用請求書**」によって労災保険からの給付を受けることになります。

病院の変更には手続きが必要

例えば、たまたま出張先でケガをして出張先の最寄りの労災指定病院などで治療を続けているような場合、ずっと同じ病院に通うのも大変ですから自宅付近または会社付近の労災指定病院等に転医することもできます。

このときは、「**療養補償給付たる療養の給付を受ける指定病院等（変更）届**」を提出します。

＊ 療養補償給付《りょうようほしょうきゅうふ》及び複数事業労働者《ふくすうじぎょうろうどうしゃ》 療養給付《りょうようきゅうふ》たる療養《りょうよう》の給付《きゅうふ》を受《う》ける指定病院等《していびょういんとう》（変更《へんこう》）届《とどけ》の記入例 ＊

様式第６号（表面）

労働者災害補償保険

療養補償給付及び複数事業労働者療養給付たる療養の給付を受ける指定病院等（変更）届

三田 労働基準監督署長　殿　　　　年　月　日

〔 練馬 （病院）・診療所・薬局・訪問看護事業者 経由 〕

〒 176－0004
電話（03）1234－4321

届出人の 住所 東京都練馬区小竹町○－○－○ 方
氏名 佐藤大介

下記により療養補償給付及び複数事業労働者療養給付たる療養の給付を受ける指定病院等を（変更するので）届けます。

①労働保険番号					③労働者の		④負傷又は発病年月日
府県	所掌	管轄	基幹番号	枝番号	氏名	佐藤大介 （男・女）	○○年10月3日
13	1	04	223456	000	生年月日	昭○年9月6日（40歳）	
②年金証書の番号					住所	練馬区小竹町○－○－○	午（前）・後 10時30分頃
管轄局	種別	西暦年	番号		職種	営業	

⑤ 災害の原因及び発生状況　（あ）どのような場所で（い）どのような作業をしているときに（う）どのような物又は環境に（え）どのような不安全な又は有害な状態があって（お）どのような災害が発生したかを簡明に記載すること。

事業所内にある階段で、業務のため3階の営業課から
2階の経理課へ行く途中、足を踏み外し、
階段5段ほど上から一番下まで転げ落ちた。
その際、左足首をねじって強打した。

223ページの療養の給付請求書に書いた内容とほぼ同じ内容を書く

③の者については、④及び⑤に記載したとおりであることを証明します。

○○年10月16日

事業の名称　さくら商事株式会社
〒 105－0004　電話（03）1234－5678
事業場の所在地　港区新橋○－○－○
事業主の氏名　代表取締役　鈴木宗太郎
（法人その他の団体であるときはその名称及び代表者の氏名）

⑥指定病院等の変更			
変更前の	名称	新橋病院	（労災指定医番号○○○○）
	所在地	港区新橋○－○－×	〒 105－0004
変更後の	名称	練馬病院	
	所在地	練馬区練馬○－○－○	
変更理由		新橋病院は家から遠く 足を負傷しているので通院しにくいが 練馬病院は家から近く、また交通の便もよいので 通院しやすいため	

病院を変更する理由をきちんと書く

⑦		
傷病補償年金又は複数事業労働者傷病年金の支給を受けることとなった後に療養の給付を受けようとする指定病院等の	名称	
	所在地	
⑧ 傷病名		左足首捻挫打撲

誰が：本人
いつまでに：転院後、速やかに
どこに：新しく療養を受けようとする指定病院等を経由して会社所轄の労働基準監督署

8

休業期間中も給付を受けられる

給付基礎日額の6割が支給される

従業員が仕事中にケガをして、すぐに職場復帰できないケースもあります。その場合も一定の条件の下に受けられる給付があります。

①傷病のため療養して
②労働することができないために
③給与の出ない日が4日以上に及んだとき

以上3つの条件すべてに該当したとき、休業の第4日目から休業1日につき、**給付基礎日額**の6割に相当する額が支給されます。有給休暇取得日はもちろん給与が出た日となります。

「給与の出ない日」とは、全部カットもあれば一部カットもあります。出た給与が給付基礎日額の6割未満であれば一部カットとして支給条件に該当し、給付を受けることができます。

給付の請求は、サイクルにルールはありませんが、長期にわたるようなら毎月手続きをしましょう。

3日間の待期期間がある

休業を始めてから最初の3日間については様子見の意味もあり、**待期期間**といって、休業補償給付は行われません。この3日間とは、連続した3日間である必要はありません。結果的に通算して3日間になれば要件を満たしたことになります。

この3日間については、会社が労働基準法に基づく休業補償を行うことになります(⬇17ページ)。

締切日)の直前3か月間にその従業員に支払われた賃金の総額をその期間の暦日数で除して計算する(1円未満の端数は1円に切り上げ)。

＊ 休業補償給付支給請求書《きゅうぎょうほしょうきゅうふしきゅうせいきゅうしょ》 複数事業労働者休業給付支給請求書《ふくすうじぎょうろうどうしゃきゅうぎょうきゅうふしきゅうせいきゅうしょ》の記入例 ＊

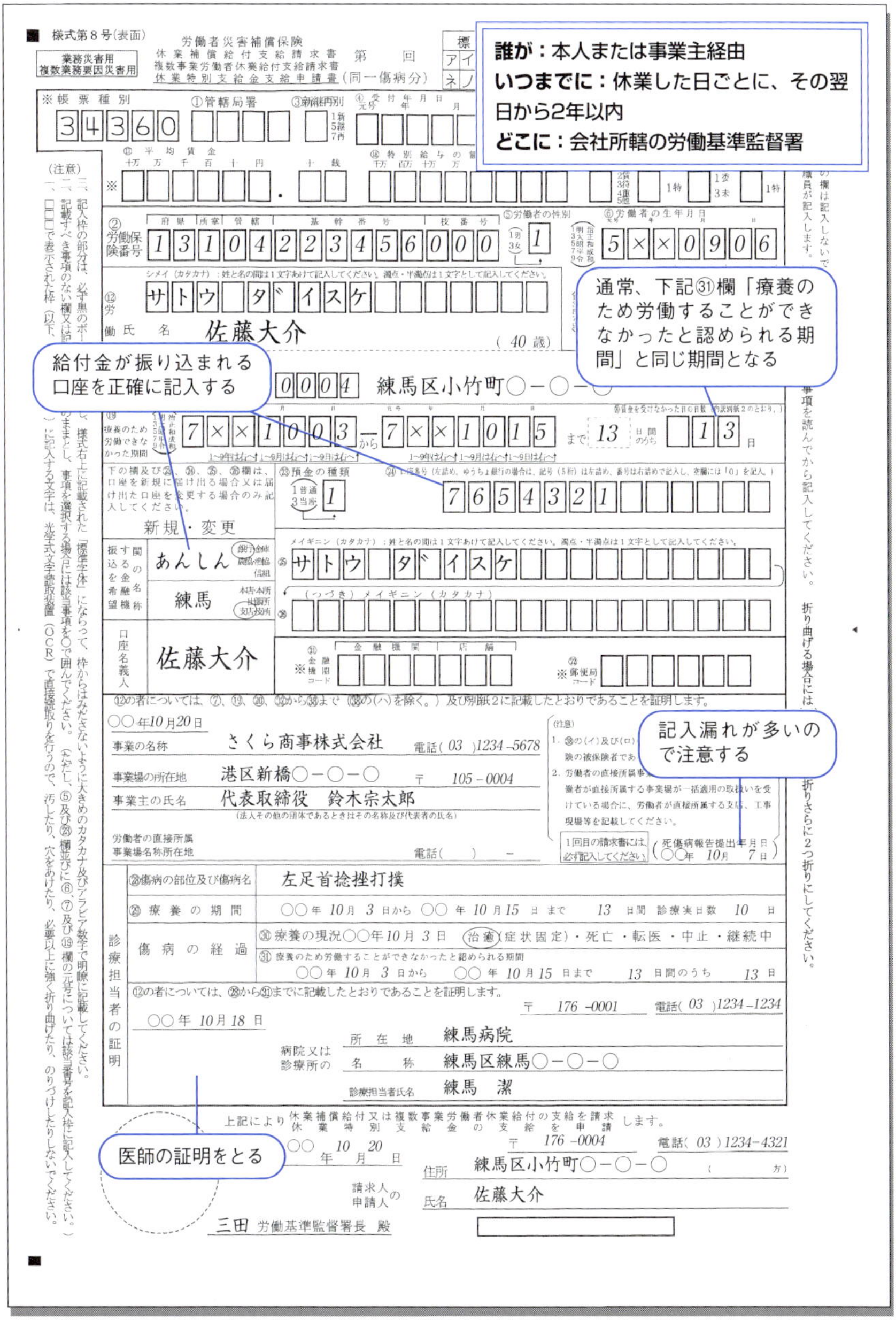

給付基礎日額：通常は、従業員の負傷や死亡の原因となった事故が発生した日または医師の診断により疾病にかかったことが確定した日（賃金締切日が定められているときは、その直前の賃金↗

9

平均賃金算定内訳から給付基礎日額を計算する

平均賃金算定内訳を添付する

休業補償給付の請求手続きをするときには**平均賃金算定内訳**を添付します。これは**給付基礎日額**（⬇226ページ）を計算するためです。

内訳は、時給制・日給制・月給制など給与の支払体系によって記入の仕方が変わるので、労働基準監督署に確認の上記入したほうがよいでしょう。また直前3か月間に私傷病で休んでいた期間があればそれも記入しなければなりません。

同時に特別給与の届書も提出します。通常、この用紙には負傷または発病の日以前2年間に支払われた特別給与の額を記入します。これはまた別に支払われる給付金のもとになります。

2割の上乗せ支給がある

休業補償給付が受けられる場合で、業務上の傷病のため療養して、労働することができず賃金を受けられない日が4日以上に及んだとき、特別支給金として給付基礎日額の2割に相当する額が上乗せして支給されます。**休業補償給付**を足すと現実に受け取れる額は給付基礎日額の8割となります。申請手続きは休業補償給付の請求と同時に行います。

この給付も支給要件に該当している限り、受けられますが、1年6か月経ってもケガが治ゆしないとき、労働基準監督署の認定によって「**傷病補償年金**」「**傷病特別支給金**」に移行し、その時点で「休業補償給付」「休業特別支給金」の支給は終わります。

＊ 平均賃金算定内訳《へいきんちんぎんさんていうちわけ》の記入例 ＊

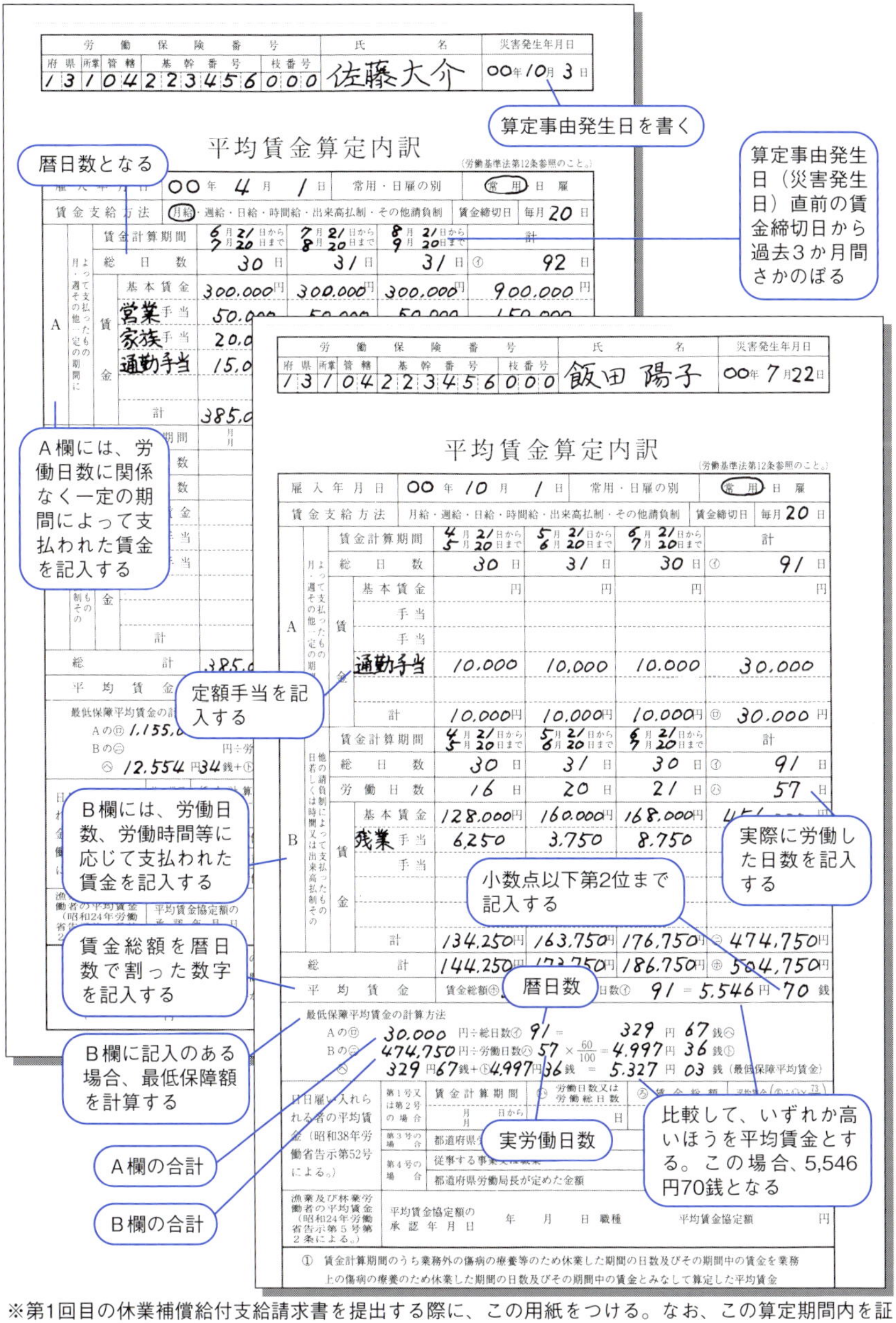

※第1回目の休業補償給付支給請求書を提出する際に、この用紙をつける。なお、この算定期間内を証明する賃金台帳、出勤簿も添付する

特別給与とはボーナスで年間3回まで支払われたもので、通常夏冬2回支給されるようなボーナスならこれに該当する。

10 障害の程度により給付額は変わる

治ゆ後に決定される

労災の傷病が治った（治ゆ）後、労災保険法の障害等級表に該当する障害が残った場合には、**障害補償給付**が支給されます。

この給付は、等級によって支払方法（年金・一時金）が決められていて、年金の場合、一定の要件を満たしていれば生涯受け取ることができます。

障害の給付にも上乗せの給付がある

障害の給付にも本来の「**障害補償給付**」に加えて上乗せの給付があります。手続きも障害補償給付と同時に行います。

障害の程度（障害等級）に応じて金額が定められている**障害特別支給金**と、障害補償給付と同様に等級によって年金型か一時金かが決められる**障害特別年金**または**障害特別一時金**というものです。

治ゆとは症状が固定した場合をいう

労災保険では、病院等でこのまま治療を続けたとしてもこれ以上の効果が期待できない状態になることを「**治ゆ**」といいます。

例えば、指を切断してしまった場合、失われた指は生えてくることはありません。この場合、ケガの治療が終わると、症状が固定するので、「治ゆした」となります。

＊ 障害等級別給付日数表 ＊

障害等級	年金	障害等級	一時金
第1級	給付基礎日額の313日分	第8級	給付基礎日額の503日分
第2級	給付基礎日額の277日分	第9級	給付基礎日額の391日分
第3級	給付基礎日額の245日分	第10級	給付基礎日額の302日分
第4級	給付基礎日額の213日分	第11級	給付基礎日額の223日分
第5級	給付基礎日額の184日分	第12級	給付基礎日額の156日分
第6級	給付基礎日額の156日分	第13級	給付基礎日額の101日分
第7級	給付基礎日額の131日分	第14級	給付基礎日額の 56日分

同一の事由で、他の社会保険の年金給付（障害基礎年金、障害厚生年金など）が支給される場合には、給付の調整（減額）が行われる。

Column

労災の保険給付は、労災認定が前提！

労災の保険給付を受給するには、労働基準監督署による労災認定が必要となっています。既に労災扱いということで治療等を受けていたとしても、この労災認定が下りないとなると、その費用は原則、全額本人が負担しなければならなくなります。

この労災認定には、次のような要件がありますが、最終的には労働基準監督署が判断することになります。

●業務上災害の場合（通勤災害の場合→234ページ）

・仕事中（休憩時間も含む）の事故であること

・その事故と業務との間に何らかの因果関係があること

平成23年3月11日に発生した東日本大震災では、その被害も甚大であったため、被災地では「災害発生時仕事中なのか確認できない」「社員がいまだ行方不明のためどうすればよいかわからない」「そもそも会社自体が被害を受けており労災請求時に必要な資料（賃金台帳や出勤簿など）の提出ができない」など、数多くの問題が生じています。

このような状況を踏まえ、厚生労働省から「労災保険Q&A」や「業務上外の判断等について」などが公表されています（HP上で閲覧できる）。

11 ケガ人が出たら死傷病報告を提出する

報告の義務がある

労働災害によって、休業を伴うケガ人や死亡者が出た場合、会社は労働基準監督署に「**死傷病報告**」を提出する義務があります。これは、労働時間中の事故に限らず、工場や寄宿舎内で業務外での死傷病者が出た場合も提出しなければなりません。

また、死傷病者がいなくとも、火災や爆発事故が発生すれば、死傷病報告とは別に「**事故報告**」も提出しなければなりません。

派遣元と派遣先双方が提出する

近年、派遣労働者を使用するケースが増えています。派遣労働者が被災した場合、「労働者死傷病報告」の提出義務は、派遣元の事業者および派遣先の事業者双方に課せられています。

年金との併給の場合は減額される

業務災害または通勤災害によって、障害や遺族に関する給付を受けるときは、所定の受給要件に該当すれば、国民年金・厚生年金からも給付を受けることができます。

労災保険と年金の両方とも受給できる場合は、労災保険からの給付が一定の割合で減額されて支給されることとなり、国民年金・厚生年金からは全額支給されます。

＊ 労働者《ろうどうしゃ》死《し》傷病《しょうびょう》報告《ほうこく》の記入例 ＊

労働者死傷病報告

様式第23号（第97条関係）（表面）

	8 1 0 0 1
労働保険番号（建設業の工事に従事する下請人の労働者が被災した場合、元請人の労働保険番号を記入すること。）	1 3 1 0 4 2 2 3 4 5 6 0 0 0（都道府県／所掌／管轄／基幹番号／枝番号／被一括事業場番号）
事業の種類	事務器機販売
事業場の名称（建設業にあつては工事名を併記のこと。）カナ	サクラショウジカブシキガイシャ
漢字	さくら商事株式会社
工事名	
職員記入欄 派遣先の事業の労働保険番号	（都道府県／所掌／管轄／基幹番号／枝番号／被一括事業場番号）
派遣労働者が被災した場合は、派遣先の事業場の郵便番号	□□□－□□□□
事業場の所在地	港区新橋○－○－○　電話 03(1234)5678
構内下請事業の場合は親事業場の名称、建設業の場合は元方事業場の名称	
派遣労働者が被災した場合は、派遣先の事業場の名称	
提出事業者の区分	派遣先／派遣元
郵便番号	105－0004
労働者数	23人
発生日時（時間は24時間表記とすること。）	7：平成 9：令和 → 7 ○○ 10 03 10 30（元号 年 月 日 時 分）
被災労働者の氏名（姓と名の間は1文字空けること。）カナ	サトウ ダイスケ
漢字	佐藤 大介
生年月日	1：明治 3：大正 5：昭和 7：平成 9：令和 → 5 ×× 09 06（元号 年 月 日）（ ）歳
性別	○（男）　（女）
職種	営業
経験期間	10（いずれかに○）○年　月
休業見込期間又は死亡日時（死亡の…	休業見込 13（いずれかに○）月 週 日○　死亡…
傷病名	…撲
傷病部位	左足首
被災地の場所	東京都港区新橋

派遣労働者が被災した場合に記入する

災害発生状況及び原因

①どのような場所で ②どのような作業をしているときに ③どのような物又は環境に ④どのような不安全な又は有害な状態があって ⑤どのような災害が発生したかを詳細に記入すること。

事務所内にある階段で
業務のため３階の営業課から
２階の経理課へ行く途中
足を踏み外し階段５段程上から
一番下まで転げ落ちた。
その際左足首をねじって強打した。

ここにも事故の状況を書く（223、225ページの様式とほぼ同じ）

略図（発生時の状況を図示すること。）

事故発生の状況を図で示す

労働者が外国人である場合のみ記入すること。

国籍・地域 （　　）　在留資格 （　　）

報告書作成者職氏名　人事総務課　山田 宏

○○年　10月　7日

事業者職氏名

三田　労働基準監督署長殿

誰が： 労働災害で死傷病者の出た事業主

いつまでに：

①死亡または休業4日以上の場合……遅滞なく

②休業3日以内の場合

・1月～3月までの事故……4月末まで

・4月～6月までの事故……7月末まで

・7月～9月までの事故……10月末まで

・10月～12月までの事故……翌年1月末まで

どこに： 会社所轄の労働基準監督署

通勤途中のケガにも一定の給付がある

「通勤」とは何か、が問題となる

通勤途上で事故に遭いケガをした場合にも、「**通勤災害**」として労災保険より一定の給付が受けられます。給付の内容は、業務上災害の場合とほぼ同じです。ただし、「**通勤災害**」と認められるためには、「住居と仕事場との往復で、一定要件での移動であり、合理的な経路および方法により行われるもの」という前提があります。

例えば、事前に会社へ届け出ている通勤経路以外の経路での通勤中に、たまたまケガをしてしまったとしても、この経路が労災保険法上の「**合理的な経路および方法**」と認められれば、給付を受けることができます。

就業との関連性が問われる

一度自宅（マンション）を出た後、忘れ物に気づいて、自宅に引き返し、その途中でマンションの階段で転倒したような場合、就業との関連性が問われます。仕事上の書類や定期券を取りに帰ったのであれば認められますが、出勤するのをやめ有休の請求をした後に帰宅する場合であれば認められません。

また、仕事が終わって自宅に帰る途中に同僚と居酒屋に立ち寄ったような場合、お店を出てから自宅に到着するまでの間に、もし事故に遭ったとしても、通勤災害と認定されず、給付も下りません。

このように、通勤途上の事故は、ケース・バイ・ケースとなることに注意してください。

＊「逸脱」「中断」とは？ ＊

通勤とは関係ない目的で通勤経路からそれる………「**逸脱**」という。
通勤途上で通勤とは関係のない行為をする…………「**中断**」という。

- 通常「逸脱・中断」をすれば、その後通勤経路に戻っても、通勤災害の対象とならない。
- 下記の行為であれば、「逸脱・中断」の間を除き通勤経路に戻った後は、通勤災害の対象となる。

①惣菜屋やクリーニング店、美容院などへ立ち寄る
②職業訓練を受ける
③選挙権を行使する
④病院で診察を受ける
⑤要介護状態にある家族を介護する

＊ 通勤災害として認められる移動 ＊

ケース1 パートタイマーや介護ヘルパーなど複数の職場をかけもちしている人が異なる職場へ移動する

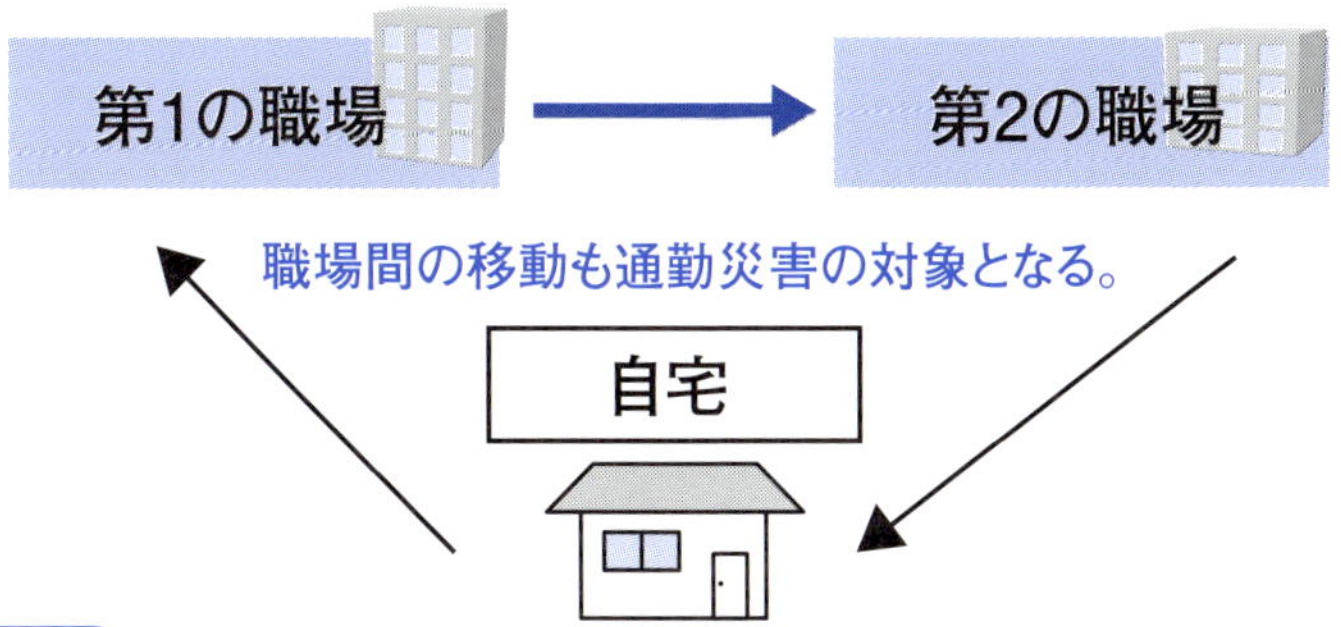

ケース2 単身赴任者が赴任先住居と帰省先住居間を移動する

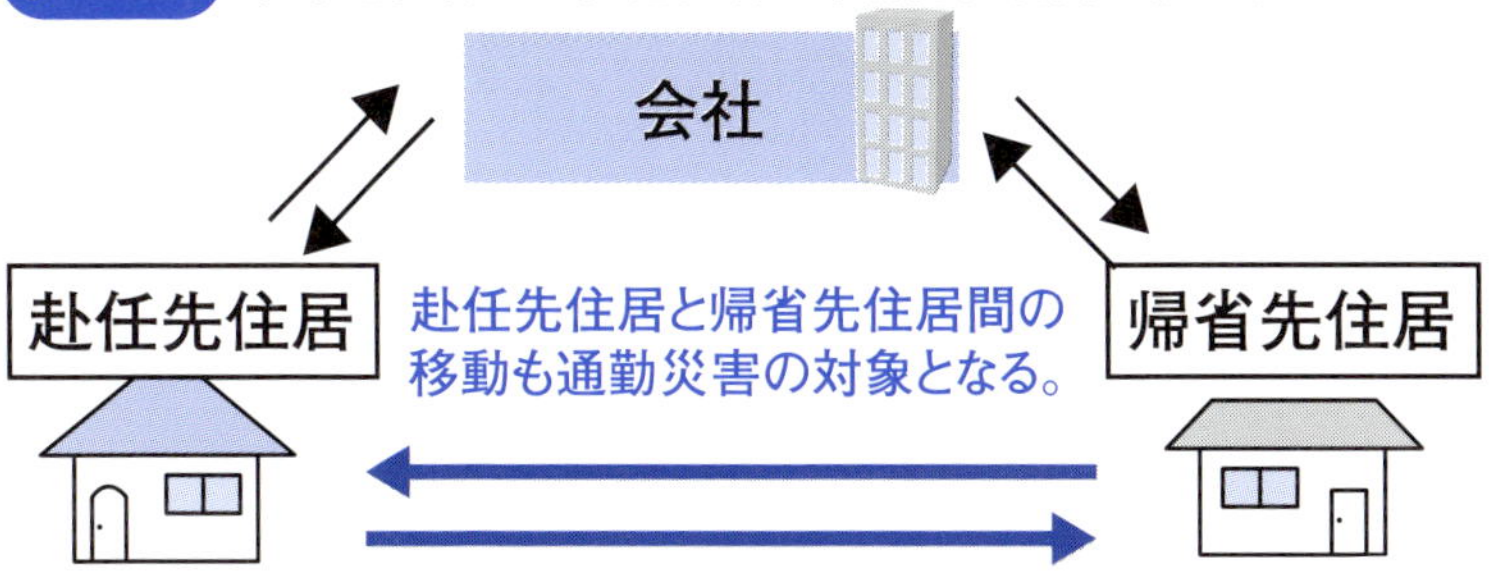

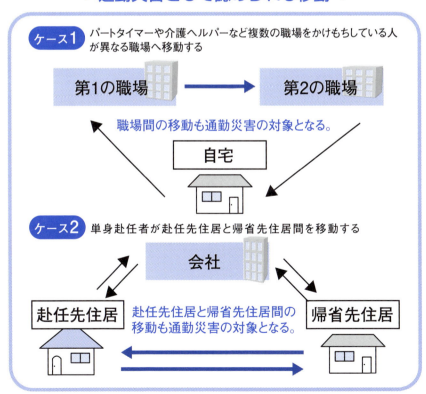

13 メンタルヘルス

心の病を訴える従業員が増えている

事業主は厳正な労働時間等の管理が必要

心の病を訴える従業員が急増しており、それに伴う休職や退職、最悪の場合には自死にまで発展するなど社会的に深刻な問題になっています。

特に、長時間労働など「過重労働」については脳疾患や心疾患を発症する可能性が極めて高いといわれており、厚生労働省からも「**過重労働による健康障害を防止するため事業者が講ずべき措置**」が公表されています（⬇次ページ）。

「ストレスチェック制度」がスタート

従業員の精神疾患や過労死・過労自殺が業務上災害に認定されると、会社の安全配慮義務違反として多額の損害賠償責任が生じる場合があり、それだけでなく、他の従業員への悪影響や会社の信用失墜等のおそれも出てきます。

このような事態にならないためにも、「**病気の早期発見・早期治療**」「**休職者の職場復帰支援**」などはもとより「**病気を発生させないような環境づくり**」が、事業主に求められています。

平成27年12月からは、年に1度の「ストレスチェック（従業員に対して行う心理的な負担の程度を把握するための検査）」や「面接指導の実施」等を事業主に義務付ける『**ストレスチェック制度**』がスタートしています（従業員数50名未満の事業場は、当分の間努力義務）。

＊過重労働による健康障害を防止するため事業者が講ずべき措置＊

1. 時間外・休日労働時間等の削減
2. 年次有給休暇の取得促進
3. 労働時間等の設定の改善
4. 労働者の健康管理に係る措置の徹底

①健康管理体制の整備、健康診断の実施等

②長時間にわたる時間外・休日労働を行った労働者に対する面接指導等（高度プロフェッショナル制度適用者を除く）

（時間外・休日労働時間が1月当たり80時間を超え、申し出を行った労働者⇒医師による面接指導を確実に実施する（義務）

③高度プロフェッショナル制度適用者に対する面接指導等

④メンタルヘルス対策の実施

⑤過重労働による業務上の疾病を発生させた場合の措置

⑥労働者の心身の状態に関する情報の取り扱い

※面接指導等：医師による面接指導および面接指導に準ずる措置
出所：厚生労働省「過重労働による健康障害防止のための総合対策（令和2年4月1日）」より

＊Column＊

「職場におけるパワーハラスメント」対策が中小企業にも義務化！

令和4年4月より中小企業にも**パワハラ防止法**が義務化されていますが、実はこの法律自体には違反による罰則はありません（勧告や社名公表をされることはある）。ですが精神疾患を発症した従業員からパワハラに適切に対応しなかったのは安全配慮義務違反だと訴えられたり、近年パワハラという言葉が精神障害の労災認定基準に追加されたことにより、「**パワハラ労災**」が認定されてしまったりするケースが実際に出てきています。そういったトラブルを避けるためにも、教育や仕組みづくりのツールとして活用してみるのはいかがでしょうか。

● **「職場におけるパワーハラスメント」とは**

職場において行われる、**①優越的な関係を背景とした言動であって、②業務上必要かつ相当な範囲を超えたものにより、③労働者の就業環境が害されるもの**であり、①から③までの要素を全て満たすもの。

厚生労働省の指針では**6つの類型**（①身体的な攻撃、②精神的な攻撃、③人間関係からの切り離し、④過大な要求、⑤過小な要求、⑥個の侵害）が公表されている。

安全配慮義務：使用者が労働者に負うもので、労働者が業務の遂行にあたって生命・身体・精神に危険が及ぶことのないように、守らなければならないという義務。義務の範囲は明確ではなく、設備的な安全面だけでなく、精神的な衛生面についても十分な配慮をすることが求められつつある。

14

業務外の傷病（療養の給付）

健康保険から給付を受ける

自己負担金だけ支払えばいい

病気やケガをしたとき、健康保険を扱っている病院・診療所（保険医療機関）で健康保険被保険者証を提示すれば、窓口で自己負担金を支払うだけで、診察・手術・入院など必要な医療を受け続けることができます。

これを健康保険の**療養の給付**といいます。ただし、業務上や通勤災害による病気やケガは健康保険の対象にはなりません。

健康保険被保険者証を提示する

被保険者が健康保険で診療を受けるときは、保険医療機関などの窓口に**健康保険被保険者証**（70歳以上75歳未満は**高齢受給者証**も）を提示します。

※マイナンバーカードと健康保険証の一体化により、現行の健康保険証は令和6年12月2日に廃止（猶予期間最長1年）されることが決まっている。

手続きをすれば払戻しを受けられる

山間やへき地などで近くに保険医療機関がなかったときや、転職して被保険者証の交付を受ける前に病気になって被保険者資格があることを証明できないため、いったん自費で診療を受けたときには、後日「療養費支給申請書」を提出して払戻しを受けることができます。

＊ 健康《けんこう》保険《ほけん》 被《ひ》保険者《ほけんしゃ》家族《かぞく》療養費《りょうようひ》支給《しきゅう》申請書《しんせいしょ》の記入例 ＊

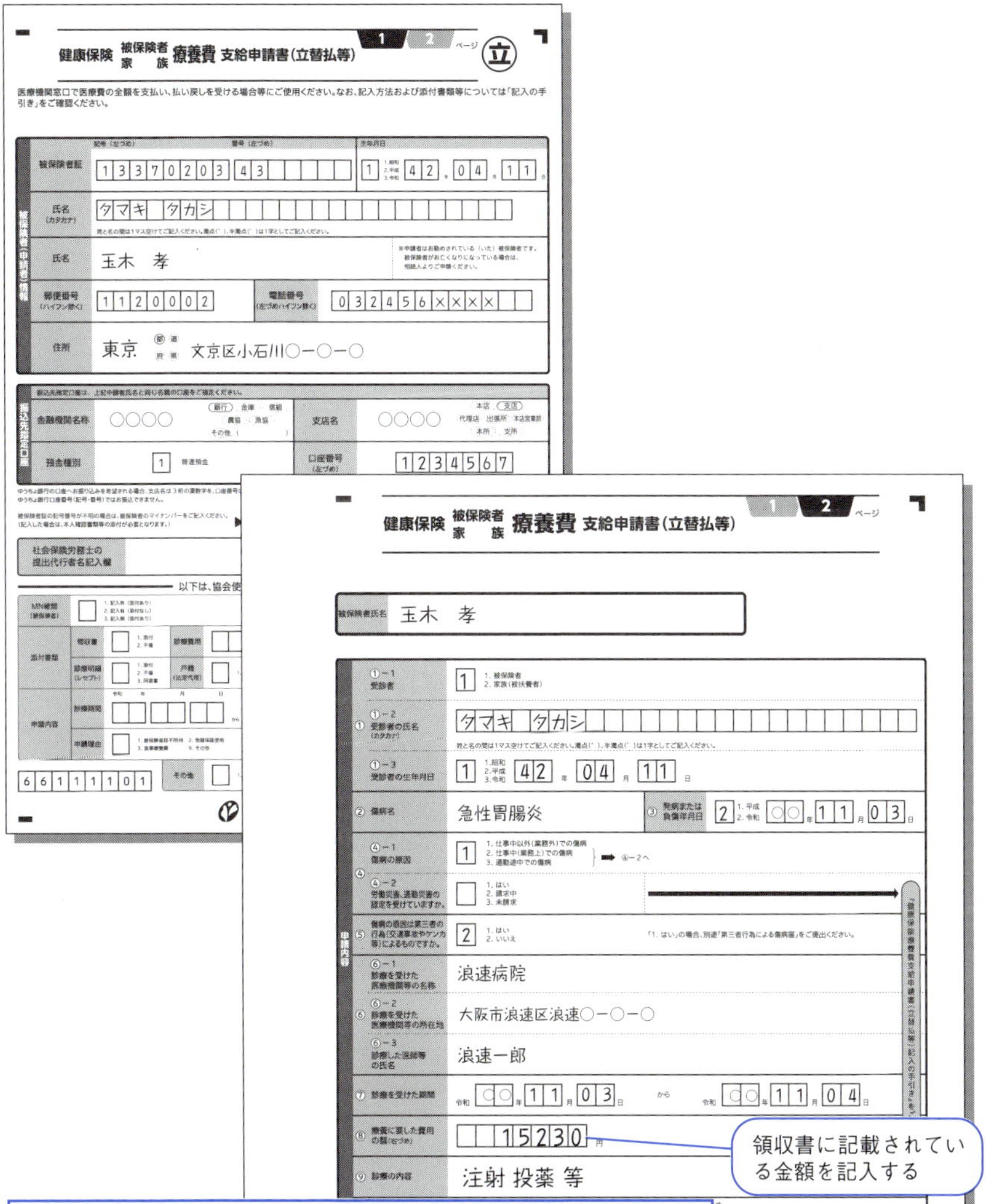
健康保険 被保険者 家族 療養費 支給申請書（立替払等） 1 2 ページ 立

医療機関窓口で医療費の全額を支払い、払い戻しを受ける場合等にご使用ください。なお、記入方法および添付書類等については「記入の手引き」をご確認ください。

被保険者証	記号（左づめ） 1337 0203	番号（左づめ） 43	生年月日 1（1.昭和 2.平成 3.令和） 42年 04月 11日
氏名（カタカナ）	タマキ タカシ		
氏名	玉木 孝		
郵便番号（ハイフン除く）	1120002	電話番号（左づめハイフン除く）	032456××××
住所	東京 都	文京区小石川〇ー〇ー〇	

金融機関名称	〇〇〇〇 銀行	支店名	〇〇〇〇 支店
預金種別	1 普通預金	口座番号（左づめ）	1234567

社会保険労務士の提出代行者名記入欄

6611 1101

健康保険 被保険者 家族 療養費 支給申請書（立替払等） 1 2 ページ

被保険者氏名 玉木 孝

①-1 受診者	1（1. 被保険者 2. 家族（被扶養者））
①-2 受診者の氏名（カタカナ）	タマキ タカシ
①-3 受診者の生年月日	1（1.昭和 2.平成 3.令和） 42年 04月 11日
② 傷病名	急性胃腸炎
③ 発病または負傷年月日	2（1.平成 2.令和） 〇〇年 11月 03日
④-1 傷病の原因	1（1. 仕事中以外（業務外）での傷病 2. 仕事中（業務上）での傷病 3. 通勤途中での傷病）
④-2 労働災害、通勤災害の認定を受けていますか。	（1. はい 2. 請求中 3. 未請求）
⑤ 傷病の原因は第三者の行為（交通事故やケンカ等）によるものですか。	2（1. はい 2. いいえ） 「1. はい」の場合、別途「第三者行為による傷病届」をご提出ください。
⑥-1 診療を受けた医療機関等の名称	浪速病院
⑥-2 診療を受けた医療機関等の所在地	大阪市浪速区浪速〇ー〇ー〇
⑥-3 診療した医師等の氏名	浪速一郎
⑦ 診療を受けた期間	令和 〇〇年 11月 03日 から 令和 〇〇年 11月 04日
⑧ 療養に要した費用の額（左づめ）	15230円
⑨ 診療の内容	注射 投薬 等

誰が：本人（または事業主経由）
いつまでに：その都度（時効２年）
どこに：全国健康保険協会都道府県支部
添付書類：医師の領収（診療）明細書など

※保険者が健康保険の基準で計算した額（実際に支払った額を超える場合は、実際に支払った額）から、その額に一部負担割合を乗じた額を差し引いた額が支給される

※やむを得ない理由で被保険者証を提示できないときは、勤務先の名称・住所地・被保険者証の記号番号などを医療機関に申し出て、受給資格のあることを認めてもらえば、保険診療を受けられる場合がある。ただし、その後できるだけ早く被保険者証を提示しにいくこと

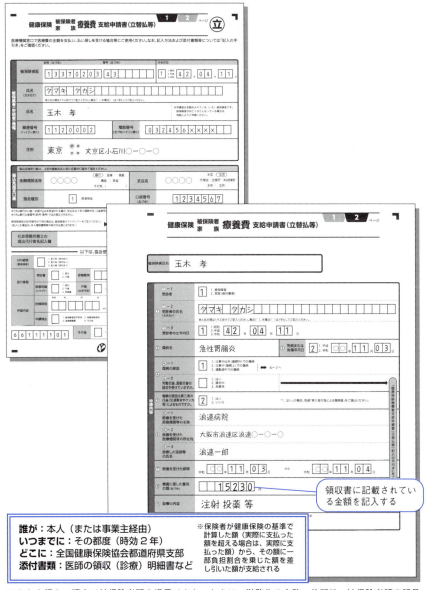

15

高額療養費

自己負担金は限度を超えると返してもらえる

保険診療内のものが対象となる

私傷病による治療の内容次第では、窓口での自己負担金が高額になる場合があります。同一月（1日から月末まで）にかかった自己負担額が一定の限度額を超えた部分については「**高額療養費**」を請求することができます。この給付は、被扶養者である家族も対象となります。

ただし、本人の希望による個室の差額ベッド代など、保険診療以外のものや入院時の食事代は対象にはなりません。

病院での窓口負担が軽減される

あらかじめ「限度額適用認定証」の交付を受け、医療機関の窓口に提示すれば、医療機関ごとに1か月の支払額を自己負担限度額までとすること（**高額療養費の「現物給付」**）ができます。

高額介護合算療養費

同一世帯内に介護保険の受給者がいる場合、1年間（毎年8月1日から翌年7月31日まで）にかかった医療保険と介護保険の自己負担額の合算額が著しく高額になったときには、一定の限度額を超えた額が医療保険、介護保険の自己負担額の比率に応じて健康保険から現金支給されます（**高額介護合算療養費**）。

一定の限度額については、高額療養費と同様、対象者の年齢が70歳未満の場合と、70歳から74歳までの場合によって、異なっています。

＊ 自己負担限度額（70歳未満の場合）＊

所得区分	自己負担限度額	多数該当
①標準報酬月額 83 万円以上	252,600 円＋（総医療費－ 842,000 円）× 1%	140,100 円
②標準報酬月額 53 万円～ 79 万円	167,400 円＋（総医療費－ 558,000 円）× 1%	93,000 円
③標準報酬月額 28 万円～ 50 万円	80,100 円＋（総医療費－ 267,000 円）× 1%	44,400 円
④標準報酬月額 26 万円以下	57,600 円	44,400 円
⑤低所得者（被保険者が市区町村民税の非課税者等）	35,400 円	24,600 円

出典：全国健康保険協会 HP

所得区分が③の人が、病院の窓口での支払額（保険適用分）が
1か月で30万円だった場合

●自己負担限度額……87,430円

80,100円+（300,000円×10÷3−267,000円）×1%=87,430円

窓口では一部負担金として医療費の3割を支払っているので
窓口支払額×10÷3で医療費が計算できる

●高額療養費……212,570円

300,000円−87,430円=212,570円

高額療養費として支給される

※1：①または②に該当する場合、市区町村民税が非課税であっても、①または②の該当者となる
※2：同一世帯（被保険者と被扶養者）で、同じ月内に1人あたり21,000円以上の診療代を支払った場合で、合算して上記金額を超えたときは高額療養費に該当する
※3：1年間に高額療養費の支給が4回以上になったとき4回目からの自己負担限度額がさらに引き下げられる⇒上記表の「多数該当」欄

＊ 領収書チェック ＊

高額な診療代を支払ったときは、下記の条件にあてはまっているか、領収書をチェックする

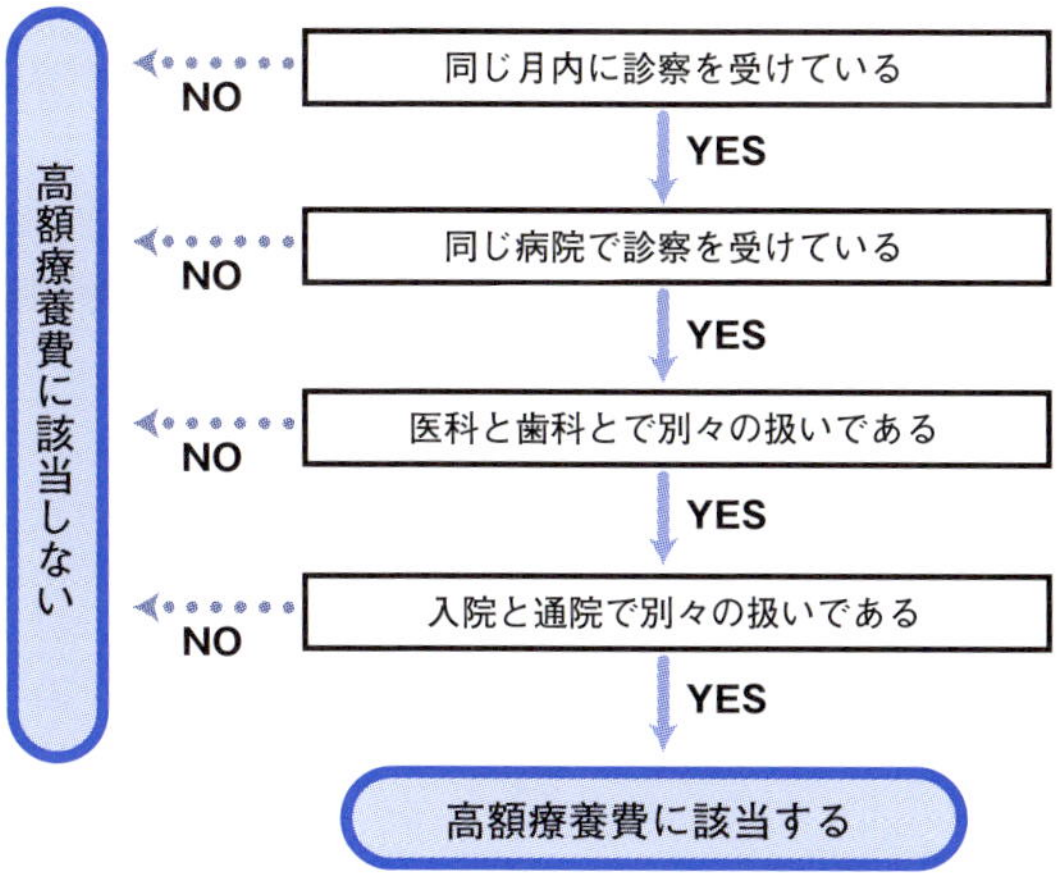

＊ 健康《けんこう》保険《ほけん》 限度《げんど》額《がく》適用《てきよう》認定《にんてい》申請書《しんせいしょ》の記入例 ＊

健康保険 限度額適用認定 申請書 (限)

入院等で医療費が自己負担限度額を超えそうな場合にご使用ください。なお、記入方法および添付書類等については「記入の手引き」をご確認ください。

被保険者情報

被保険者証	記号（左づめ）13370203　番号（左づめ）72　生年月日 1（1.昭和 2.平成 3.令和）54年 05月 19日
氏名（カタカナ）	カノウ コトエ 姓と名の間は1マス空けてご記入ください。濁点（゛）、半濁点（゜）は1字としてご記入ください。
氏名	加納　琴恵
郵便番号（ハイフン除く）	1020082　電話番号（左づめハイフン除く） 0332321234
住所	東京 都（道 府 県） 千代田区一番町一番○－○－○

認定対象者欄

氏名（カタカナ）	カノウ コトエ 姓と名の間は1マス空けてご記入ください。濁点（゛）、半濁点（゜）は1字としてご記入ください。
生年月日	1（1.昭和 2.平成 3.令和）54年 05月 19日

送付希望先欄

上記被保険者情報に記入した住所と別の住所に送付を希望する場合にご記入ください。

郵便番号（ハイフン除く）	1050004　電話番号（左づめハイフン除く） 0312345678
住所	東京 都（道 府 県） 港区新橋○－○－○
宛名	さくら商事株式会社　総務課　○○

被保険者の住所とは別のところに送付を希望する場合に、その送付先を記入する

申請代行者欄

被保険者以外の方が申請する場合にご記入ください。

氏名		被保険者との関係	
電話番号（左づめハイフン除く）		申請代行の理由	1. 被保険者本人が入院中で外出できないため 2. その他（　　）

備考	

被保険者証の記号番号が不明の場合は、被保険者のマイナンバーをご記入ください。
（記入した場合は、本人確認書類等の添付が必要となります。）▶

社会保険労務士の提出代行者名記入欄	

受付日付印

以下は、協会使用欄のため、記入しないでください。

MN確認（被保険者）　1. 記入有（添付あり）　2. 記入有（添付なし）　3. 記入無（添付あり）

同時申請

その他

23011101

誰が：本人または事業主経由
いつまでに：医療費の支払いまでに
どこに：全国健康保険協会都道府県支部

協会けんぽ

1/1

＊ 健康《けんこう》保険《ほけん》 高額療養費《こうがくりょうようひ》支給申請書の記入例 ＊

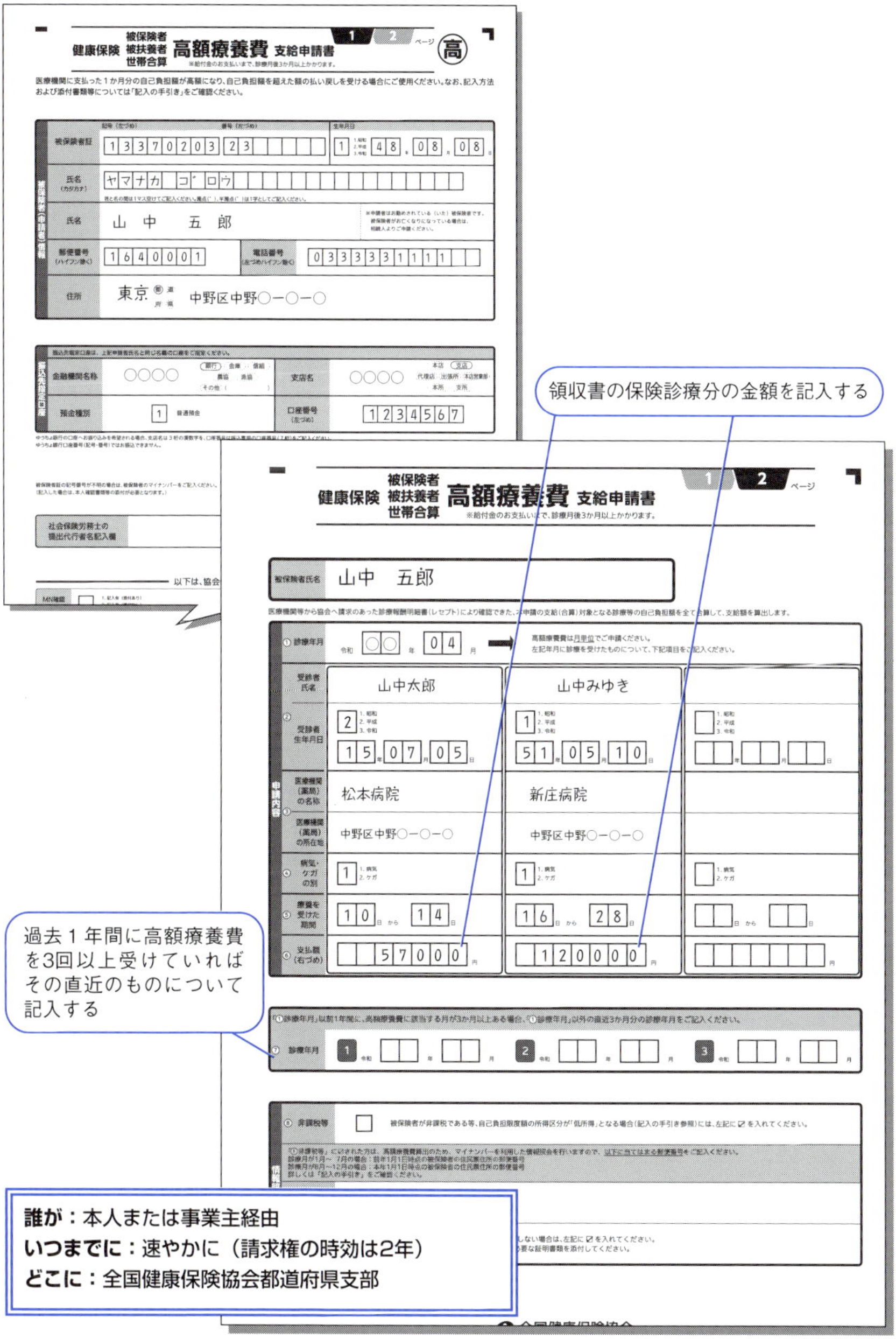
健康保険 被保険者 被扶養者 世帯合算 高額療養費 支給申請書 1 2 ページ 高
※給付金のお支払いまで、診療月後3か月以上かかります。
医療機関に支払った1か月分の自己負担額が高額になり、自己負担額を超えた額の払い戻しを受ける場合にご使用ください。なお、記入方法および添付書類等については「記入の手引き」をご確認ください。

被保険者証	記号（左づめ）13370203　番号（左づめ）23　生年月日 1（1.昭和 2.平成 3.令和）48年08月08日
氏名（カタカナ）	ヤマナカ　ゴロウ
氏名	山中　五郎
郵便番号（ハイフン除く）	1640001
電話番号（左づめハイフン除く）	0333331111
住所	東京 都 道 府 県　中野区中野○－○－○

振込先指定口座は、上記申請者氏名と同じ名義の口座をご指定ください。

金融機関名称	○○○○　銀行 金庫 信組 農協 漁協 その他（　）	支店名	○○○○　本店 支店 代理店 出張所 本店営業部 本所 支所
預金種別	1 普通預金	口座番号（左づめ）	1234567

社会保険労務士の提出代行者名記入欄

以下は、協会

MN確認　1. 記入有（添付あり）

健康保険 被保険者 被扶養者 世帯合算 高額療養費 支給申請書 1 2 ページ
※給付金のお支払いまで、診療月後3か月以上かかります。

被保険者氏名　山中　五郎

医療機関等から協会へ請求のあった診療報酬明細書（レセプト）により確認できた、本申請の支給（合算）対象となる診療等の自己負担額を全て合算して、支給額を算出します。

① 診療年月　令和○○年04月 → 高額療養費は月単位でご申請ください。左記年月に診療を受けたものについて、下記項目をご記入ください。

受診者氏名	山中太郎	山中みゆき	
② 受診者生年月日	2（1.昭和 2.平成 3.令和）15年07月05日	1（1.昭和 2.平成 3.令和）51年05月10日	（1.昭和 2.平成 3.令和）年 月 日
③ 医療機関（薬局）の名称	松本病院	新庄病院	
医療機関（薬局）の所在地	中野区中野○－○－○	中野区中野○－○－○	
④ 病気・ケガの別	1（1.病気 2.ケガ）	1（1.病気 2.ケガ）	（1.病気 2.ケガ）
⑤ 療養を受けた期間	10日から14日	16日から28日	日から 日
⑥ 支払額（右づめ）	57000円	120000円	円

「①診療年月」以前1年間に、高額療養費に該当する月が3か月以上ある場合、「①診療年月」以外の直近3か月分の診療年月をご記入ください。

⑦ 診療年月　1 令和　年　月　2 令和　年　月　3 令和　年　月

⑧ 非課税等　□　被保険者が非課税である等、自己負担限度額の所得区分が「低所得」となる場合（記入の手引き参照）には、左記に☑を入れてください。

しない場合は、左記に☑を入れてください。
要な証明書類を添付してください。

領収書の保険診療分の金額を記入する
過去1年間に高額療養費を3回以上受けていればその直近のものについて記入する

誰が：本人または事業主経由
いつまでに：速やかに（請求権の時効は2年）
どこに：全国健康保険協会都道府県支部

業務外のケガや病気にも給付がある

傷病手当金が支給される

労災保険では仕事中のケガによる休業に対する給付がありますが、一方、健康保険には、仕事以外のケガや病気で労務不能となり休業となった期間に支払われる給付として「**傷病手当金**」があります。

給与が支払われると支給されない

傷病手当金は、休業中に給与の支払いを受けなかった場合に、休業1日あたり「支給開始日以前の継続した12か月間の各月の標準報酬月額を平均した額÷30日」の3分の2が、支給が開始された日から通算1年6か月を限度として支払われます。

この給付は、生活保障が目的なので、給与が支払われている場合は支給されません。ただし、その給与が給付額より少額であれば、その差額が支給されます。

3日間の待期期間がある

傷病手当金は、ケガや病気の療養のために仕事を休んだ日から継続した3日間（会社の公休日も含む）の**待期期間**をおき、4日目から支給されます。

待期とは、その日に報酬を受けたかどうかは関係なく、仕事を休んだことだけが条件となります。

＊ 健康《けんこう》保《ほ》険《けん》 傷病《しょうびょう》手《て》当《あて》金《きん》支《し》給《きゅう》申《しん》請《せい》書《しょ》(1枚目)の記入例 ＊

健康保険 **傷病手当金** 支給申請書　1 2 3 4 ページ　被保険者記入用　傷

被保険者が病気やケガのため仕事に就くことができず、給与が受けられない場合の生活保障として、給付金を受ける場合にご使用ください。
なお、記入方法および添付書類等については「記入の手引き」をご確認ください。

被保険者(申請者)情報

被保険者証	記号(左づめ) 13370203　番号(左づめ) 121	生年月日 1 (1.昭和 2.平成 3.令和) 47年 03月 26日
氏名(カタカナ)	キシ゛マ ヨシコ 姓と名の間は1マス空けてご記入ください。濁点(゛)、半濁点(゜)は1字としてご記入ください。	
氏名	木 島 良 子	※申請者はお勤めされている(いた)被保険者です。被保険者がお亡くなりになっている場合は、相続人よりご申請ください。
郵便番号(ハイフン除く)	1300004	電話番号(左づめハイフン除く) 0398764
住所	東京 (都)道府県 墨田区本所○－○－○	

振込先指定口座

振込先指定口座は、上記申請者氏名と同じ名義の口座をご指定ください。

金融機関名称	あんしん (銀行) 金庫 信組 農協 漁協 その他( )	支店名	墨田
預金種別	1 普通預金	口座番号(左づめ)	246

ゆうちょ銀行の口座へお振り込みを希望される場合、支店名は3桁の漢数字を、口座番号は振込専用の口座番号(7桁)をご記入く
ゆうちょ銀行口座番号(記号・番号)ではお振込できません。

誰が：本人または事業主経由
いつまでに：その都度(時効は2年)
どこに：全国健康保険協会都道府県支部
添付書類：「負傷原因届」(ケガの場合)、「第三者の行為による傷病届」(交通事故など)など

＊ 支給を受ける条件 ＊

①療養中であること
②仕事に就けないこと(労務不能)
③4日以上仕事を休むこと(連続した3日間の待期をおき、4日以上休んだ場合にその4日目から支給)

休…休み(公休・有休を含む)　出…出勤

休	休	休	休	休	休	休	休	休	休

待期完成 → 傷病手当金支給

休	休	休	出	休	休	休	休	休	休

待期完成 → 傷病手当金支給

休	休	出	休	休	休	休	休	休	休

待期完成 → 傷病手当金支給

④給料(報酬)の支払いがない

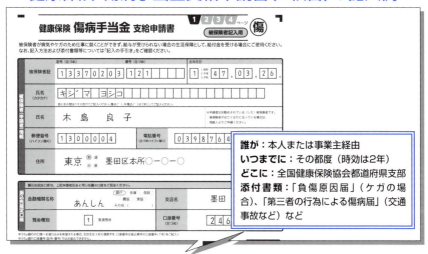

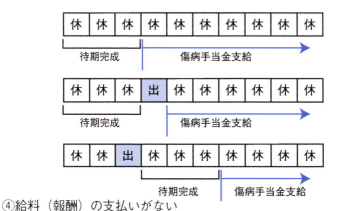

＊ 健康《けんこう》保《ほ》険《けん》 傷病《しょうびょう》手《て》当金《あてきん》支《し》給申請書《きゅうしんせいしょ》(2、3枚目)の記入例 ＊

1 2 3 4 ページ

健康保険 傷病手当金 支給申請書

事業主記入用

労務に服することができなかった期間を含む賃金計算期間の勤務状況および賃金支払い状況等をご記入ください。

被保険者氏名（カタカナ）　キシ゛マ　ヨシコ

姓と名の間は1マス空けてご記入ください。濁点(゛)、半濁点(゜)は1字としてご記入ください。

勤務状況　2ページの申請期間のうち出勤した日付を【○】で囲んでください。「年」「月」については出勤の有無に関わらずご記入ください。

令和 年 月	1 2 3 4 5 6 7 8 9 10 11 12 13 14 15	16 17 18 19 20 21 22 23 24 25 26 27 28 29 30 31
令和 年 月	1 2 3 4 5 6 7 8 9 10 11 12 13 14 15	16 17 18 19 20 21 22 23 24 25 26 27 28 29 30 31
令和 年 月	1 2 3 4 5 6 7 8 9 10 11 12 13 14 15	16 17 18 19 20 21 22 23 24 25 26 27 28 29 30 31

2ページの申請期間のうち、出勤していない日(上記【○】で囲んだ日以外の日)に対して、報酬等(※)を支給した日がある場合は、支給した日と金額をご記入ください。

※有給休暇の場合の賃金、出勤等の有無に関わらず支給している手当(扶養手当・住宅手当等)、食事・住居等現物支給しているもの等

事業主が証明するところ

	令和 年	月	日から	令和 年	月	日	円
例	05	02	01	05	02	28	30000
①	○○	08	21	○○	09	20	15000
②	○○	08	21	○○	09	20	20000
③							
④							
⑤							
⑥							
⑦							
⑧							
⑨							
⑩							

上記のとおり相違ないことを証明します。

事業所所在地　港区新橋○−○−○

事業所名称　さくら商事株式会社

事業主氏名　代表取締役　鈴木宗太郎

電話番号　03-1234-5678

6 0 1 3 1 1 0 1

4枚目の「療養担当者記入用」の『労務不能と認めた期間』と原則同じになる

1 2 3 4 ページ

健康保険 傷病手当金 支給申請書

被保険者記入用

被保険者氏名　木島 良子

申請内容

①	申請期間（療養のために休んだ期間）	令和 ○○ 年 09 月 05 日 から 令和 ○○ 年 09 月 20 日 まで
②	被保険者の仕事の内容（退職後の申請の場合は、退職前の仕事の内容）	経理事務
③	傷病名	☑ 療養担当者記入欄(4ページ)に記入されている傷病による申請である場合は、左記に☑を入れてください。別傷病による申請を行う場合は、別途その傷病に対する療養担当者の証明を受けてください。
④	発病・負傷年月日	2　1.平成 2.令和　○○ 年 09 月 05 日
⑤	⑤−1 傷病の原因	1　1. 仕事中以外(業務外)での傷病 2. 仕事中(業務上)での傷病 3. 通勤途中での傷病 } ➡ ⑤−2へ
	⑤−2 労働災害、通勤災害の認定を受けていますか。	□　1. はい 2. 請求中(＿＿＿＿ 労働基準監督署) 3. 未請求
⑥	傷病の原因は第三者の行為(交通事故やケンカ等)によるものですか。	2　1. はい 2. いいえ　「1. はい」の場合、別途「第三者行為による傷病届」をご提出ください。

確認事項

① 報酬	①−1 申請期間(療養のために休んだ期間)に報酬を受けましたか。	2　1. はい ➡ ①−2へ 2. いいえ
	①−2 ①−1を「はい」と答えた場合、受けた報酬は事業主証明欄に記入されている内容のとおりですか。	□　1. はい 2. いいえ ➡ 事業主へご確認のうえ、正しい証明を受けてください。
② 年金受給	②−1 障害年金、障害手当金について　今回傷病手当金を申請するものと同一の傷病で「障害厚生年金」または「障害手当金」を受給していますか。(同一の傷病で障害年金等を受給している場合は、傷病手当金の額を調整します)	2　1. はい ➡ ②−3へ 2. いいえ　「1. はい」の場合 ➡
	②−2 老齢年金等について　※退職等による健康保険資格の喪失後の期間について、傷病手当金を申請する場合はご記入ください　老齢または退職を事由とする公的年金を受給していますか。(公的年金を受給している場合は、傷病手当金の額を調整します)	2　1. はい ➡ ②−3へ 2. いいえ　「1. はい」の場合 ➡
	②−3 ②−1または②−2を「はい」と答えた場合のみ、ご記入ください。	基礎年金番号 □□□□−□□□□□□ 年金コード □□□□ 支給開始年月日 □ 1.平成 2.令和 年 月 日 年金額 円(右づめ)
③ 労災補償	今回の傷病手当金を申請する期間において、別傷病により、労災保険から休業補償給付を受給していますか。	3　1. はい 2. 請求中(＿＿＿＿ 労働基準監督署) 3. いいえ　「1. はい」「2. 請求中」の場合 ➡

『健康保険傷病手当金支給申請書記入の手引き』をご確認ください。

「事業主記入用」は3ページ目に続きます。》》》

6 0 1 2 1 1 0 1

全国健康保険協会
協会けんぽ

2/4

＊ 健康《けんこう》保険《ほけん》 傷病《しょうびょう》手《て》当金《あてきん》支給《しきゅう》申請書《しんせいしょ》（4枚目）、負傷原因《ふしょうげんいん》届《とどけ》の記入例 ＊

健康保険 傷病手当金 支給申請書

1 2 3 4 ページ

療養担当者記入用

療養担当者が意見を記入するところ

患者氏名（カタカナ）	キジマ ヨシコ 姓と名の間は1マス空けてご記入ください。濁点(ﾞ)、半濁点(ﾟ)は1字としてご記入ください。
労務不能と認めた期間（勤務先での従前の労務に服することができない期間をいいます。）	令和 ○○ 年 09 月 05 日 から 令和 ○○ 年 09 月 20 日 まで
傷病名（労務不能と認めた傷病をご記入ください）	
初診日（療養の給付の開始年月日）	2（1. 平成 2. 令和） ○○ 年 09 月 05 日
発病または負傷の原因	
発病または負傷の年月日	2（1. 平成 2. 令和） ○○ 年 09 月 05 日
労務不能と認めた期間に診療した日がありましたか。	1（1. はい 2. いいえ）
上記期間中における「主たる症状及び経過」「治療内容、検査結果、療養指導」等	鎖骨を骨折し 9/5 初診。鎖骨バンドで固定し、 固定するまでは安静とする。固定後リハビリが必要。
上記	
医療	
医療	
医師	
電話	

6 0

健康保険 負傷原因 届

被保険者・事業主記入用 負

記入方法および添付書類等については、「健康保険 負傷原因届 記入の手引き」をご確認ください。

届書は、黒のボールペン等を使用し、楷書で枠内に丁寧にご記入ください。 記入見本 0 1 2 3 4 5 6 7 8 9 ア イ ウ

被保険者情報

被保険者証の（左づめ）	記号 1337 0203	番号 121	生年月日 ☑昭和 □平成 □令和 47年 03月 26日
氏名	（フリガナ）キジマ ヨシコ 木島 良子		
住所	（〒 130 − 0004） 東京 都 墨田区本所○−○−○		
電話番号（日中の連絡先）	TEL 03（9876）4321		

被保険者または負傷した方が記入するところ

負傷した方	☑被保険者・□被扶養者（氏名 ）
負傷した方の勤務形態 ※該当するものを含む□を選択ください。	☑正社員、契約、派遣、パート、アルバイト □請負、法人の役員、ボランティア、インターンシップ等 □無職 □その他（ ） →労災保険に特別加入していますか。 □特別加入している □特別加入していない
傷病名	鎖骨骨折
負傷日時	□平成 ☑令和 ○○年 9 月 5 日 ☑午前・□午後 11 時頃
負傷した時間帯（状況）	☑勤務時間中 □勤務日の休憩中 □出張中 □私用中 □その他（ ） □通勤途中（□出勤 □退勤／□寄り道等有り □寄り道等無し）
負傷場所	□会社内 □路上 □駅構内 □自宅 ☑その他（テニスコート ）
負傷原因 負傷原因で次にあてはまるものがありますか。	□交通事故 □暴力（ケンカ） ☑スポーツ中（□職場行事 □職場行事以外） □動物による負傷（飼い主：□有 □無） □あてはまらない
上記にあてはまる原因がある場合、相手はいますか。また、その場合は、あなたは被害者ですか、加害者ですか。	相手：□有 →□あなたは被害者 →□あなたは加害者 ☑無 ※相手がいる負傷の場合は「第三者行為による傷病届」の届出が必要です。
負傷した時の状況を具体的にご記入ください。	日曜日に余暇でテニスをしていたところ、つまずいて転倒し、右肩を強打した。
治療経過	令和○○ 年 9 月 25 日現在 ☑治癒 □治療継続中 □中止
治療期間	□平成 ☑令和 ○○ 年 9 月 5 日 から □平成 ☑令和 ○○年 9 月 20 日まで

事業主欄

業務災害及び通勤災害の場合のみ事業主の記入を受けてください。

事業所の労災適用	有・無	社員総数	名	事業内容	
業務（通勤）災害該当の確認	有・無	→「無」の場合、その理由			

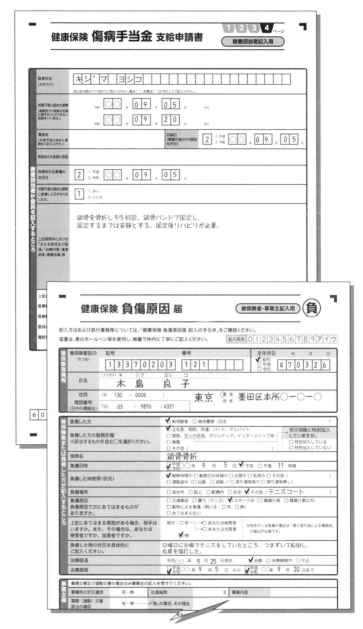

埋葬料または埋葬費が支給される

健康保険から埋葬料が支給される

業務外の事由で被保険者である従業員が死亡したときは、従業員によって生計を維持され、埋葬を行う者に「**埋葬料**」として5万円が支給されます。

埋葬を行う者がいないときには、実際に埋葬を行った人に5万円の範囲内で、埋葬にかかった費用が「**埋葬費**」として支給されます。身寄りのない従業員の葬儀を会社で行った場合などが、これに該当します。

「埋葬にかかった費用」とは、埋葬に直接必要な実費額をいいます。

具体的には霊柩代、霊柩車代、霊柩運搬代、火葬料、埋葬料、葬式の際の供物代、僧侶の謝礼、葬壇一式料などです。お葬式の際の飲食代などの接待費用は認められません。

また、従業員の被扶養者である家族が死亡した場合も「**家族埋葬料**」として5万円が支給されます。

会社を辞めた後も給付がある

会社を辞め、健康保険の資格を喪失してから3か月以内に死亡した場合や資格喪失後も傷病手当金や出産手当金をもらっている間に亡くなった場合等にも「埋葬料（費）」が支給されます。

また、自殺やけんかなどで死亡した場合は、故意の事故としてそのケガなどに対する給付は制限されますが「埋葬料（費）」は支給されます。

＊ 健康保険《けんこうほけん》 被保険者《ひほけんしゃ》家族《かぞく》埋葬料《まいそうりょう》(費《ひ》)支給申請書《しきゅうしんせいしょ》の記入例 ＊

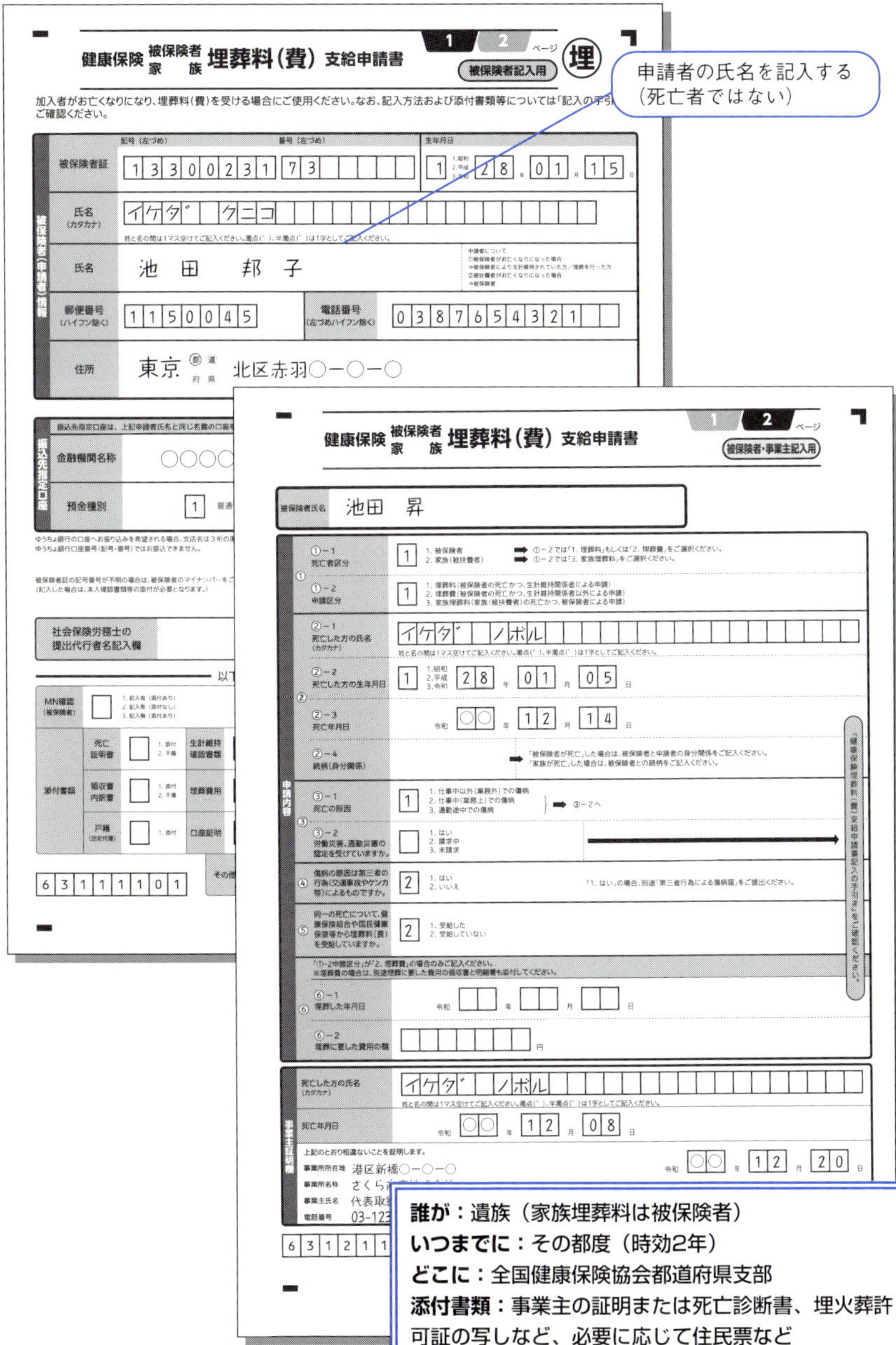

健康保険 被保険者 家族 埋葬料(費) 支給申請書 1 2 ページ 埋 被保険者記入用

加入者がお亡くなりになり、埋葬料(費)を受ける場合にご使用ください。なお、記入方法および添付書類等については「記入の手引き」をご確認ください。

被保険者(申請者)情報

被保険者証 記号(左づめ) 番号(左づめ)	13300231 73
生年月日	1(1.昭和 2.平成 3.令和) 28年 01月 15日
氏名(カタカナ)	イケダ゛ クニコ
氏名	池田 邦子
郵便番号(ハイフン除く)	1150045
電話番号(左づめハイフン除く)	03876543 21
住所	東京 都 北区赤羽○－○－○

申請者の氏名を記入する（死亡者ではない）

振込先指定口座 金融機関名称 ○○○○ 預金種別 1 普通

社会保険労務士の提出代行者名記入欄

MN確認(被保険者) 添付書類 死亡証明書 領収書内訳書 戸籍 生計維持確認書類 埋葬費用 口座証明 その他

6311101

健康保険 被保険者 家族 埋葬料(費) 支給申請書 1 2 ページ 被保険者・事業主記入用

被保険者氏名 池田 昇

申請内容

①－1 死亡者区分	1	1. 被保険者 ➡ ①－2では「1. 埋葬料」もしくは「2. 埋葬費」をご選択ください。 2. 家族(被扶養者) ➡ ①－2では「3. 家族埋葬料」をご選択ください。
①－2 申請区分	1	1. 埋葬料(被保険者の死亡かつ、生計維持関係者による申請) 2. 埋葬費(被保険者の死亡かつ、生計維持関係者以外による申請) 3. 家族埋葬料(家族(被扶養者)の死亡かつ、被保険者による申請)
②－1 死亡した方の氏名(カタカナ)	イケダ゛ ノボル	姓と名の間は1マス空けてご記入ください。濁点(゛)、半濁点(゜)は1字としてご記入ください。
②－2 死亡した方の生年月日	1	1.昭和 2.平成 3.令和 28年 01月 05日
②－3 死亡年月日		令和 ○○年 12月 14日
②－4 続柄(身分関係)		➡「被保険者が死亡」した場合は、被保険者と申請者の身分関係をご記入ください。「家族が死亡」した場合は、被保険者との続柄をご記入ください。
③－1 死亡の原因	1	1. 仕事中以外(業務外)での傷病 2. 仕事中(業務上)での傷病 3. 通勤途中での傷病 ➡ ③－2へ
③－2 労働災害、通勤災害の認定を受けていますか。		1. はい 2. 請求中 3. 未請求
④ 傷病の原因は第三者の行為(交通事故やケンカ等)によるものですか。	2	1. はい 2. いいえ 「1. はい」の場合、別途「第三者行為による傷病届」をご提出ください。
⑤ 同一の死亡について、健康保険組合や国民健康保険等から埋葬料(費)を受給していますか。	2	1. 受給した 2. 受給していない
⑥－1 埋葬した年月日		令和 年 月 日
⑥－2 埋葬に要した費用の額		円

「①-2申請区分」が「2. 埋葬費」の場合のみご記入ください。※埋葬費の場合は、別途埋葬に要した費用の領収書と明細書も添付してください。

「健康保険埋葬料(費)支給申請書記入の手引き」をご確認ください。

事業主証明欄

死亡した方の氏名(カタカナ)	イケダ゛ ノボル
死亡年月日	令和 ○○年 12月 08日

上記のとおり相違ないことを証明します。 令和 ○○年 12月 20日

事業所所在地 港区新橋○－○－○
事業所名称 さくら…
事業主氏名 代表取締…
電話番号 03-123…

63121 1…

誰が：遺族（家族埋葬料は被保険者）
いつまでに：その都度（時効2年）
どこに：全国健康保険協会都道府県支部
添付書類：事業主の証明または死亡診断書、埋火葬許可証の写しなど、必要に応じて住民票など

遺族補償給付と葬祭料が支給される

労災保険からの給付がある

従業員が仕事中に起こった事故によって死亡した場合、労災保険から「**遺族補償給付**（遺族補償年金・遺族補償一時金）」（通勤災害の場合は遺族給付）が遺族に支給されます。

年金型で受け取るか、最初に一部を前払い一時金として受け取り、残りの差額相当分を年金で受け取るかを選択できます。

お葬式代に対する給付もある

業務上の理由で亡くなった場合、葬儀を行った者に対し、その費用の一部が葬祭料（通勤災害の場合は葬祭給付）として支給されます。その額は31万5000円に給付基礎日額の30日分を加えた額か給付基礎日額の60日分のいずれか高いほうになります。

また、社葬が行われ、遺族が葬儀をしないことが明らかな場合、会社が受け取ることができます。

年金制度からの遺族給付も受け取れる

遺族は、労災の遺族給付を受ける際、あわせて「**遺族厚生年金**」が受給できる場合があります。

さらに、一定の年齢未満の子がいる「妻」などは、国民年金制度から「**遺族基礎年金**」が受給できる場合があります。

＊ 遺族補償年金を受けることのできる遺族 ＊

■従業員の死亡当時、その者の収入によって生計を維持していた配偶者・子・父母・孫・祖父母・兄弟姉妹

●妻以外の遺族

従業員の死亡当時、一定範囲の年齢にあるか、または一定の障害状態にあること

●遺族の要件（従業員の死亡当時で判断する）

夫・父母・祖父母……55歳以上であること（受給できるのは60歳から）

子・孫……18歳に達する日以後の最初の3月31日までの間にあること

兄弟姉妹……18歳に達する日以後の最初の3月31日までの間にあるか、55歳以上であること（受給できるのは60歳から）

※この年齢要件に該当しなくても障害等級第5級以上であるか、これと同等以上に労働が制限される状態にあれば受給できる
配偶者……事実上婚姻関係にあった者も含まれる
従業員の死亡当時に胎児であった子……出生の時から受給資格者となる

＊ 遺族給付にも上乗せの給付がある ＊

労災の遺族給付にも本来の給付に加えて上乗せの給付がある。
手続きも遺族補償給付と同時に行う。

■遺族特別支給金

遺族補償給付を受ける権利のある遺族に対して支給される一時金（給付額は300万円）

■遺族特別年金

算定基礎日額×（153～245）日分（遺族の人数により異なる）

■遺族特別一時金

算定基礎日額×1,000日分を限度とする

算定基礎日額：
算定基礎年額の365分の1の金額。算定基礎年額とは、以下の①②③のうち最も低い額。
①被災日以前1年間に支払われたボーナスの総額
②給付基礎日額×365×20／100
③150万円

19

60歳以降も働き続けるともらえる給付がある

65歳まで支給される

従業員が満60歳になり、定年を迎え、引き続き雇用されたときに、再雇用後の給与が、60歳時点の給与の75%未満に引き下げられたときには、雇用保険の給付として、**高年齢雇用継続給付**が最長65歳まで支給されます。

ダウン割合によって給付額は変わる

高年齢雇用継続給付の額は、月に支払われた賃金の額に以下の①または②の率を乗じた額となり、その率は最大で15%となります。

①賃金の低下が61%以下のとき……15%

②賃金の低下が61%超75%未満のとき……低下した割合に応じ、15%〜一定の割合で決められた率

※改正により、令和7年4月1日から新たに60歳となる労働者への同給付の給付率の上限が15%から10%に縮小されることが決まっている。

この給付は、所得税・住民税とも非課税扱いとなります。

なお、時間外手当・休日出勤手当が支払われた場合、それらも算定の基礎になり、給付額は調整されます。

高年齢雇用継続給付の申請手続きは、原則として、事業主を経由して行う必要があります。ただし、被保険者本人が希望する場合は、本人が申請手続きを行うことも可能です。

＊ 高年齢《こうねんれい》雇用《こよう》継続《けいぞく》給付《きゅうふ》受給《じゅきゅう》資格《しかく》確認票《かくにんひょう》・(初回《しょかい》)高年齢《こうねんれい》雇用《こよう》継続《けいぞく》給付《きゅうふ》支給《しきゅう》申請書《しんせいしょ》の記入例 ＊

＊ 雇用《こよう》保険《ほけん》被《ひ》保険者《ほけんしゃ》六十歳《ろくじゅっさい》到達《とうたつ》時《じ》等《とう》賃金《ちんぎん》証明書《しょうめいしょ》の記入例 ＊

様式第33号の4（第101条の5関係）

雇用保険被保険者六十歳到達時等賃金証明書（安定所提出用）

① 被保険者番号 5034-124987-6
③ フリガナ マツサカ タカシ
② 事業所番号 1311-507123-4
60歳に達した者の氏名 松坂 隆
④ 事業所 名称 さくら商事株式… 所在地 港区新橋○-○… 電話番号 03-1234-5678
⑤ 60歳に達した者の住所又は居所 〒206-0025 東京都多摩市永山○-○-○ 電話番号（042）○○○-○○○
⑥ 60歳に達した日等の年月日 平成/令和 ○○年 1月 22日
⑦ 60歳に達した者の生年月日 昭和/平成 ○○年 1月 23日

この証明書の記載は、事実に相違ないことを証明します。
事業主 住所 さくら商事株式会社 港区新橋○-○-○
氏名 代表取締役 鈴木宗太郎 ㊞

60歳に達した日等以前の賃金支払状況等

⑧ 60歳に達した日等に離職したとみなした場合の被保険者期間算定対象期間（60歳に達した日等の翌日 1月23日）	⑨ ⑧の期間における賃金支払基礎日数	⑩ 賃金支払対象期間	⑪ ⑩の基礎日数	⑫ 賃金額 Ⓐ	Ⓑ	計	⑬ 備考
12月23日～60歳に達した日等	31日	1月21日～60歳に達した日等	2日	未計算			
11月23日～12月22日	30日	12月21日～1月20日	31日	480,000			
10月23日～11月22日							
9月23日～10月22日							
8月23日～9月22日							
7月23日～8月22日							
6月23日～4月22日							
月 日～ 月 日							
月 日～ 月 日							
月 日～ 月 日							
月 日～ 月 日							
月 日～ 月 日							
月 日～ 月 日							

⑭ 賃金に関する特記事項

※公共職業安定所記載欄

60歳の誕生日の前日となる

押印の必要なし

様式第33号の3（第101条の5、第101条の7関係）（第1面）

高年齢雇用継続給付受給資格確認票・（初回）高年齢雇用継続給付…

（必ず第2面の注意書きをよく読んでから記載してください。）

マイナンバーを記入する

1. 個人番号 12345×××××××

支給対象月に支払われた賃金の総支給額を記入する

4. 被保険者氏名 フリガナ（カタカナ）
5. 事業所番号

＜賃金支払状況＞
7. 支給対象年月その1 □-0002　8. 7欄の支給対象年月に支払われた賃金額 475000
11. 支給対象年月その2 □-0003　12. 11欄の支給対象年月に支払われた賃金額 200000
15. 支給対象年月その3 □-0004　16. 15欄の支給対象年月に支払われた賃金額 200000　17. 賃金の減額のあった日数　18. みなし賃金額
19. 賃金月額（区分－日額又は総額）（1 日額 2 総額）　20. 登録区分　21. 基本手当の受給資格　22. 定年等修正賃金登録年月日
24. 支給申請月（1 奇数月 2 偶数月）　25. 次回（初回）支給申請年月日　26. 支払区分
口座番号　28. 未支給区分（空欄 未支給以外 1 未支給）

その他賃金に関する特記事項 29.　30.　31.

上記の記載事実に誤りのないことを証明します。
令和○○年 5月 2日　事業所名（所在地・電話番号） さくら商事株式会社（港区新橋○-○-○・03-××××-××××）
事業主氏名 代表取締役 鈴木宗太郎

上記のとおり高年齢雇用継続給付の受給資格の確認を申請します。
雇用保険法施行規則第101条の5及び第101条の7の規定により、上記のとおり高年齢雇用継続給付の支給を申請します。
令和○○年 5月 2日　公共職業安定所長 殿　住所　申請者氏名 松坂《マツザカ》 隆《タカシ》

払渡希望金融機関指定届　32. 払渡希望金融機関　フリガナ アンシンギンコウ タマ　名称 あんしん銀行 多摩 本店/支店　銀行等（ゆうちょ銀行以外） 口座番号（普通）1234321　金融機関コード　店舗コード

給付金振込を希望する銀行で印をもらうか通帳のコピーを添付する

誰が：事業主
どこに：会社所轄の公共職業安定所
いつまでに：初回申請時は支給対象月の初日から起算して4か月以内（ただし2年以内なら申請可能）
添付書類：賃金台帳、出勤簿、生年月日確認書類（免許証等）

※用紙は2枚複写になっている（1枚目：事業主控、2枚目：ハローワーク提出用）
※記入のしかたは離職証明書とほぼ同じ

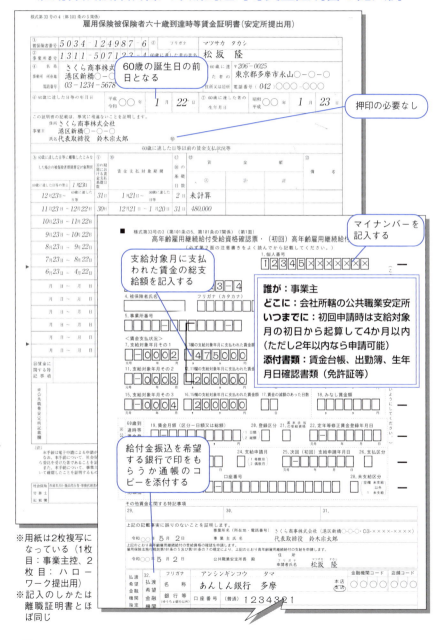

再雇用者には特例がある

定年後、嘱託などの形態での再雇用は、身分の切り替えに過ぎないので、原則、社会保険の被保険者資格の取得・喪失の手続きは必要ありません。

ただ、再雇用では、給与が大幅にダウンするケースが多く、「標準報酬月額の随時改定」の扱いにすると、ダウンした後の給与に見合った社会保険料になるのが3か月も遅れてしまいます。

このため、60歳以上で、かつ定年または定年以外の退職後に再雇用（有期労働契約の更新も含む）される場合に限って、社会保険の被保険者資格を同日に喪失して再取得するという特例が認められています。これを「**同日得喪**」といい、その月から新しい保険料率が適用されることになります。

60歳以降に働くと年金がカットされる

60歳以降引き続き会社に雇用される場合は厚生年金保険の被保険者となります。また、会社から給与をもらう一方で年金を受給できる権利もあります。

そこで在職者の年金については、給与との調整をする（年金をカットする）というしくみがあります。これを**在職老齢年金**といいます。

在職老齢年金の年金額は、本人が受け取る給与の額によって変わります。

70歳で厚生年金の被保険者資格を失う

社会保険に加入しながら70歳の誕生日を迎える従業員がいる時には、その前月になると年金事務所から「70歳到達届」が送付されてきます。

70歳到達を機に報酬が変更される場合には、その後の在職老齢年金の計算に影響があるため必ず記入して返送しましょう。

報酬が変わらない場合には、書類を出す必要はありません（厚生年金の資格喪失手続きは自動的に行われる）。

＊ 在職老齢年金の計算式 ＊

①本来の年金額÷12（年金1か月分）➔ **基本月額**

②その月の標準報酬月額と直近1年間の標準賞与額÷12を足したもの

➔ **総報酬月額相当額**

■60歳以上の場合の計算式

基本月額＋総報酬月額相当額≦50万円

➔年金額の調整なし（年金はカットされない）

基本月額＋総報酬月額相当額＞50万円

➔50万円を超えた部分の1／2をカット

※70歳以上の場合は届け出た給与および賞与の額をもとに計算される

※65歳未満の場合、同時に高年齢雇用継続給付が受けられるとその額に応じて、在職老齢年金の調整に加えてさらに年金額が一定率で減額される

Column

就労形態の検討

60 歳以降も厚生年金の被保険者になると、引き続き会社も本人も保険料を負担しなければなりません。果たして双方にとって得になるのか？という疑問があるでしょう。

厚生年金被保険者であり老齢厚生年金を受けている方は以下の時に年金額の見直しがされます。

○ 65 歳以上 70 歳未満で 9 月 1 日において被保険者であるとき → 翌月の 10 月分の年金額から見直し（在職定時改定）

○ 70 歳未満の方で退職して 1 か月を経過したとき → 退職した翌月分の年金額から見直し（退職改定）

○ 70 歳に到達したとき → 到達した翌月分の年金額から見直し（以降は厚生年金未加入となるため見直しがない）

場合によっては、パートタイマーのように正社員の4分の3未満の所定労働時間で再雇用し、厚生年金の被保険者とせず、年金を満額受給してもらう方法もあるでしょうが、目先だけにとらわれることのないよう、本人と納得の上で就労形態を決めましょう。

20 会社には雇用を確保する義務がある

65歳まで雇用を確保する

「高年齢者等の雇用の安定等に関する法律」（以下、「高年齢者雇用安定法」）により、事業主は、高年齢者の65歳までの安定した雇用を確保することが義務づけられています。

雇用確保の方法は次の3通りとなっています。

①定年制の廃止
②定年年齢の引き上げ
③継続雇用制度の導入

この「雇用確保の方法」の中で、最も多くの企業が選択しているのは「**継続雇用制度の導入**」で、これは、定年年齢はそのままですが、従業員が定年後も引き続き働きたいと希望すれば、勤務**延長**（退職せずに勤務を延長）や**再雇用**（いったん退職し再び雇用）するという制度です。

義務違反の企業名は公表される

急速な高齢化の進行に対応し、高齢者が意欲と能力に応じて働き続けられる環境の整備を目的として、平成25年4月1日に「**高年齢者雇用安定法**」の改正が行われました。

主な内容は次の4点です。

①**「継続雇用制度の対象者を限定する仕組み」の廃止**（⬇258ページ）
②**「高年齢者雇用確保措置の実施及び運用に関する指針」の策定**（⬇258ページ）

＊高年齢者雇用確保措置フローチャート＊

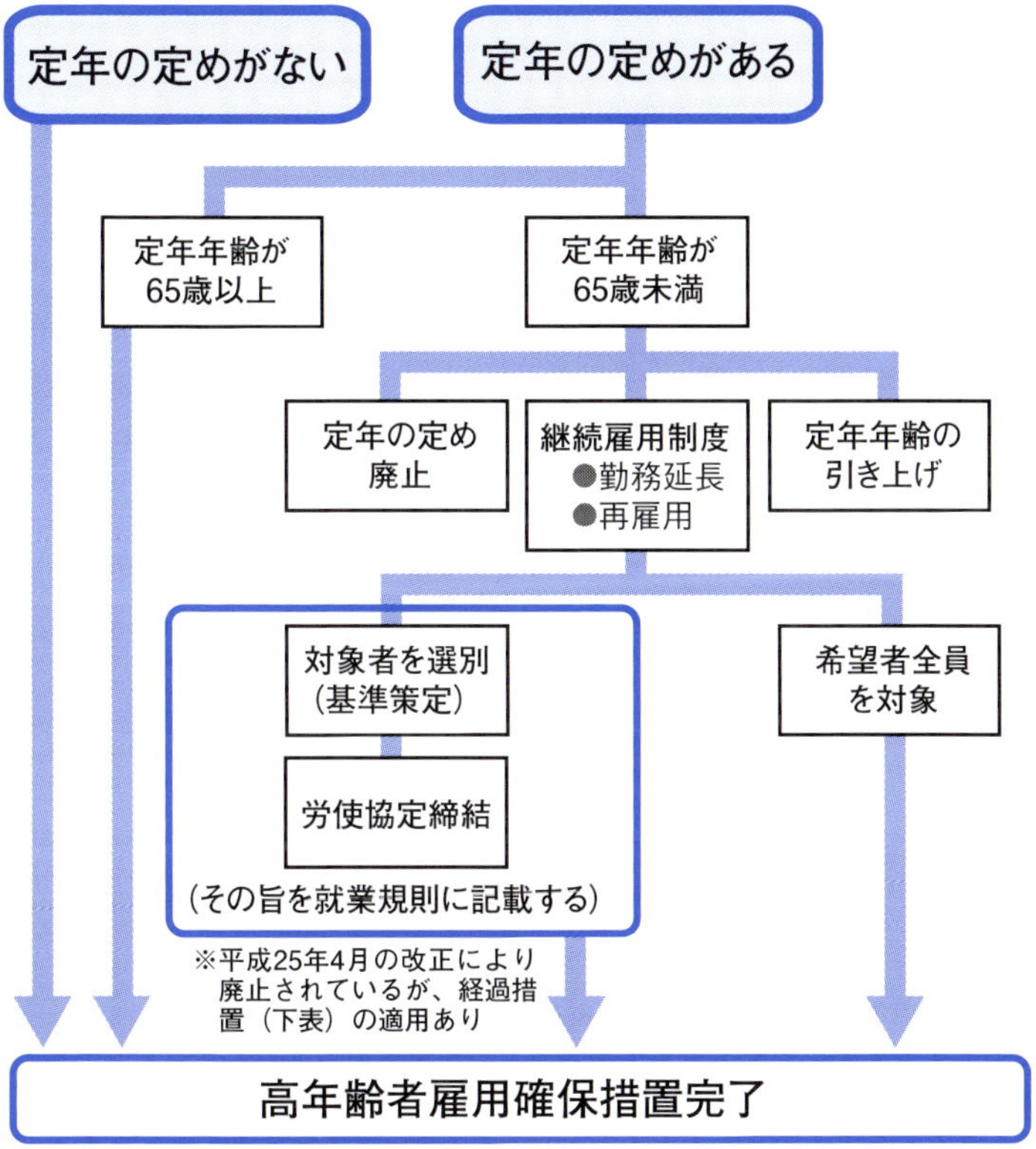

出典：厚生労働省資料一部抜粋

＊「継続雇用の基準」適用の経過措置＊

平成25年3月31日までに継続雇用制度の対象者の基準を労使協定で設けている場合

・令和7年3月31日までは64歳以上の人に対して ▶ **基準を適用することができる**

※たとえば、令和7年3月31日までの間は、64歳未満の人については希望者全員を対象にしなければならないが、64歳以上の人については、基準に適合する人に限定することができる。

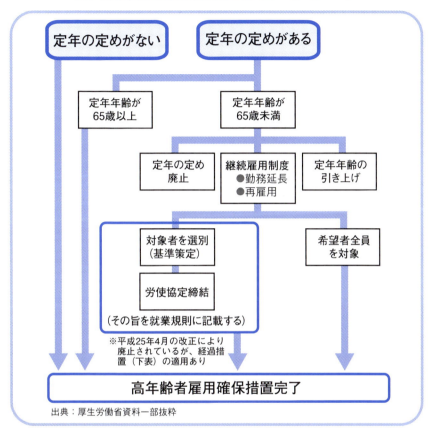

③継続雇用制度の対象者を雇用する企業の範囲の拡大

定年を迎えた高年齢者の継続雇用先を、自社だけではなく、**グループ内の他の会社（子会社や関連会社など）**まで広げることができるようになりました。

④義務違反の企業に対する公表規定の導入

高年齢者雇用確保措置を実施していない企業に対しては、労働局やハローワークが指導を実施します。

指導後も改善が見られない企業に対しては義務違反に関する勧告を行い、それでも是正されない場合は**企業名を公表**することがあります。

希望者は再雇用しなければならない

従来の「**継続雇用制度**」では、あらかじめ労使協定で「**継続雇用の基準**」を設けることにより、『**継続雇用制度の対象者（定年後の再雇用者）を限定する仕組み**』が認められていました。

しかし、平成25年4月の法改正（⬇256ページ）によりこの仕組みが廃止され、**希望者全員を再雇用することが義務づけられました**。

ただし、「**高年齢者雇用確保措置の実施及び運用に関する指針（厚生労働省ＨＰに掲載）**」に基づき、就業規則等に定めることにより、**心身の故障により業務に堪えられない等の事情が解雇事由や退職事由に該当する場合**については継続雇用の対象としないことが認められています。

また、本改正で『**継続雇用制度の対象者（定年後の再雇用者）を限定する仕組み**』は廃止されましたが、平成25年3月までに労使協定により「**継続雇用の基準**」を設けている事業場に限り、経過措置としてこの仕組みを継続することが可能となっています（⬇257ページ）。

本改正により、「雇用保険被保険者離職証明書」の離職理由欄についても変更され、定年による離職や定年後再雇用後の労働契約期間満了時の離職の際の具体的理由等の記載が必要となっています。

＊ 定年時の継続雇用後の注意事項 ＊

■年次有給休暇の扱い

●定年でいったん退職扱いとなるが、労働関係は継続しているとみなされるので、再雇用した場合の年次有給休暇はリセットされるのではなく、定年前の勤続年数は通算して、それに応じた日数を与えなければならない。

●未消化分はそのまま引き継ぐ。1からスタートするのではない。

■給与決定

●定年を機として、職務や就労時間は同じなのに嘱託だからという理由で給与を引き下げることは「同一労働同一賃金の原則」に抵触するおそれがある。また、最低賃金を割り込んだりしないよう注意する。

Column

70歳までの就業機会確保が努力義務に！

高年齢者雇用安定法が令和３年4月から改正され、**70歳までの就業確保措置**を講じることが「**努力義務**」となりました。

具体的には、次の①～⑤のいずれかの措置（**高年齢者就業確保措置**）を講じるよう務める必要があります。

①70歳までの定年引上げ
②定年制の廃止
③70歳までの継続雇用制度（再雇用制度・勤務延長制度）の導入
※特殊関係事業主に加えて、他の事業主によるものも含む。
④70歳まで継続的に業務委託契約を締結する制度の導入
⑤70歳まで継続的に以下の事業に従事できる制度の導入
a）事業主が自ら実施する社会貢献事業
b）事業主が委託、出資（資金提供）等する団体が行う社会貢献事業

※④⑤の制度は、雇用維持ではなく「創業支援等措置」となり、導入に際しては、過半数組合等の同意を得ておく必要がある。

21

健康保険証や年金手帳を紛失したとき

すぐに再交付を受ける

健康保険証の紛失

健康保険被保険者証を紛失してしまった場合、**「健康保険被保険者証再交付申請書」**を全国健康保険協会の都道府県支部に提出します。

なお、退職時に健康保険被保険者証がない場合には、**「健康保険被保険者資格喪失届」**に**「健康保険被保険者証回収不能届」**を添えて提出します。

年金手帳の廃止、そして「基礎年金番号通知書」の発行

国民年金、厚生年金保険等の被保険者の方には、年金手帳が交付されてきましたが、令和4年4月1日からはこれが廃止され、年金手帳の代わりに**「基礎年金番号通知書」が送付されます。**

すでに年金手帳をお持ちの方には、改めて「基礎年金番号通知書」は発行されませんので、引き続き、基礎年金番号を明らかにする書類として利用できます。この年金手帳を紛失または破損したときは、申請することにより「基礎年金番号通知書」が再発行されます。

雇用保険被保険者証の紛失

過去に雇用保険に加入したことがあるのに、紛失してしまった、もしくは前の会社からもらわなかったなどで、雇用保険被保険者証がないときは、**「雇用保険被保険者証再交付申請書」**を提出して再交付を受けなくてはなりません。

＊ 雇用《こよう》保険《ほけん》被《ひ》保険者証《ほけんしゃしょう》再交付《さいこうふ》申請書《しんせいしょ》の記入例 ＊

様式第８号（第10条関係）

※	所長	次長	課長	係長	係

雇用保険被保険者証再交付申請書

申請者	1. フリガナ	ヤマネ　ケンイチ	2. 性別	①男　2 女	3. 生年月日　大・㊣昭・平・令 41年 7月 3日
	氏名	山根　健一			
	4. 住所又は居所	東京都大田区池上○－○－○			郵便番号 146－0082
現に被保険者として雇用されている事業所	5. 名称	さくら商事株式会社			電話番号 03-1234-5678
	6. 所在地	東京都港区新橋○－○－○			郵便番号 105－0004
最後に被保険者として雇用されていた事業所	7. 名称				電話番号
	8. 所在地				郵便番号 －
9. 取得年月日		令和○年 ○月 ○日			
10. 被保険者番号		1234－654321－7			※安定所確認印
11. 被保険者証の滅失又は損傷の理由		紛失			

雇用保険法施行規則第10条第３項の規定により上記のとおり雇用保険被保険者証の再交付を申請します。

令和 ○年 ○月 ○日

公共職業安定所長　殿

申請者氏名　山根　健一

※ 再交付年月日	令和　年　月　日	※備考	

注意

1　被保険者証を損傷したことにより再交付の申請をする者は、この申請書に損傷した被保険者証を添えること。

2　1欄には、滅失又は損傷した被保険者証に記載されていたものと同一のものを明確に記載すること。

3　5欄及び6欄には、申請者が現に被保険者として雇用されている者である場合に、その雇用されている事業所の名称及び所在地をそれぞれ記載すること。

4　7欄及び8欄には、申請者が現に被保険者として雇用されている者でない場合に、最後に被保険者として雇用されていた事業所の名称及び所在地をそれぞれ記載すること。

事実の

被保険者番号が不明の場合は空欄で提出（事業所名と取得年月日は必須）

提出書類	誰が	いつまでに	どこに	添付書類
基礎年金番号通知書再交付申請書	事業主	速やかに	会社所轄の年金事務所	－
雇用保険被保険者証再交付申請書	事業主または本人	その都度	会社所轄の公共職業安定所	被保険者証を損傷したため再交付を受ける場合は、その損傷した被保険者証・本人確認書類

22

従業員が75歳になったら健康保険の資格を喪失

75歳からは後期高齢者医療制度に

75歳以上（一定の障害状態の人は65歳以上）の人は、「後期高齢者医療制度」に加入することになるため、健康保険の被保険者の資格を喪失することになります。

会社へは該当者に関するデータが印字された届出関係書類が送られてくるので、その内容を確認の上、**「健康保険厚生年金保険被保険者資格喪失届」**に本人の健康保険被保険者及び高齢受給者証を添えて所轄の年金事務所に提出します。

75歳誕生日の属する月分から健康保険料を控除しないよう気をつけてください。

被扶養者も資格を喪失

後期高齢者医療制度の対象となる被保険者に被扶養者がいる場合、被保険者の資格喪失に伴い、その被扶養者が75歳未満であっても健康保険の資格を失うことになるので、国民健康保険など、他の医療保険に加入しなければなりません。

また、被扶養者自身が75歳になった場合は当然に資格を喪失するので、**「健康保険被扶養者（異動）届」**に健康保険被保険者証を添えて所轄の年金事務所へ提出することになります。

後期高齢者医療の被保険者証は、75歳の誕生日前に本人の住所地宛てに送付されてきます。以前の保険証は75歳誕生日以降は使用できません。

＊ 制度の仕組み ＊

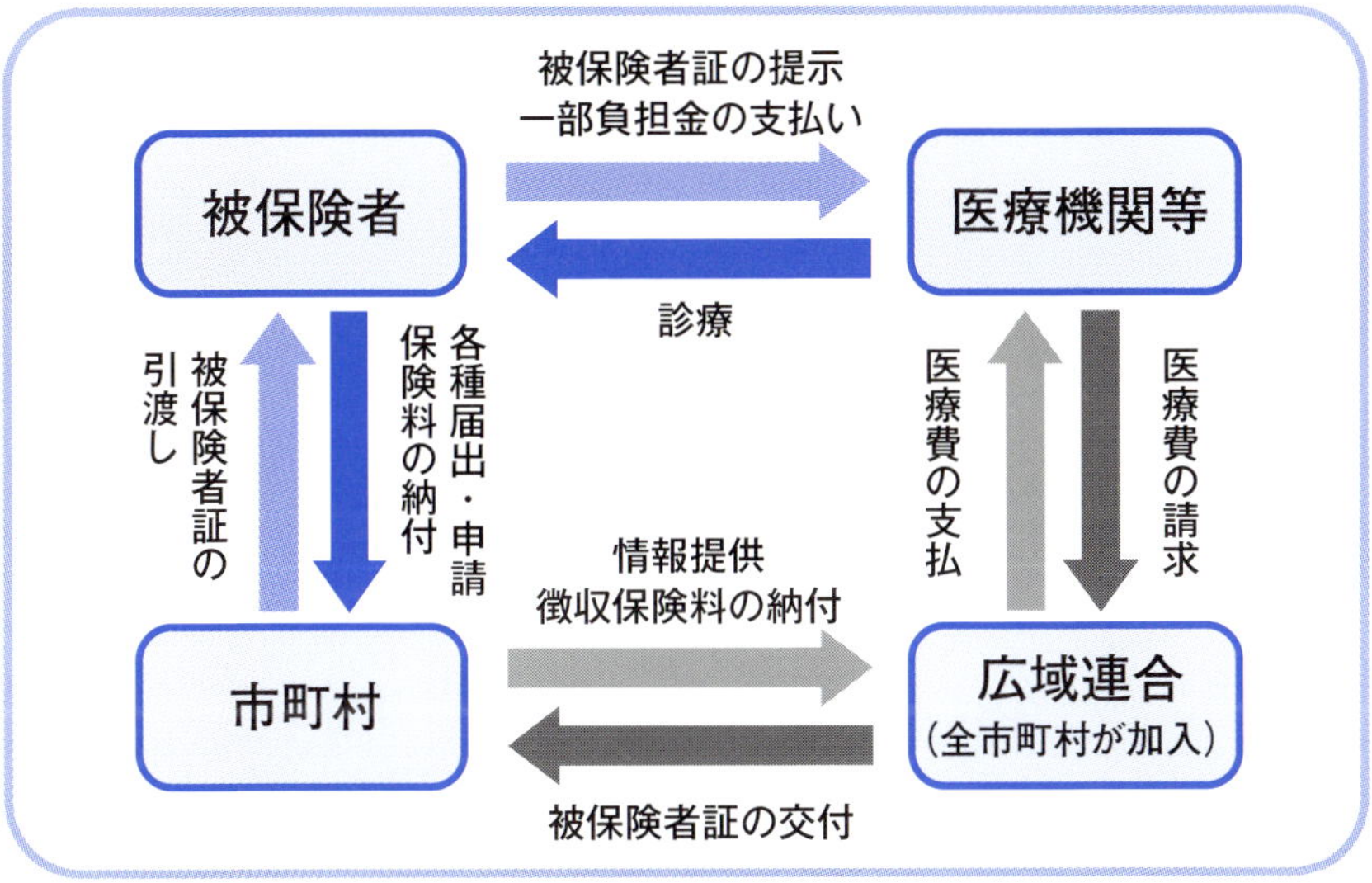

＊保険料 ＊

- 加入者（被保険者）1人ひとりが負担する。
- 所得の低い人は均等割額の軽減措置がある。
- 制度加入直前に健康保険などの被扶養者であった人は、一定期間保険料負担が軽減される。

保険料 ＝ 均等割額（加入者全員が均等に負担する額） ＋ 所得割額（所得に応じて負担する額）

＊医療機関窓口での自己負担割合 ＊

被保険者の課税所得や年金収入をもとに、毎年8月1日に判定が行われる。

一般の方	1割
一定以上の所得がある方 課税所得が28万円以上かつ「年金収入＋その他の合計所得金額」が200万円（複数世帯の場合は320万円）以上	2割
現役並みの所得がある方 世帯に1人でも課税所得145万円以上の人がいる	3割

a d v i c e

相手の立場に立って考え、行動する

人事担当者に求められるのは、誠実さ・正確さ・迅速さです。1つでも欠けると、会社や従業員に迷惑がかかることになります。新たに人事担当者になった人にとって、はじめから正確さ・迅速さは難しいかもしれませんが、まずは誠実に業務をこなすことを考えてください。

特にケガをした従業員や家族などが頼りにするのは人事担当者であるあなたです。人事担当者が、まず相手の立場に立って考えて行動すれば、従業員に安心感を与えることができるでしょう。

そして誰からも信頼される人事担当者を目指してください。

常にアンテナを張りめぐらせる

給与計算や社会保険事務など人事担当者が行う業務には流れがあります。1か月単位、1年単位で業務を繰り返すことによって慣れてくるでしょう。年間スケジュールをあらかじめ整理し、段取りをきちんとすることで、正確さや迅速さも備わってくると思います。

しかし、毎年同じ業務を惰性で繰り返さないようにしてください。昨年と違っているところはないか、法改正はないかなど、常にアンテナを張りめぐらせてください。あなたにとってはたくさんある業務の中の単なる1つにすぎないかもしれませんが、給与明細を受けとる従業員や給付を受ける従業員にとってはそれがすべてですから、受け取る人の気持ちに立って考えるよう心がけましょう。

そして最終的には、人事のスペシャリストとして、従業員1人ひとり個別の相談があったときに、きめ細やかなアドバイスができるようになってください。

最新の情報を得るために、定期的に年金事務所や労働基準監督署、ハローワークなどに足を運び、情報収集にも努めるようにしましょう。

事務処理に役立つチェックリスト・書式一覧ほか

■毎月の給与計算に関するチェックリスト

NO.	内　容	いつまでに	チェック欄
1	タイムカードの打ちもれや二重打ちがないかチェックしたか	給与締切日までに	
2	上記内容がもしあれば、本人や所属長などに正しい時刻を確認したか	給与締切日までに	
3	個人別マスター台帳の今月分給与に関する変更点をチェックしたか	給与締切日までに	
4	上記、変更点がある場合は、給与マスターを変更したか	給与締切日までに	
5	タイムカードを締め、勤怠を集計したか	給与締切日後すぐに	
6	勤怠をもとに、給与計算をしたか	給与締切日後すぐに	
7	給与支払準備（銀行渡しまたは現金仕分け）をしたか	給与支払日に間に合うように	
8	給与を支払ったか	給与支払日	
9	翌月以降のマスター変更や個人別マスター台帳への追記等をしたか	給与計算終了後速やかに	
10	今月分の給与計算結果を源泉徴収簿へ記入したか	給与計算終了後速やかに	
11	社会保険料を納付（銀行引落し）したか	当月末日	
12	源泉所得税を納付したか	翌月10日	
13	住民税を納付したか	翌月10日	

■入社時のチェックリスト

NO.	内　容	いつまでに	チェック欄
1	従業員からのマイナンバーの取得（必須）	速やかに	
2	社内規程に基づく書類（身分保証書・卒業証明書など）の提出を新入社員から受けたか	速やかに	
3	必要に応じ、基礎年金番号を明らかにする書類・住民税異動届・雇用保険被保険者証・源泉徴収票・住民税の納付書等を新入社員から入手したか	速やかに	
4	扶養控除等（異動）申告書の提出を新入社員から受けたか	速やかに	
5	労働条件等から新入社員が雇用保険や社会保険の対象となるかどうかの確認を行ったか	速やかに	
6	労働者名簿・出勤簿・賃金台帳を作成したか （できれば個人別マスター台帳も作成）	速やかに	
7	雇用保険被保険者資格取得届を作成し、ハローワークへ提出したか	資格取得日の翌月10日まで	
8	健康保険・厚生年金保険被保険者資格取得届／70歳以上被用者該当届を作成し、年金事務所へ提出したか	資格取得日から5日以内	
9	被扶養者がいる場合、8の手続きと同時に健康保険被扶養者（異動）届も提出したか	資格取得日から5日以内	
10	各種手続終了後、新入社員に雇用保険被保険者証・健康保険被保険者証・年金手帳を配付したか	交付を受けたあと速やかに	

■退職時のチェックリスト

NO.	内　容	いつまでに	チェック欄
1	退職日・資格喪失日の確認、各種保険の資格喪失届の準備ができているか	雇用は資格喪失日から10日、健康保険・厚生年金は5日以内	
2	健康保険被保険者証の回収はできているか	退職日まで	
3	制服・社員証・バッジの回収はできているか	退職日まで	
4	雇用保険被保険者離職証明書は準備しているか	喪失届と同時	
5	労働者名簿・出勤簿・タイムカードは退職日まで本人印などもれはないか	退職日まで	
6	退職者の退職後の健康保険（任意継続被保険者、国民健康保険、家族の被扶養者）の扱いを確認しているか	退職日まで	
7	定年退職・結婚退職の場合、贈答品・花束の準備はできているか	退職日まで	
8	退職後の健康保険の傷病手当金・出産手当金の取り扱いの確認はできているか	退職日まで	
9	自己都合の場合「退職願」または「退職届」はもらっているか	退職日まで	
10	労働基準監督署、公共職業安定所への提出ができるよう労働者名簿・賃金台帳の整備はできているか	喪失届と同時	
11	定年後、継続雇用する場合、高年齢雇用継続給付の支給確認ができているか	退職日まで	
12	死亡退職の場合、社内規程にあれば香典・弔電の準備はできているか	葬儀の日まで	
13	退職金支給の準備はできているか	規程の支給日に間に合うよう	
14	定年の場合、年金事務所に年金見込額試算をしているか	—	

■年末調整と法定調書作成に関するチェックリスト

NO.	内　容	チェック欄
1	前年の年末調整関係資料に目を通し、年末調整対象者各人ごとの事務処理の特徴を把握したか	
2	今年の税制改正など、年末調整を行うのに必要な法令等の改正がないかどうか検討したか	
3	給与年収が2,000万円を超える人など、年末調整の対象者とならない人を選別したか	
4	扶養控除等（異動）申告書など各種申告書を年末調整対象者から入手し、内容を確認したか	
5	保険料支払証明書などの必要な書類が各種申告書に添付されているか	
6	合計所得金額が1,000万円を超える人は配偶者控除・配偶者特別控除が受けられないなど、所得制限のある控除について、控除適用可否の検討を行ったか	
7	源泉徴収簿と各種申告書の記入内容・金額は一致しているか	
8	各人ごとに、今年と前年の年末調整還付額または徴収額とを比べ、大きく金額が変わっている人はいないか。いれば、その原因を調べ、今年の計算が正しいか確認したか	
9	源泉徴収簿と源泉徴収票は、記載内容・金額が一致しているか	
10	年末調整の過不足額を調整した後の、源泉所得税の納付書を作成し、支払ったか（翌年1月10日または20日まで）	
11	法定調書合計表と源泉徴収票等の各法定調書は、記載内容・金額が一致しているか	
12	給与支払報告書は、総括表とともに、年末調整対象者の住所地の市区町村に提出したか（翌年1月末まで）	
13	年収が500万円超の従業員など一定の要件を満たす年末調整対象者について、源泉徴収票を、支払調書・法定調書合計表などとともに、会社の所在地を管轄する税務署に提出したか（翌年1月末まで）	

■官公庁届出書式一覧

届出先	書式名	掲載ページ
市区町村役場	給与支払報告　特別徴収に係る給与所得者異動届出書	147
	給与支払報告書（源泉徴収票）	202
	住民税納入書	67
年金事務所	健康保険　厚生年金保険　被保険者資格取得届／70歳以上被用者該当届	81
	健康保険　厚生年金保険　被保険者資格喪失届／70歳以上被用者不該当届	141
	健康保険　被扶養者（異動）届	82
	健康保険　厚生年金保険　被保険者報酬月額算定基礎届	119
	健康保険　厚生年金保険　被保険者報酬月額変更届	119
	健康保険　厚生年金保険　産前産後休業取得者申出書／変更（終了）届	221
	健康保険　厚生年金保険　被保険者賞与支払届／ 厚生年金保険70歳以上被用者賞与支払届	133
全国健康保険協会	健康保険　限度額適用認定申請書	242
	健康保険　高額療養費支給申請書	243
	健康保険　被保険者／家族　療養費支給申請書	239
	健康保険　傷病手当金支給申請書	245
	健康保険　負傷原因届	247
	健康保険　被保険者／家族　埋葬料（費）支給申請書	249
	健康保険　被保険者証　再交付申請書	261
税務署	給与所得・退職所得等の所得税徴収高計算書 領収済通知書（源泉所得税納付書）	67,125
	給与所得の源泉徴収票等の法定調書合計表	207
	源泉所得税の納期の特例の承認に関する申請書	123
	退職所得の源泉徴収票・特別徴収票	154,206
	不動産の使用料等の支払調書	206
	報酬、料金、契約金及び賞金の支払調書	206
	給与所得の源泉徴収票	202
ハローワーク	雇用保険被保険者六十歳到達時等賃金証明書	253
	高年齢雇用継続給付受給資格確認票・（初回）高年齢雇用継続給付支給申請書	253
	雇用保険被保険者資格取得届	85
	雇用保険被保険者資格喪失届	143
	雇用保険被保険者離職証明書	145
労働基準監督署	療養補償給付及び複数事業労働者 療養給付たる療養の給付請求書	223
	療養補償給付及び複数事業労働者 療養給付たる療養の給付を受ける指定病院等（変更）届	225
	休業補償給付支給請求書 複数事業労働者休業給付支給請求書	227
	平均賃金算定内訳	229
	労働者死傷病報告	233
	確定保険料申告書	101
	時間外労働　休日労働に関する協定届	24

■書式等入手先一覧

入手先	書式名	掲載ページ
年金事務所	健康保険・厚生年金保険の保険料額表	51
税務署	給与所得者の（特定増改築等）住宅借入金等特別控除申告書	188
	給与所得者の扶養控除等（異動）申告書	55
	給与所得者の基礎控除申告書 兼 給与所得者の配偶者控除等申告書 兼 所得金額調整控除申告書	169
	給与所得者の保険料控除申告書	181
	賞与に対する源泉徴収税額の算出率の表（甲欄）	135
	給与所得の源泉徴収税額表	59、137
	源泉徴収のための退職所得控除額の表	—
	退職所得／給与所得に対する源泉徴収簿	165
	退職所得の受給に関する申告書　退職所得申告書（会社保管）	153
その他（社内作成書式等）	給与支給明細書	11
	出勤簿	78
	賃金台帳	77
	労働者名簿	76
	個人別マスター台帳	79

■税務関係 HP

国税庁	https://www.nta.go.jp/
国税庁タックスアンサー	https://www.nta.go.jp/taxes/shiraberu/taxanswer/index2.htm
日本税理士会連合会	https://www.nichizeiren.or.jp/
東京税理士会	https://www.tokyozeirishikai.or.jp/

■社会保険労務関係 HP

厚生労働省	https://www.mhlw.go.jp/
日本年金機構	http://www.nenkin.go.jp/
東京労働局	https://jsite.mhlw.go.jp/tokyo-roudoukyoku/
全国健康保険協会（協会けんぽ）	https://www.kyoukaikenpo.or.jp/
全国社会保険労務士会連合会	https://www.shakaihokenroumushi.jp/
東京都社会保険労務士会	https://www.tokyosr.jp/

さくいん

あ

安全配慮義務 237
育児休業 216
育児休業給付金 216
遺族基礎年金 250
遺族厚生年金 250
遺族補償給付 250
一元適用事業 92
一定期日払いの原則 14
姻族 57
打切支給の退職金 150
打切補償 39
延滞金 64
延滞税 64

か

解雇 38、138
介護保険 210
解雇予告期間 40
解雇予告手当 40、150
確定拠出年金 183
確定申告 156、197
額面 10
課税給与 54
課税対象額 54
家族出産育児一時金 214
家族埋葬料 248
還付 156、159
基準外給与 12
基準内給与 12
基礎控除 168
基礎賃金集計表 96
基本給 12
休業手当 17
休業補償 17
休業補償給付 228
休憩 20
休日労働 22
給付基礎日額 227
給与計算事務年間カレンダー 70
給与支払いの5原則 15
給与支払報告書 200
給与の出ない日 226
給与明細書 42
業務のマニュアル化 138
居住者 161
居所 161
勤続年数 33
勤務延長 256
計画的付与 34
継続雇用制度 256
継続雇用の基準 258
継続事業 92
月額表 54
月給 29
欠勤控除 46
血族 57
月変 114
減給の制裁 46
健康保険 210
健康保険被保険者証 238
源泉所得税 54、66
源泉所得税の納期 122
源泉徴収 54
源泉徴収税額 158
源泉徴収票 200
源泉徴収簿 192
現物給付（支給） 126、240
コアタイム 31
高額介護合算療養費 240
高額療養費 240
後期高齢者医療制度 262
合計所得金額 168
控除金額 168
控除合計額 10、62
厚生年金保険 210
高年齢雇用継続給付 252
高年齢者雇用安定法 256
高齢受給者証 238
国外居住親族 201
国税 157
個人型確定拠出年金（iDeCo） 85
個人年金保険料 180
個人別マスター台帳 43、79
雇用保険 52、90、210

さ

再雇用 256
在職老齢年金 254
最低賃金法 44
差引支給額 10、62
三六協定 22、75
算定 110
算定対象月 111
資格取得時決定 108
資格取得日 80
資格喪失 141
資格喪失日 50、141
時間外労働 22
時間給 29
事故報告 232
死傷病報告 232
地震保険料控除 182
失業給付 145
支払基礎日数 111
死亡退職金 150
社会保険 210
社会保険料控除 180、182
社会保険料の免除 220
就業規則 72
住宅借入金等特別控除 186
住民税 86、88、146
出勤簿 74、78
出産育児一時金 214
出産手当金 215
出生時育児休業 218
出生時育児休業給付金 218
小規模企業共済等掛金控除 182、184
昇給 116
傷病手当金 244
傷病特別支給金 228
傷病補償年金 228
賞与 126
諸手当 12
所定休日 26
所定労働時間 12、18
所得控除 162
新卒採用 86
深夜労働 22
随時改定 104、114、118、220
税額控除 162
生命保険料控除 180
全額払いの原則 14、48、60
早期退職優遇制度 139
葬祭料 250
総支給額 10、62
相対的明示事項 149

た

待期期間 226、244
代休 27
第3号被保険者 212
退職 138
退職金 148、150
退職金規程 149
退職所得控除 151
遅早控除 46
治ゆ 222、228
中途採用 86
長期損害保険料 182
直接支払制度 214
直接払いの原則 14
賃金 52
賃金支払いの5原則 15、60、126
賃金台帳 74
追加徴収 156
通貨払いの原則 14、126
通勤災害 234
月平均所定労働時間 29
定額減税 68
定時決定 104、110
定年延長 256
出来高払い 29
手取金額 10、62
電子（オンライン）申請 213
同日得喪 254
特別徴収 60、86、88、146

な

二元適用事業 92
日額表 54
日給 29
年次有給休暇の時効 35

さくいん

年次有給休暇の比例付与　36
年度更新　66、92
年末調整　156、158、160、162
納期の特例　122、152
ノーワーク・ノーペイ　46

は

パートタイマー　36
配偶者控除　172
配偶者（特別）控除　172
パパ・ママ育休プラス　216
ハローワーク　84
パワーハラスメント　237
非課税給与　45
引継ぎの徹底化　138
非居住者　161
被扶養者　82
病院の変更　224
標準賞与額　128
標準報酬月額　35、48、108、110
標準報酬月額の特例　220
標準報酬日額　35
歩合給　29
普通徴収　60、86
不納付加算税　123
扶養親族の範囲　57
付与日数　33
振替休日　27
フレキシブルタイム　31
フレックスタイム制　30
平均賃金　16
平均賃金算定内訳　228
変形労働時間制　30
報酬　48
報酬月額　48、106
法定休日　26
法定控除　49
法定3帳簿　43、74
法定調書　204
法定調書合計表　204
法定労働時間　18
保険者算定　113
保険年度　92
保険料控除　180

ま

埋葬費　248
埋葬料　248
毎月払いの原則　14
マイナ保険証　75
マイナンバー　80
マイナンバーカード　75
身元保証書　85
メリット制　95
メンタルヘルス　236

や

役員賞与　136
有期事業　92、103
有給休暇　32、34

ら

療養の給付　222、238
労災指定病院　222
労災保険　90、211、222
労働基準法　10、126
労働協約　126
労働者災害補償保険　90、210
労働者名簿　42、74
労働条件　72
労働の対価　10
労働保険　90

わ

割増賃金　22、26、28

●監修・執筆

池本 修（いけもと おさむ）
社会保険労務士法人アシスト・ジャパン
代表 (http://www.assistjapan.net)
1962年兵庫県生まれ
社会保険労務士、宅地建物取引士、CFP®、1級DCプランナー、CDAほか
人事・労務管理や各種社内制度のコンサルティングにより企業支援を行う他、EAPコミュニケーションセンターの代表社員としてメンタルヘルスに関する事業活動等を展開

●執筆（執筆順）

鹿田 淳子（しかた じゅんこ）
社会保険労務士鹿田淳子事務所 代表
1973年大阪府生まれ
1996年社会保険労務士試験合格後、社労士事務所、一般企業人事課等の経験を経て2001年事務所開業。豊富な実務経験を活かし中小零細企業をサポートする。企業向け・一般向けのセミナーなどの講師としても活躍中。

吉岡 奈美（よしおか なみ）
吉岡奈美税理士・社会保険労務士事務所 代表
1973年大阪府生まれ
税理士、社会保険労務士、CFP®
税理士をはじめとする各種資格を活かした総合的サービスを展開。ファイナンシャル・プランナーとしての相談業務も行っている。

カバーデザイン●スーパーシステム
本文デザイン＆イラスト●渡邊真衣子（シャオディー有限会社）
編集協力●小松プロジェクト
企画編集●成美堂出版編集部

本書に関する正誤等の最新情報は、下記のURLをご覧ください。
https://www.seibidoshuppan.co.jp/support/

※上記アドレスに掲載されていない箇所で、正誤についてお気づきの場合は、書名・発行日・質問事項・氏名・住所・FAX番号を明記の上、成美堂出版まで郵送またはFAXでお問い合わせください。お電話でのお問い合わせは、お受けできません。
※内容によっては、ご質問をいただいてから回答を郵送またはFAXで発送するまでお時間をいただく場合もございます。また、法律相談等は行っておりません。
※ご質問の受付期限は、2025年6月末到着分までとさせていただきます。ご了承ください。

小さな会社の給与計算と社会保険の事務がわかる本 '24～'25年版

2024年 9 月30日発行

監　修　池《いけ》本《もと》 修《おさむ》
著　者　鹿《しか》田《た》淳《じゅん》子《こ》　吉《よし》岡《おか》奈《な》美《み》
発行者　深見公子
発行所　成美堂出版
〒162-8445　東京都新宿区新小川町1-7
電話(03)5206-8151　FAX(03)5206-8159
印　刷　大盛印刷株式会社

ISBN978-4-415-33457-8
落丁・乱丁などの不良本はお取り替えします
定価はカバーに表示してあります